La flèche n

Robert Louis Stevenson

(Translator: E. La Chesnais)

Alpha Editions

This edition published in 2023

ISBN : 9789357952545

Design and Setting By
Alpha Editions
www.alphaedis.com
Email - info@alphaedis.com

Contents

PROLOGUE
JEAN RÉPARE-TOUT

Certaine après-midi, vers la fin du printemps, on entendit la cloche de Moat-House, à Tunstall, sonner à une heure inaccoutumée. Au loin et auprès, dans la forêt et dans les champs, le long de la rivière, les gens, quittant leurs travaux, se hâtèrent vers le son, et, dans le hameau de Tunstall, un groupe de pauvres paysans était étonné de l'appel.

Le hameau de Tunstall à cette époque, sous le règne de Henri VI, avait à peu près la même apparence qu'aujourd'hui. Une vingtaine de maisons environ, lourdement charpentées de chêne, étaient disséminées dans une longue vallée verdoyante, étagées au-dessus de la rivière. Au pied, la route traversait un pont, et montant de l'autre côté, disparaissait à la limite de la forêt dans la direction de Moat-House, et, plus loin, de l'abbaye de Holywood. A mi-chemin dans le village se trouvait l'église, entourée d'ifs. De chaque côté, les talus étaient couronnés, et la vue bornée par les ormes verts et les chênes sombres de la forêt.

Tout près du pont, il y avait une croix de pierre sur un monticule, et c'est là que le groupe s'était réuni — une demi-douzaine de femmes et un grand garçon vêtu d'une blouse rougeâtre — se demandant ce qu'annonçait la cloche. Une demi-heure avant, un messager avait traversé le village et bu un pot de bière sans descendre de cheval, tant son message était urgent ; mais il ignorait lui-même ce qui se passait, et simplement portait des lettres scellées de Sir Daniel Brackley à Sir Olivier Oates, le prêtre qui gardait Moat-House pendant l'absence du maître.

Mais voici maintenant de nouveau le bruit d'un cheval, et bientôt, sortant de la lisière du bois, et faisant résonner le pont, galopait maître Richard Shelton, le pupille de Sir Daniel. Lui, au moins, saurait quelque chose, et ils l'interpellèrent et lui demandèrent des explications. Il s'arrêta volontiers. C'était un jeune garçon de près de dix-huit ans, bruni par le soleil, aux yeux gris, vêtu d'une jaquette de peau de daim avec un col de velours noir, une toque verte sur la tête, et un arc d'acier sur le dos. Le messager, semblait-il, avait apporté de grandes nouvelles ; une bataille était imminente ; Sir Daniel avait envoyé l'ordre que tout homme capable de tirer de l'arc ou de porter une hache se rendît en toute hâte à Kettley, sous peine de lui déplaire gravement ; mais, quant à savoir pour qui ou pour quoi on se battait, Dick n'en savait rien. Sir Olivier devait venir bientôt et Bennet Hatch s'armait en ce moment même, car c'était lui qui devait conduire la troupe.

— C'est la ruine de ce bon pays, dit une femme. Si les barons vivent en guerre, les laboureurs vont manger des racines.

— Non, dit Dick, tous ceux qui suivront recevront douze sols par jour, et les archers vingt-quatre.

— S'ils vivent, ça pourra aller, répliqua la femme. Mais s'ils meurent, mon maître ?

— Ils ne peuvent mieux mourir que pour leur seigneur naturel, dit Dick.

— Il n'est pas mon seigneur naturel, dit l'homme à la blouse ; j'ai suivi les Walsinghams, comme nous l'avons tous fait, là-bas, au chemin de Brierley, jusqu'il y aura deux ans, vienne la Chandeleur. Et maintenant il faut que je sois du côté de Brackley. C'est la loi qui a fait cela. Appelez-vous ça naturel ? moi à présent, avec Sir Daniel et Sir Olivier — qui s'y connaît mieux en lois qu'en honnêteté — je n'ai pas d'autre seigneur naturel que le pauvre roi Henri VI, que Dieu bénisse ! — le pauvre malheureux qui ne reconnaît pas sa main droite de sa gauche.

— Voilà de vilaines paroles, l'ami, répondit Dick, vous calomniez à la fois votre bon maître et le Seigneur mon roi ; mais le roi Henri, — loués soient les saints ! — a retrouvé la raison et fera tout rentrer paisiblement dans l'ordre. Quant à Sir Daniel, vous êtes très brave derrière son dos. Mais je ne suis pas un rapporteur ; assez là-dessus.

— Je ne dis pas de mal de vous, maître Richard, répliqua le paysan. Vous êtes jeune ; mais, quand vous aurez l'âge d'homme, vous trouverez votre poche vide. Je n'en dis pas davantage. Que les saints viennent en aide aux voisins de Sir Daniel, et que la bonne Vierge protège ses pupilles !

— Clipsby, dit Richard, l'honneur me défend d'écouter ce que vous dites là. Sir Daniel est mon bon maître et mon tuteur.

— Eh bien ! voyons, voulez-vous me deviner une énigme ? répliqua Clipsby ; de quel parti est Sir Daniel ?

— Je ne sais, dit Richard en rougissant un peu ; car son tuteur avait continuellement changé de parti dans les troubles de cette époque, et chaque changement lui avait procuré quelque accroissement de fortune.

— Hé, répliqua Clipsby, ni vous ni personne ; car, en vérité, il est de ceux qui vont se coucher Lancastre et se lèvent York.

A ce moment le pont résonna sous les fers d'un cheval ; on se retourna, et l'on vit arriver Bennet Hatch au galop. C'était un personnage à la face bronzée, grisonnant, la main lourde et l'aspect farouche, armé de l'épée et de la lance, une salade d'acier sur la tête, une jaque de cuir sur le corps. C'était un homme important dans le pays, la main droite de Sir Daniel en paix comme en guerre, et, pour le moment, par le crédit de son maître, bailli du district.

— Clipsby, cria-t-il, vite à Moat-House, et envoie tous les traînards par le même chemin. Bowyer vous donnera des jaques et des salades. Il faut être partis avant le couvre-feu. Celui qui sera le dernier à la porte aura affaire à Sir Daniel. Faites-y bien attention. Je sais que tu es un propre à rien. Nancy, ajouta-t-il en s'adressant à une des femmes, le vieil Appleyard est-il en haut de la ville ?

— Vous pouvez y compter, répliqua la femme ; dans son champ, pour sûr.

Puis le groupe se dispersa, et, tandis que Clipsby traversait tranquillement le pont, Bennet et le jeune Shelton suivirent ensemble la route à travers le village, jusqu'au delà de l'église.

— Vous allez voir le vieux sournois, dit Bennet ; il va perdre plus de temps à grommeler et à bavarder sur Henri V qu'il n'en faudrait pour ferrer un cheval, et cela parce qu'il a été aux guerres de France.

La maison où ils se rendaient était la dernière du village. Elle était isolée, entourée de lilas, et, au delà, sur trois côtés, il y avait un champ ouvert, montant vers la limite du bois.

Hatch sauta de cheval, jeta les rênes par-dessus la palissade, et descendit dans le champ, Dick se tenant à son côté, vers l'endroit où le vieux soldat piochait, enfoncé jusqu'aux genoux dans ses choux, et, de temps en temps, d'une voix éraillée, chantait quelque bribe de chanson. Il était complètement habillé de cuir, sauf son chaperon et sa palatine, qui était d'étoffe noire et attachée avec un lacet écarlate. Sa figure ressemblait à une coquille de noix, tant elle était brunie et ridée, mais ses vieux yeux gris étaient encore clairs et sa vue excellente. Peut-être il était sourd, peut-être il trouvait au-dessous de la dignité d'un vieil archer d'Azincourt de prêter quelque attention à ce qui se passait ; mais, ni le son maussade de la cloche d'alarme, ni l'approche de Bennet et du jeune homme ne parurent l'émouvoir, et il continuait à piocher obstinément, et son mince filet de voix chevrotait :

Chère Dame, je vous prie,

Veuillez me prendre en pitié.

— Nick Appleyard, dit Hatch, Sir Olivier se rappelle à votre souvenir et ordonne que vous vous rendiez sur l'heure à Moat-House pour y prendre le commandement.

Le vieillard leva la tête.

— Salut, mes maîtres, dit-il en ricanant, et où va maître Hatch ?

— Maître Hatch part pour Kettley, avec tous les hommes à qui nous pouvons fournir un cheval, répliqua Bennet. Il paraît qu'il va y avoir un combat ; monseigneur attend du renfort.

— Oui vraiment, répliqua Appleyard, et qu'est-ce que vous laissez comme garnison là-bas ?

— Je vous laisse six gaillards, et Sir Olivier par-dessus le marché, répondit Hatch.

— Je ne tiendrai pas la place, dit Appleyard. Ça ne suffit pas. Il m'en faudrait une quarantaine pour bien faire.

— Parbleu, c'est pour cela que nous venons vous chercher, vieux ronchonneur, répliqua Hatch. Quel autre que vous serait capable de rien faire dans une telle maison, et avec une pareille garnison ?

— Oui-dà, quand votre pied vous blesse, vous vous souvenez du vieux soulier, répliqua Nick. Il n'y a pas parmi vous un homme capable de monter à cheval ou de tenir une hache. Quant à tirer de l'arc, par saint Michel, si le vieil Henri V revenait, il se mettrait au but et vous laisserait tirer sur lui à un denier le coup.

— Mais si, Nick, il y en a encore qui savent tendre l'arc, dit Bennet.

— Bien tendre l'arc, s'écria Appleyard, oui ; mais qui me tirera un beau coup ? Pour ça, il faut l'œil et une bonne tête sur les épaules. Et puis, qu'est-ce que vous appelez tirer loin, Bennet Hatch ?

— Eh bien, dit Bennet en regardant autour de lui, ce serait assez loin d'ici jusqu'à la forêt.

— Oui, ce serait assez loin, dit le vieux, regardant par-dessus son épaule, et il mit la main au-dessus de ses yeux pour mieux voir.

— Eh bien, qu'est-ce que vous regardez, demanda Bennet en ricanant ; voyez-vous Henri V ?

Le vétéran continua à regarder la colline en silence. Le soleil brillait, éclatant, sur les prairies en pente. Quelques moutons blancs broutaient. Tout était muet, sauf le tintement lointain, de la cloche.

— Qu'y a-t-il, Appleyard ? demanda Dick.

— Voyez les oiseaux, dit Appleyard.

Et, en effet, au-dessus de la forêt, à un endroit où elle faisait une pointe dans les champs, et se terminait par deux beaux ormes verts, à peu près à une portée de flèche du champ où ils se trouvaient, une bande d'oiseaux voletait de sommet en sommet, comme effarée.

— Quoi, les oiseaux, dit Bennet ?

— Hé, répondit Appleyard, vous êtes un sage d'aller à la guerre, maître Bennet. Les oiseaux sont de bonnes sentinelles ; dans les forêts, ils sont la première ligne de bataille. Voyez, à présent, si nous étions ici dans un camp ; il pourrait y avoir par là des archers cachés pour nous observer, et vous seriez ici sans vous en douter.

— Bah, vieux radoteur, dit Hatch, il n'y a personne plus près de nous que Sir Daniel à Kettley ; vous êtes aussi en sûreté ici que dans la Tour de Londres, et vous voulez effrayer un homme avec des moineaux et des pinsons.

— Écoutez-le, grogna Appleyard, combien de vagabonds qui donneraient leurs deux oreilles pour tirer sur un de nous. Par saint Michel, ils nous haïssent comme deux putois.

— C'est vrai qu'ils haïssent Sir Daniel, répondit Hatch un peu calmé.

— Oui, ils haïssent Sir Daniel et ils haïssent tous ceux qui marchent avec lui, dit Appleyard ; et, en première ligne, dans leur haine, il y a Bennet Hatch et le vieil archer Nicolas. Tenez, s'il y avait un homme solide sur la lisière du bois, et vous et moi devant lui comme nous voilà, par saint Georges, qui croyez-vous qu'il choisirait ?

— Vous, je parie, répondit Hatch.

— Mon surcot contre une ceinture de cuir que ce serait vous, cria le vieil archer. Vous avez brûlé Grimstone, Bennet, et ils ne vous pardonneront jamais ça, mon maître. Quant à moi, je serai bientôt dans un bon endroit, Dieu merci, et à l'abri de tous les coups de flèche de leurs rancunes. Je suis un vieillard et je m'approche du lieu de repos où mon lit est prêt. Mais vous, Bennet, vous resterez ici à vos risques, et, si vous arrivez à mon âge sans être pendu, c'est que le loyal vieil esprit anglais sera mort.

— Vous êtes le plus méchant butor de la forêt de Tunstall, répliqua Hatch, visiblement troublé par ces menaces. Allez, prenez vos armes avant l'arrivée de Sir Olivier. Assez bavardé. Si vous aviez parlé aussi longtemps avec Henri V, ses oreilles auraient été plus riches que sa poche.

Une flèche siffla dans l'air comme un énorme bourdon. Elle frappa le vieil Appleyard entre les omoplates et le traversa de part en part. Il tomba, en avant, la face dans les choux. Hatch, avec un cri étouffé, sauta en l'air, puis, le corps plié en deux, courut gagner l'abri de la maison. En même temps,

Dick Shelton s'était réfugié derrière un lilas, et avait tendu et épaulé son arc, menaçant la pointe de la forêt.

Pas une feuille ne bougea, les moutons paissaient paisiblement, les oiseaux s'étaient calmés : mais le vieillard était étendu avec une flèche d'une aune dans le dos ; et Bennet se tenait derrière la palissade, et Dick accroupi et prêt derrière le buisson de lilas.

— Voyez-vous quelque chose ? cria Hatch.

— Pas un rameau ne bouge, répondit Dick.

— C'est une honte de le laisser ainsi par terre, dit Bennet très pâle, et revenant d'un pas hésitant. Ayez l'œil sur le bois, maître Shelton, ayez bien l'œil sur le bois. Les saints nous protègent ! C'était un fameux coup.

Bennet releva le vieillard sur ses genoux. Il n'était pas encore mort. Sa figure se contractait, ses paupières s'ouvraient et se fermaient comme mécaniquement, et il avait un horrible regard de souffrance.

— Pouvez-vous entendre, vieux Nick ? demanda Hatch. Avez-vous un dernier souhait avant de partir, vieux frère ?

— Arrachez la flèche, et laissez-moi mourir, au nom de Marie, soupira Appleyard. J'en ai fini avec la vieille Angleterre. Arrachez-la.

— Maître Dick, dit Bennet, venez ici et tirez-moi fort sur la flèche ; il voudrait mourir, le pauvre pécheur.

Dick posa son arc, et, tirant sur la flèche avec force, il la sortit de la blessure. Un flot de sang jaillit, le vieil archer se souleva à moitié, invoqua le nom de Dieu et tomba mort. Hatch, à genoux dans les choux, priait avec ferveur pour l'âme qui s'en allait. Mais, même pendant sa prière, il était clair que son esprit était encore partagé, car il ne quittait pas de l'œil le coin du bois d'où le coup était venu. Quand il eut fini, il se releva, ôta un de ses gantelets et essuya son visage pâle tout mouillé par la terreur.

— Ah ! dit-il, ce sera mon tour la prochaine fois.

— Qui a fait cela, Bennet ? demanda Richard, qui tenait encore la flèche.

— Hé, les saints le savent, dit Hatch. Il y a une bonne quarantaine d'âmes chrétiennes que nous avons chassées de chez elles, lui et moi. Il a payé son écot, le pauvre vieux, et ce ne sera pas long, peut-être, avant que je paie le mien. Sir Daniel est par trop dur.

— Voilà un étrange dard, dit le jeune garçon en regardant la flèche qu'il avait dans les mains.

— Oui, par ma foi, s'écria Bennet. Noire et à plumes noires. C'est un trait de mauvais augure, en vérité ! car le noir est, dit-on, signe de funérailles. Et il y, a quelque chose d'écrit. Essuyez le sang. Que lisez-vous ?

— Appelyard de la part de Jean Répare-tout, lut Shelton. Qu'est-ce que cela veut dire ?

— Vrai, je n'aime pas cela, répliqua l'autre en secouant la tête. Jean Répare-tout. Voilà un nom de bandit, dangereux pour ceux qui sont haut placés en ce monde. Mais pourquoi restons-nous ici comme point de mire ? Prenez-le par les genoux, bon maître Shelton, pendant que je le tiendrai par les épaules, et allons le coucher chez lui. Ça va secouer rudement le pauvre Sir Olivier, il va être couleur de papier ; il va prier comme un moulin à vent.

Ils prirent le vieil archer et le portèrent dans sa maison où il vivait seul. Là, ils le posèrent sur le plancher par égard pour le matelas et cherchèrent à arranger ses membres et à les étendre aussi bien que possible.

La maison d'Appleyard était propre et nue. Il y avait un lit avec un couvre-pieds bleu, une armoire, un grand coffre, deux escabeaux, une table dans le coin de la cheminée, et, pendues au mur, les armes du vieux soldat. Hatch se mit à regarder curieusement autour de lui.

— Nick avait de l'argent, dit-il. Il peut avoir une soixantaine de livres de côté. Je voudrais bien mettre la main dessus. Quand vous perdez un vieil ami, maître Richard, la meilleure consolation est d'hériter de lui. Voyez ce coffre, je parierais gros qu'il y a là-dedans un boisseau d'or : Appleyard avait une bonne main pour prendre et une bonne main pour garder. A présent, que Dieu le garde ! Pendant près de quatre-vingts ans il a été ici et là, toujours gagnant quelque chose ; mais maintenant, il est sur le dos, le pauvre diable, et n'a plus besoin de rien ; et si ses économies passent à un bon ami, il n'en sera, je pense, que plus joyeux en paradis.

— Venez, Hatch, dit Richard, respectez ses yeux fermés. Voulez-vous voler cet homme devant son cadavre ? Non, il pourrait se lever !

Hatch fit plusieurs signes de croix ; mais il avait retrouvé son caractère ordinaire, et il ne se laissait pas facilement détourner de ce qu'il avait résolu. Le coffre aurait passé un mauvais quart d'heure, si la grille n'avait grincé, et si un instant après, la porte de la maison ne s'était ouverte, donnant passage à un homme d'une cinquantaine d'années, grand, fort, rouge, aux yeux noirs, vêtu d'une robe noire et d'un surplis.

— Appleyard, dit le nouveau venu en entrant ; mais il s'arrêta court. *Ave, Maria*, s'écria-t-il, les saints nous protègent ! Quelle mine est-ce là ?

— Mine refroidie, monsieur le chapelain, répondit Hatch avec bonne humeur. Frappé à sa propre porte, et il arrive en ce moment au purgatoire. Oui, vraiment, si ce qu'on raconte est vrai, il ne manquera ni de charbon ni de chandelle.

Sir Olivier se traîna jusqu'à un escabeau, et s'assit, tout pâle.

— Voilà un jugement ! Oh, quel coup !

Il sanglotait et récita des prières. Hatch en même temps se découvrit respectueusement et s'agenouilla.

— Ah ! Bennet, dit le prêtre un peu remis de son émotion, d'où cela peut-il venir ; quel ennemi a fait cela ?

— Voici la flèche, Sir Olivier. Voyez, il y a des mots écrits dessus, dit Dick.

— Quoi, s'écria le vieux prêtre, voilà qui est odieux ! Jean Répare-tout ! Un vrai nom de Lollard. Et toute noire comme un mauvais présage. Messieurs, je n'aime pas cette flèche de bandit. Vraiment, il importe de tenir conseil. Qui pourrait-ce être ? Réfléchissez, Bennet ? Parmi tant de sombres malfaiteurs, lequel cela peut-il être qui nous brave si rudement ? Simnel ? Je ne le crois guère. Les Walsingham ? Non, ils ne sont pas encore à ce point révoltés ; ils pensent qu'ils auront la loi contre nous quand les temps changeront. Il y a aussi Simon Malmesbury. Qu'en pensez-vous, Bennet ?

— Que pensez-vous, monsieur, de Ellis Duckworth ? répliqua Hatch.

— Non, Bennet, jamais ; non, ce n'est pas lui, dit le prêtre. Jamais révolte, Bennet, ne vient, d'en bas ; — tous les chroniqueurs judicieux s'accordent là-dessus ; mais la rébellion se transmet de haut en bas, et, quand Dick, Tom et Harry la prennent à leur compte, regardez de près quel seigneur en profite. Eh bien, Sir Daniel, s'étant une fois de plus rallié au parti de la reine, est fort mal vu des seigneurs d'York. De là vient le coup, Bennet ; — de quelle manière, je le cherche encore, mais là est l'origine de ce malheur.

— Ne vous déplaise, Sir Olivier, dit Bennet, les essieux sont si chauds par ici que, depuis longtemps, j'ai senti l'odeur du roussi. Et ce pauvre pécheur d'Appleyard aussi. Et, avec votre permission, les esprits sont si méchamment disposés à l'égard de nous tous, qu'il n'est besoin d'York ni de Lancastre pour les exciter. Écoutez mon idée : vous qui êtes un clerc, et Sir Daniel qui navigue à tous vents, vous avez pris les biens à beaucoup de gens, et vous en avez battu et pendu beaucoup. Vous aurez à répondre de ça. Je ne sais comment, à la fin, vous avez toujours eu le dessus, et vous croyez que tout est arrangé. Mais, avec votre permission, Sir Olivier, l'homme que vous avez dépossédé et battu n'en est que plus irrité, et, quelque jour, quand le diable noir passera par là, il prendra son arc, et vous enverra une bonne flèche à travers le corps.

— Non, Bennet, vous êtes dans l'erreur. Bennet, souffrez qu'elle soit rectifiée, dit Sir Olivier. Vous êtes un jaseur, Bennet, un bavard, un babillard ; votre bouche est plus large que vos deux oreilles. Corrigez cela, Bennet, corrigez cela.

— Non, je ne dis plus rien. Prenez-le comme vous voudrez, dit Bennet.

Le prêtre se leva alors de son escabeau, et prit dans l'écritoire qui pendait à son cou, de la cire et une bougie, avec une pierre et de l'acier. Avec cela, il scella des armes de Sir Daniel le coffre et l'armoire ; Hatch le regardait avec mélancolie ; puis ils se préparèrent, non sans quelque crainte, à sortir de la maison et à remonter à cheval.

— Nous devrions être en route, Sir Olivier, dit Hatch, en tenant l'étrier du prêtre pendant qu'il se mettait en selle.

— Oui, mais, Bennet, les choses sont changées, répliqua le prêtre ; maintenant il n'y a plus d'Appleyard — paix à son âme ! — pour tenir la garnison. Je vous garderai, Bennet. Il me faut un homme sur qui me reposer, en ce jour de flèches noires. La flèche qui siffle dans le jour, dit l'Évangile... je ne me rappelle pas la suite ; non, je suis un prêtre négligent ; je suis trop enfoncé dans les affaires humaines. Allons, chevauchons, maître Hatch. Les hommes doivent être près de l'église maintenant.

Ainsi ils chevauchaient en descendant la route, ayant le vent dans le dos qui agitait les pans de l'habit du prêtre, et derrière eux de gros nuages s'amoncelaient et cachaient le soleil couchant. Ils avaient passé trois des maisons éparpillées qui composaient le hameau de Tunstall, quand, à un tournant, ils virent l'église devant eux. Dix ou douze maisons étaient groupées autour ; mais derrière, le cimetière était contigu aux champs. Près du porche une vingtaine d'hommes étaient réunis, les uns à cheval, les autres se tenant à la tête de leur monture. Ils étaient montés et armés de manières fort diverses : quelques-uns avaient des lances, d'autres des haches d'armes, d'autres des arcs, et plusieurs montaient des chevaux de charrue, encore souillés de la boue du sillon ; car c'était la lie du pays : ce qu'il y avait de meilleur comme hommes et comme équipement était déjà au camp avec Sir Daniel.

— Par la croix de Holywood, ce n'est pas mal ; Sir Daniel sera content, observa le prêtre en comptant la troupe.

— Qui va là ? Arrêtez, si vous êtes loyal ! cria Bennet.

On vit un homme se glisser dans le cimetière parmi les ifs ; en entendant cet appel, il renonça à sa cachette et courut à toutes jambes vers la forêt. Les hommes près du porche, qui jusqu'à ce moment ne s'étaient pas douté de la présence de l'étranger, s'agitèrent. Ceux qui étaient à pied commencèrent à monter à cheval, ceux qui étaient déjà à cheval se lancèrent à sa poursuite. Mais ils avaient à faire le tour du terrain consacré et il était évident que leur proie leur échapperait. Hatch, avec un juron, plaça son cheval face à la haie pour le faire sauter ; mais celui-ci refusa, et envoya son cavalier rouler dans la poussière. Quoiqu'il se remît debout en un instant, et qu'il eût saisi la bride, le temps avait passé et le fugitif avait gagné une trop grande avance pour que l'on pût encore espérer sa capture.

Le plus sage de tous avait été Dick Shelton. Au lieu de se précipiter dans une poursuite vaine, il avait saisi son arc, mis une flèche et tendu la corde, et maintenant que les autres avaient renoncé à la poursuite, il regarda Bennet et lui demanda s'il fallait tirer.

— Tirez, tirez, cria le prêtre avec une violence sanguinaire.

— Visez-le, maître Dick, dit Bennet. Faites-le-moi tomber comme une pomme trop mûre.

Il ne fallait plus en ce moment au fugitif que quelques pas pour être à l'abri ; mais la pente dans cette dernière partie de la prairie était assez raide à monter, et la course de l'homme se ralentissait. Par suite de la nuit tombante et des mouvements irréguliers du coureur, ce n'était pas un but facile ; et, lorsque Dick tira, il ressentit une espèce de pitié qui lui fit presque souhaiter de manquer le but. La flèche vola.

L'homme trébucha et tomba, et un grand cri de joie s'éleva, poussé par Hatch et ceux qui s'étaient mis à la poursuite. Mais c'était vendre la peau de l'ours avant qu'il ne fût mort. L'homme tomba ; il se releva légèrement, se retourna, agita sa casquette en manière de bravade, et l'instant d'après, était hors de vue dans le bois.

— Que la peste l'accompagne ! cria Bennet. Il a des jarrets de voleur ; il sait courir, par saint Banbury ! Mais vous l'avez atteint, maître Shelton, il vous a volé votre flèche. Puisse-t-il n'avoir jamais de bien que je lui envie davantage !

— Mais que faisait-il près de l'église ? demanda Sir Olivier. J'ai bien peur qu'il n'y ait eu quelque malheur ici. Clipsby, mon ami, descendez de cheval, et cherchez partout dans les ifs.

Clipsby s'éloigna, et revint presque aussitôt, apportant un papier.

— Cet écrit était piqué à la porte de l'église, dit-il en le tendant au prêtre. Je n'ai trouvé rien d'autre, monsieur le chapelain.

— Par exemple ! par la puissance de notre sainte Mère l'Église, s'écria Sir Olivier, ceci est presque un sacrilège ! Par ordre du roi ou du seigneur du manoir… fort bien ! Mais que n'importe quel vagabond loqueteux attache des papiers à la porte du sanctuaire… non, ça touche au sacrilège, ça y touche ; et des hommes ont été brûlés pour moins que cela ! Mais qu'y a-t-il là-dessus ? Le soir tombe. Mon bon maître Richard, vos yeux sont jeunes. Lisez-moi, je vous prie, ce libelle.

Dick Shelton prit le papier en mains et lut à haute voix. Le papier portait quelques vers irréguliers, raboteux, à peine rimés, tracés d'une écriture grossière, avec une orthographe étrange. Les voici, avec l'orthographe un peu améliorée :

J'avais quatre flèches noires dans ma ceinture,

Quatre pour les torts que j'ai sentis.

Quatre pour le nombre de mauvais hommes

Qui m'ont opprimé bien des fois.

Un est parti ; un est bien parti ;

Le vieil Appleyard est mort.

Une est pour maître Bennet Hatch,

Qui brûla Grimstone, murs et toit.

Une pour Sir Olivier Oates,

Qui coupa la gorge à Sir Harry Shelton.

Sir Daniel, vous aurez la quatrième

Et vous ne l'aurez pas volé.

Vous aurez chacun votre part,

Une flèche noire dans chaque cœur noir

Mettez-vous à genoux pour prier.

Vous êtes des voleurs morts, votre compte est bon.

Jean REPARE-TOUT
du Bois Vert,
et sa gaillarde compagnie.

Item, nous avons d'autres flèches et de bonnes cordes pour d'autres de votre espèce.

— Hélas ! Charité et Grâces chrétiennes ! s'écria Sir Olivier d'une voix lamentable. Messieurs, nous vivons dans un monde mauvais et pire de jour en jour. Je jurerai sur la croix de Holywood que je suis aussi innocent du tort fait à ce bon chevalier, soit en action, soit en pensée, que le nouveau-né non encore baptisé. On ne lui coupa d'ailleurs pas la gorge ; car en cela aussi ils se trompent, et il y a encore des témoins respectables pour le prouver.

— Cela ne sert à rien, monsieur le chapelain, dit Bennet. Ce discours n'est pas de saison.

— Pas du tout, maître Bennet, pas du tout. Restez à votre place, brave Bennet, répondit le prêtre. Je ferai paraître mon innocence. Je ne veux pour rien au monde perdre ma pauvre vie par erreur. Je prends tout homme à témoin que je ne suis pour rien dans cette affaire. Je n'étais même pas à Moat-House. Je fus envoyé en course avant neuf heures...

— Sir Olivier, dit Hatch, l'interrompant, puisqu'il vous plaît de ne pas terminer ce sermon, je prendrai d'autres moyens. Goffe, sonnez le boute-selle.

Et, tandis que la fanfare sonnait, Bennet s'approcha tout près du prêtre ébahi et lui parla à l'oreille avec violence.

Dick Shelton vit l'œil du prêtre se tourner vers lui un instant avec un regard effaré. Il avait quelque raison d'observer, car ce chevalier Harry Shelton était son propre père. Mais il ne dit mot et garda une physionomie impassible.

Hatch et Sir Olivier discutèrent un moment sur leur changement de situation ; il fut décidé entre eux que dix hommes seulement seraient gardés, tant pour tenir garnison à Moat-House que pour escorter le prêtre à travers le bois. En outre, comme Bennet devait rester, le commandement du renfort devait être pris par maître Shelton. Il n'y avait, d'ailleurs, pas autre chose à faire ; les hommes étaient des lourdauds, stupides et maladroits en guerre, tandis que Dick, non seulement était populaire, mais était sérieux et résolu plus que son âge ne le comportait. Bien que sa jeunesse se fût passée dans ces rudes campagnes, il avait reçu de Sir Olivier un bon enseignement pour les lettres, et Hatch lui-même lui avait appris le maniement des armes et les premiers principes du commandement. Bennet avait toujours été bon et obligeant ; il était de ces hommes qui sont cruels comme la tombe envers ceux qu'ils appellent leurs ennemis, mais brutalement fidèles et dévoués envers ceux qu'ils appellent leurs amis ; et, pendant que Sir Olivier entrait dans la maison voisine pour adresser, de son élégante et rapide écriture, un mémoire des derniers événements à son maître, Sir Daniel Brackley, Bennet se rapprocha de son élève, pour lui souhaiter bonne chance au départ.

— Il faut prendre le plus long, maître Shelton, dit-il ; faire le tour par le pont ; il y va de la vie ! Ayez un homme sûr cinquante pas devant vous pour attirer les coups ; et allez doucement jusqu'à ce que vous ayez passé le bois. Si les gredins tombent sur vous, galopez ; il ne sert à rien de leur faire face. Et toujours en avant, maître Shelton ; ne me revenez pas, si vous tenez à la vie ; il n'y a rien de bon à espérer dans Tunstall, souvenez-vous-en. Et, maintenant, puisque vous allez aux grandes guerres, et que je continue à demeurer ici au grand péril de ma vie, en sorte que les saints peuvent seuls savoir si nous nous rencontrerons ici-bas, je veux vous donner mes derniers conseils au moment du départ. Ayez l'œil sur Sir Daniel ; il n'est pas sûr. Ne mettez pas votre confiance dans ce faquin de prêtre ; il n'a pas de mauvaises intentions, mais il fait la volonté d'autres ; Sir Daniel le manie comme il veut ! Faites-vous de bons protecteurs partout où vous irez ; faites-vous des amis forts ; veillez à cela. Et tâchez de trouver toujours le temps d'un *pater noster* pour penser à Bennet Hatch. Il y a sur terre des gredins pires que lui. Et Dieu vous aide !

— Et le ciel soit avec vous, Bennet ! répondit Richard. Vous avez été un bon ami pour votre élève, et je le dirai toujours.

— Et, voyez-vous, maître, ajouta Hatch avec un certain embarras, si ce Répare-tout m'envoyait une flèche, vous pourriez, peut-être, disposer d'un marc d'or, ou, peut-être même d'une livre pour ma pauvre âme ; car il est probable que ça sera dur pour moi dans le purgatoire.

— Je ferai ce que vous voulez, répondit Dick. Mais qu'y a-t-il, mon brave ? Nous nous rencontrerons encore, et alors vous aurez plus besoin de bière que de messes.

— Les saints le veuillent, maître Dick, répliqua l'autre, mais voici Sir Olivier. S'il était aussi prompt avec l'arc qu'avec la plume, ce serait un brave homme d'armes.

Sir Olivier donna à Dick, un paquet scellé avec la suscription : « A mon très vénéré maître, Sir Daniel Brackley, chevalier, que ceci soit promptement remis. »

Et Dick serra le paquet dans sa jaque, donna ses ordres et partit vers l'ouest par le haut du village.

LIVRE PREMIER
LES DEUX GARÇONS

CHAPITRE PREMIER
A L'ENSEIGNE DU SOLEIL, A KETTLEY

Sir Daniel et ses hommes passèrent cette nuit-là à Kettley, logés chaudement et bien gardés. Mais le chevalier de Tunstall était un homme en qui jamais ne se reposait le désir du gain ; et même à ce moment où il allait se lancer dans une aventure qui pouvait faire sa fortune ou la perdre, il était sur pieds une heure après minuit pour pressurer ses pauvres voisins. Il était de ceux qui trafiquent en grand dans les héritages contestés ; sa manière consistait à acheter les droits du prétendant le plus invraisemblable, puis, en captant la bienveillance des grands lords de l'entourage du roi, à obtenir d'injustes arrêts en sa faveur ; ou, si cela était trop compliqué, il s'emparait par la force des armes du manoir disputé, et se fiait à son influence et à l'habileté de Sir Olivier dans la chicane pour garder ce qu'il avait pris. Tel était le cas de Kettley, tombé tout récemment dans ses griffes ; il rencontrait encore de l'opposition de la part des tenanciers ; et c'était pour décourager le mécontentement qu'il avait conduit ses troupes par là.

Vers deux heures du matin, Sir Daniel était assis dans la salle d'auberge, tout près du feu, car il faisait froid, la nuit, dans ce pays de marais. A portée de sa main, un pot d'ale épicée. Il avait ôté son casque à visière, et était assis, sa tête chauve au long visage sombre, appuyée sur une main, chaudement enveloppé dans un manteau couleur de sang. A l'autre bout de la salle, une douzaine de ses hommes environ étaient en sentinelles près de la porte ou dormaient sur des bancs ; et, plus près de lui, un jeune garçon, paraissant âgé de douze ou treize ans, était étendu dans un manteau sur le plancher. L'hôtelier du Soleil était debout devant le grand personnage.

— Écoutez-moi bien, l'hôtelier, disait Sir Daniel, si vous suivez bien mes ordres, je serai toujours pour vous un bon maître. Il me faut de solides gaillards pour les principaux bourgs, et je veux Adam-a-More, comme connétable ; veillez-y. Si l'on en choisit d'autres, vous n'y gagnerez rien ; ou plutôt, il vous en cuira. Quant à ceux qui ont payé l'impôt à Walsingham, je saurai prendre des mesures… cela vous concerne aussi, l'hôtelier.

— Bon chevalier, dit l'hôtelier, je vous jure sur la croix de Holywood que je n'ai payé à Walsingham que par contrainte. Non, puissant chevalier, je n'aime pas les bandits Walsingham ; ils étaient pauvres, comme des voleurs, puissant chevalier. Donnez-moi un grand seigneur comme vous. Non, demandez-le aux voisins, je suis ferme pour Brackley.

— Possible, dit Sir Daniel sèchement. Alors vous paierez deux fois.

L'aubergiste fit une horrible grimace ; mais ceci était une malechance qui pouvait facilement tomber sur un tenancier en ces temps troublés, et il était peut-être content de faire sa paix si facilement.

— Amenez l'homme, Selden, cria le chevalier.

Et quelqu'un de sa suite amena un pauvre vieux affaissé, pâle comme une chandelle, tremblant de la fièvre des marais.

— Maraud, dit Sir Daniel, ton nom ?

— Plaise à Votre Seigneurie, répondit l'homme, je m'appelle Condall... Condall de Shoreby, au service de Votre Seigneurie.

— J'ai eu de mauvais renseignements sur vous, répliqua le chevalier. Vous trahissez, coquin ; vous chapardez dans tout le pays ; vous êtes fortement soupçonné de plusieurs meurtres. C'est de l'audace, mon gaillard ! mais je vais y mettre bon ordre.

— Mon très honorable et très révéré seigneur, s'écria l'homme, il y a là quelque méli-mélo, sauf votre respect. Je ne suis qu'un pauvre homme, et n'ai fait de mal à personne.

— Le sous-sheriff a donné sur vous les plus mauvais renseignements, dit le chevalier. Saisissez-moi, dit-il, ce Tyndal de Shoreby.

— Condall, mon bon seigneur ; Condall est mon pauvre nom, dit le malheureux.

— Condall ou Tyndal, c'est tout un, répliqua tranquillement Sir Daniel. Car, par ma foi, je vous tiens, et j'ai les plus grands doutes sur votre honnêteté. Si vous voulez sauver votre tête, écrivez-moi vite une reconnaissance de vingt livres.

— De vingt livres, mon bon seigneur ! s'écria Condall. C'est de la folie ! Tout mon avoir ne monte pas à soixante-dix shillings.

— Condall ou Tyndal, répliqua Sir Daniel en ricanant, je courrai le risque de cette perte. Écrivez-moi vingt, et, quand j'aurai recouvré tout ce que je pourrai, je serai un bon maître pour vous, et je vous ferai grâce du reste.

— Hélas ! mon bon seigneur, ce n'est pas possible ; je ne sais pas écrire, dit Condall.

— Bon, répliqua le chevalier, alors il n'y a pas de remède. Pourtant, j'aurais voulu vous épargner, Tyndal, si ma conscience l'avait permis. Selden, portez-moi ce vieux sorcier doucement jusqu'au premier orme, et pendez-le-moi gentiment par le cou, que je le voie en montant à cheval. Au revoir, bon maître Condall, cher maître Tyndal ; vous voilà en route pour le paradis ; portez-vous bien.

— Oh, mon très gracieux seigneur, répondit Condall en s'efforçant de sourire, si vous le prenez de si haut, et ça vous convient très bien, tout de même, je ferai tout ce que je pourrai pour vous obéir.

— Ami, dit Sir Daniel, vous écrirez maintenant le double. Allez ! vous êtes trop malin pour ne vivre que sur soixante-dix shillings. Selden, vois à ce qu'il m'écrive ça en due forme, et devant témoins.

Et Sir Daniel, qui était un très joyeux chevalier, le plus joyeux d'Angleterre, prit une gorgée de son ale tiède, et se renversa en souriant.

Cependant le garçon sur le plancher se mit à remuer, et aussitôt s'assit, et regarda autour de lui d'un air effaré.

— Ici, dit Sir Daniel ; et, comme l'autre se levait à son commandement, et s'avançait lentement vers lui, il s'appuya en arrière et éclata de rire. Par la croix, cria-t-il, quel hardi garçon !

Le garçon devint rouge de colère, et lança de ses yeux noirs un regard de haine. Maintenant qu'il était debout, il était plus difficile de déterminer son âge. Sa figure avait une expression plus âgée, mais délicate comme celle d'un jeune enfant ; la structure du corps était extrêmement grêle, et la démarche un peu gauche.

— Vous m'avez appelé, Sir Daniel, dit-il. Était-ce pour rire de ma pauvre mine ?

— Non, laissez-moi rire, dit le chevalier. Laissez-moi rire, je vous dis. Vous ririez vous-même si vous pouviez vous voir.

— Bien, dit le garçon, tout rouge, vous répondrez de ceci comme vous répondrez du reste. Riez tant que vous le pouvez encore.

— Voyons, nous sommes cousins, répondit Sir Daniel, d'un ton plus sérieux ; ne croyez pas que je me moque de vous, si ce n'est par plaisanterie, comme entre parents et bons amis. Je tirerai mille livres de votre mariage, allez ! et j'ai la plus grande affection pour vous. Je vous ai enlevée brutalement, c'est vrai, les circonstances l'ont voulu ; mais dorénavant, je prendrai soin de vous généreusement, et vous servirai de bon cœur. Vous serez Mme Shelton… lady Shelton, par ma foi ! car le garçon promet. Fi ! il ne faut pas avoir honte d'un rire honnête ; cela chasse la mélancolie. Ce ne sont pas les coquins qui rient, cousine. Ami l'hôtelier, apportez un repas maintenant pour mon cousin, maître John. Asseyez-vous, mon bon ami, et mangez.

— Non, dit maître John, je ne romprai pas le pain. Puisque vous me forcez à ce péché, je veux jeûner pour le salut de mon âme. Mais, ami l'hôtelier, soyez assez aimable pour me donner une coupe d'eau pure ; je vous serai vraiment bien obligé.

— Vous aurez une dispense, allez ! s'écria le chevalier. Et un bon confesseur, par ma foi ! Mangez donc, tout à votre aise.

Mais le garçon s'obstina : il but une coupe d'eau et, s'enveloppant dans son manteau serré, alla s'asseoir dans un coin éloigné, méditant.

Une heure ou deux plus tard, le village fut troublé par les qui-vive des sentinelles et le fracas des armes et des chevaux : puis, une troupe se rangea près de la porte de l'auberge, et Richard Shelton, couvert de boue, se présenta sur le seuil.

— Salut, Sir Daniel, dit-il.

— Comment ! Dick Shelton ! s'écria le chevalier ; et, en entendant nommer Dick, l'autre garçon avait regardé curieusement. Que fait Bennet Hatch ?

— Veuillez, sire chevalier, prendre connaissance de ce paquet qu'envoie Sir Olivier, où tout est consigné, répondit Richard, en présentant la lettre du prêtre. Et, s'il vous plaît encore, vous devriez rejoindre Risingham en toute hâte, car, en venant ici, nous avons rencontré un cavalier lancé à bride abattue, porteur de lettres, et, d'après son récit, monseigneur de Risingham serait en fâcheuse posture et aurait grand besoin de votre présence.

— Que dites-vous ? Fâcheuse posture ? répliqua le chevalier. Mais alors il faut nous dépêcher de nous tenir tranquilles, mon bon Richard. Dans le monde tel qu'il est en ce pauvre royaume d'Angleterre, qui va le plus doucement va le plus sûrement. Différer est dangereux, disent-ils ; mais c'est bien plutôt cette démangeaison d'action qui ruine les hommes ; notez cela, Dick. Mais que je voie d'abord le troupeau que vous avez amené. Selden ! une torche ici à la porte !

Et Sir Daniel s'avança dans la rue du village, et, à la lueur rougeâtre d'une torche, passa l'inspection de ses nouvelles troupes. Il était impopulaire comme voisin et impopulaire comme maître ; mais, comme chef de guerre, il était aimé de ceux qui suivaient sa bannière. Son audace, son courage éprouvé, son souci du confort des soldats, ses plaisanteries grossières même, tout cela convenait fort aux hardis porteurs d'épées et de salades.

— Non, par la croix, cria-t-il, quels pauvres chiens est-ce là ? Il y en a de tordus comme des arcs, et d'autres aussi efflanqués qu'une lance. Amis, vous prendrez le front de bataille ; je peux me passer de vous, amis. Regardez-moi ce vieux vilain sur son cheval pie ! Un mouton de deux ans monté sur un verrat aurait l'air plus guerrier ! Ha ! Clipsby, te voilà, vieux rat ? Voilà un homme que je perdrais de bon cœur ; tu marcheras en tête de tous, avec un œil de taureau peint sur ta jaque pour offrir une meilleure cible aux archers ; tu me montreras le chemin, maraud.

— Je vous montrerai tous les chemins que vous voudrez, Sir Daniel, excepté celui des volte-face, répondit Clipsby, hardiment.

Sir Daniel s'esclaffa.

— Hé, bien dit ! cria-t-il. Tu as la langue bien pendue ! Je te pardonne pour ce bon mot. Selden, fais-leur donner à manger, aux hommes et aux bêtes.

Le chevalier rentra dans l'auberge.

— Et, maintenant, ami Dick, dit-il, commence. Voilà de la bonne bière et du lard. Mange, pendant que je lis.

Sir Daniel ouvrit le paquet, et, en lisant, son regard s'assombrit. Quand il eut fini, il resta un instant à songer. Puis, jetant un regard pénétrant sur son pupille :

— Dick, dit-il, vous avez vu ces vers de deux sols ?

Le garçon répondit que oui.

— Le nom de votre père s'y trouve, continua le chevalier ; et notre pauvre diable de chapelain est accusé, par quelque fou, de l'avoir tué.

— Il l'a nié énergiquement, répondit Richard.

— Il a nié ? cria le chevalier d'une voix aiguë. Ne l'écoutez pas. Sa langue est bien pendue ; il bavarde comme une pie. Quelque jour, quand j'en trouverai l'occasion, Dick, je vous renseignerai moi-même plus complètement sur tout cela. Il y eut un certain Duckworth fortement soupçonné ; mais c'était à un moment troublé, et il n'y eut pas moyen de faire justice.

— Cela arriva à Moat-House ? hasarda Dick, avec un battement de cœur.

— Cela arriva entre Moat-House et Holywood, répliqua Sir Daniel avec calme ; mais son regard soupçonneux observait le visage de Dick, et maintenant, ajouta-t-il, hâtez-vous de finir votre repas ; vous allez retourner à Tunstall avec un mot de moi.

Le visage de Dick s'allongea tristement.

— Je vous en prie, Sir Daniel, dit vivement Dick, envoyez un de ces vilains ! Je vous supplie de me laisser aller à la bataille. Je peux frapper un coup, je vous assure.

— Je n'en doute pas, répliqua Sir Daniel, en s'asseyant pour écrire. Mais, cette fois, Dick, il n'y a pas d'honneur à gagner. Je reste à Kettley en attendant des nouvelles sûres de la guerre, pour me joindre ensuite au vainqueur. Ne criez pas à la lâcheté ; ce n'est que de la sagesse, Dick, car ce pauvre royaume est tellement ballotté entre les partis, et la garde du roi change de mains si souvent, que personne n'est sûr du lendemain. Bon pour les écervelés de se précipiter dans l'action, tête baissée ; mais les gens de bon conseil laissent passer, et attendent.

Aussitôt, Sir Daniel, tournant le dos à Dick, alla à l'autre bout de la longue table, et se mit à écrire sa lettre ; il avait la bouche de travers, car cette affaire de la flèche noire lui restait péniblement dans la gorge.

Cependant, le jeune Shelton continuait son déjeuner d'assez bon cœur, lorsqu'il se sentit toucher le bras, et entendit une voix très douce qui murmurait à son oreille.

— Ne faites pas un mouvement, je vous en prie, disait la voix, mais par charité, indiquez-moi le plus court chemin jusqu'à Holywood. Je vous en prie, brave garçon, aidez une pauvre âme en danger et extrême tourment, aidez-la à gagner le lieu de repos.

— Prenez le sentier près du moulin, répondit Richard, sur le même ton ; il vous mènera jusqu'à Till Ferry ; et là, demandez encore.

Et, sans tourner la tête, il se remit à manger. Mais du coin de l'œil, il entrevit le jeune garçon, appelé maître John, qui s'échappait furtivement de la salle.

— Hé, pensa Dick, il est aussi jeune que moi. Il m'appelle « brave garçon » ? Si j'avais su, j'aurais plutôt vu pendre le gredin, que de lui dire. Bah, s'il traverse les marais, je peux le rattraper, et lui tirer les oreilles.

Une demi-heure plus tard, Sir Daniel donna la lettre à Dick, et lui ordonna de se dépêcher vers Moat-House. Puis, encore environ une demi-heure après le départ de Dick, un messager arriva, en toute hâte, de la part de monseigneur de Risingham.

— Sir Daniel, dit le messager, vous perdez grand honneur, par ma foi ! La bataille a repris ce matin avant l'aurore, et nous avons battu leur avant-garde et dispersé leur aile droite. Leur centre seul résiste. Si nous avions eu vos troupes fraîches, nous vous les aurions tous jetés dans la rivière. Eh bien, sire chevalier ! Serez-vous le dernier ? Cela ne convient pas à votre bon renom.

— Mais, repartit le chevalier, j'étais sur le point de partir. Selden, sonnez-moi le boute-selle. Monsieur, je suis à vous à l'instant. Il n'y a pas plus de deux heures que la plus grande partie de mon corps est arrivée, sire messager. Que voulez-vous ? Éperonner est une bonne chose, mais cela abîme les bêtes. Vivement, les enfants !

Aussitôt, le boute-selle résonnait joyeusement dans l'air matinal, et, de tous côtés, les hommes de Sir Daniel se répandaient sur la route principale, et se rangeaient devant l'auberge. Ils avaient couché tout armés, les chevaux restés sellés, et, en dix minutes, cent hommes d'armes et archers proprement équipés et de vive allure, étaient en rangs, prêts à marcher. La plupart portaient les couleurs de Sir Daniel, rouge foncé et bleu, ce qui donnait la meilleure mine à leur front de bataille. Les mieux armés étaient en tête, et loin, hors de vue, en queue de la colonne, venait le triste renfort de la nuit précédente. Sir Daniel regarda cet ensemble avec orgueil.

— Voilà les gars pour vous servir dans la détresse, dit-il.

— Ce sont vraiment de beaux hommes, répondit le messager. Je regrette d'autant plus que vous ne soyez pas parti plus tôt.

— Hé ! dit le chevalier, que voulez-vous ? Nous commencerons la fête par la fin de la bataille, sire messager ; et il monta en selle. Sapristi ! s'écria-t-il, John ! Joanna ! non ! par la croix ! où est-elle ? Hôtelier, où est la jeune fille ?

— Jeune fille, Sir Daniel ? dit l'hôtelier. Mais, Seigneur, je n'ai vu aucune jeune fille.

— Garçon, alors, imbécile ! cria le chevalier. Vous ne pouviez pas voir que c'était une jeune fille. En manteau rouge foncé — qui n'a voulu que de l'eau pour son déjeuner, coquin — où est-elle ?

— Non, les saints nous protègent ! Maître John, vous l'appeliez, dit l'hôtelier. Eh bien ! Je n'y ai pas vu de mal. Il est parti. Je l'ai vu dans l'étable, il y a une bonne heure ; il sellait — elle, — elle sellait un cheval gris.

— Par la croix, criait Sir Daniel, la fille valait pour moi cinq cents livres au moins.

— Sire chevalier, remarqua le messager amèrement, pendant que vous êtes ici à crier pour cinq cents livres, le royaume d'Angleterre, là-bas, est perdu et gagné !

— Bien dit, répondit Sir Daniel. Selden, prenez-moi six archers. Courez-lui sus. A n'importe quel prix. Mais, à mon retour, il faut que je la trouve à Moat-House. Vous en répondez sur votre tête. Et maintenant, sire messager, nous partons.

Et la troupe partit à un trot rapide, et Selden et ses six hommes restèrent en arrière sur la route de Kettley, au milieu des habitants ébahis.

CHAPITRE II
DANS LES MARAIS

Il était près de six heures, par ce matin de mai, lorsque Dick, à cheval, prit, à travers les marais, le chemin du retour. Le ciel était tout bleu ; un vent fort et continu soufflait joyeusement ; les ailes des moulins tournaient ; et les saules dans les marais ondulaient et brillaient comme un champ de blé. Il avait été toute la nuit en selle, mais il avait le cœur solide et le corps vigoureux, et il chevauchait gaiement.

Le sentier descendait de plus en plus dans le marais, en sorte que la vue de tous les points de repère environnants s'y perdait, excepté le moulin de Kettley sur le monticule derrière le cavalier, et la pointe extrême de la forêt de Tunstall, loin devant lui. Des deux côtés étaient de grands champs d'ajoncs en fleurs et de saules, des mares plissées par le vent, et de dangereuses fondrières, d'un vert d'émeraude, bien faites pour attirer et trahir le voyageur. Le sentier traversait le marécage presque en ligne droite. Il était très ancien ; il remontait à l'époque romaine ; par le cours des temps, une bonne partie avait été défoncée, et çà et là, pendant des centaines de mètres, il était submergé sous les eaux du marais.

A un mille environ de Kettley, Dick arriva à une de ces interruptions de la chaussée, où les ajoncs et les saules avaient poussé au hasard, formant comme de petites îles, et cachaient le chemin. En outre, le défoncement était plus long que les autres ; c'était un endroit où tout étranger devait aisément se perdre ; et Dick se mit à penser, avec une sorte d'angoisse, au garçon qu'il avait si imparfaitement renseigné. Quant à lui, jetant un regard en arrière vers les ailes du moulin qui tournaient, noir sur le bleu du ciel, — un regard en avant sur les hauteurs de la forêt de Tunstall, il eut une direction suffisante et continua tout droit, malgré l'eau qui venait aux genoux de son cheval, aussi sûrement que sur une grande route.

A mi-chemin de cette passe, et déjà en vue du sentier qui émergeait sec de l'autre côté, il entendit sur sa droite un violent clapotis, et vit un cheval gris enfoncé dans la boue jusqu'au ventre, et qui faisait encore des efforts spasmodiques. Subitement, comme s'il eût deviné l'approche du secours, la pauvre bête se mit à hennir bruyamment. Affolé par la terreur, il roulait des yeux injectés de sang ; et, tandis qu'il se démenait dans la fondrière, des nuées de moustiques s'élevaient dans l'air et bourdonnaient autour de lui.

— Hélas ! pensa Dick, le pauvre aurait-il péri ? Voilà son cheval, c'est sûr — un bon cheval gris ! Non, camarade, puisque tu appelles vers moi si lamentablement, je ferai tout ce qu'il est possible de faire pour t'aider. Tu ne resteras pas là à t'enfoncer peu à peu !

Et il prépara son arc, et mit une flèche dans la tête de l'animal.

Dick repartit après cet acte de brutale pitié, l'esprit un peu plus calme, et regardant avec soin autour de lui si aucune trace n'apparaîtrait de son moins heureux prédécesseur sur ce chemin.

— Je voudrais avoir osé lui en dire davantage, pensa-t-il, car je crains qu'il ne se soit perdu dans le bourbier.

Et, juste comme il pensait cela, une voix cria son nom, et, regardant pardessus son épaule, il aperçut sur le côté de la chaussée, la figure du garçon, au milieu d'un bouquet d'ajoncs.

— Vous voilà ? dit-il, arrêtant son cheval. Vous êtes tellement caché par les roseaux que je vous aurais dépassé sans vous voir. J'ai vu votre cheval embourbé, et l'ai délivré de l'agonie ; ce que, par ma foi ! vous auriez dû faire vous-même, si vous aviez eu un peu de pitié. Mais sortez de votre cachette. Il n'y a personne ici pour vous inquiéter.

— Hé ! mon garçon, je n'ai pas d'armes et ne saurais m'en servir, si j'en avais, répliqua l'autre en s'avançant sur le sentier.

— Pourquoi m'appelez-vous garçon ? demanda Richard. Vous n'êtes pas, je pense, l'aîné de nous deux.

— Bon maître Shelton, dit l'autre, je vous en prie, pardonnez-moi. Je n'ai pas la moindre intention de vous offenser. Je ferais tout, plutôt, pour obtenir votre bienveillance et votre grâce, car je suis plus mal en point que jamais, ayant perdu mon chemin, mon manteau et mon pauvre cheval. Avoir une cravache et des éperons, et pas de cheval à monter ! Et, surtout, ajouta-t-il, avec un regard lamentable sur ses vêtements — surtout être si misérablement sali !

— Bah, s'exclama Dick. Prenez-vous garde à un plongeon ? Le sang d'une blessure ou la poussière du voyage, — voilà les ornements d'un homme.

— Eh bien, alors, je l'aime mieux sans ornement, fit le garçon. Je vous prie, bon maître Richard, je vous en prie, aidez-moi de votre bon conseil. Si je n'arrive pas sain et sauf à Holywood, je suis perdu.

— Non, dit Richard, descendant de cheval, je vous donnerai mieux qu'un conseil. Prenez mon cheval, et je vais courir un moment ; quand je serai fatigué, nous changerons, de manière que, à pied et à cheval, nous irons le plus vite possible.

Ce qui fut fait, et ils allèrent aussi vivement que le permettait le terrain inégal, Dick tenant la main sur le genou de l'autre.

— Comment vous appelez-vous ? demanda Dick.

— Appelez-moi John Matcham, répondit le garçon.

— Et qu'allez-vous faire à Holywood ? continua Dick.

— Je cherche asile contre un homme qui veut m'opprimer, fut la réponse. Le bon abbé de Holywood est un soutien puissant pour le faible.

— Et comment vous trouviez-vous avec Sir Daniel ? poursuivit Dick.

— Hé, dit l'autre, par la violence ! Il m'a enlevé de force de ma propre demeure ; il m'a couvert de ces haillons ; il a galopé avec moi, à m'en rendre malade ; il m'a nargué jusqu'à me faire pleurer ; et, lorsque plusieurs de mes amis se mirent à le poursuivre, dans l'espoir de me reprendre, il me mit en croupe derrière lui pour les empêcher de tirer ! Je fus même égratigné au pied droit et je boite un peu. Oh, il y aura un jour de règlement pour tout cela : il lui en cuira !

— Voulez-vous prendre la lune avec les dents ? dit Richard. C'est un vaillant chevalier, et sa main est de fer. S'il avait deviné que je me suis mêlé de votre fuite, je passerais un mauvais quart d'heure.

— Hé, mon pauvre garçon, répliqua l'autre, vous êtes son pupille, je sais bien. A propos, je le suis aussi, du moins il le dit ; à moins qu'il ait acheté le droit de me marier,... je ne sais pas au juste ; mais c'est quelque pratique pour m'opprimer.

— Garçon encore ! dit Dick.

— Quoi ? Dois-je donc vous appeler fille, bon Richard ? demanda Matcham.

— Pas de filles pour moi, répliqua Dick. Je les renie en bloc !

— Vous parlez en garçon, dit l'autre. Vous pensez plus à elles que vous ne le prétendez.

— Non, pas moi, dit Richard, résolument. Je ne m'en occupe pas. La peste soit d'elles, vous dis-je. Parlez-moi de chasser, de combattre et de festoyer, et de vivre avec de hardis compagnons. Je n'ai jamais entendu parler de fille qui fût bonne à quelque chose, sauf une ; et celle-là, la pauvre, fut brûlée comme sorcière et pour avoir porté des habits d'homme, malgré son sexe.

Maître Matcham se signa avec ferveur, et sembla prier.

— Que faites-vous ? demanda Dick.

— Je prie pour son âme, répondit l'autre, d'une voix un peu troublée.

— Pour l'âme d'une sorcière ? s'écria Dick. Mais priez pour elle, si vous voulez ; c'était bien la meilleure fille d'Europe, cette Jeanne d'Arc. Le vieil archer Appleyard a prié devant elle, a-t-il dit, comme si elle avait été Mahomet. C'était une brave fille.

— Soit, mais, bon maître Richard, conclut Matcham, si vous aimez si peu les filles, vous n'êtes pas vraiment un homme naturel ; car Dieu a fait les deux avec intention, et a répandu dans le monde le sincère amour, pour être l'espoir de l'homme et le soutien de la femme.

— Fi, dit Richard, vous êtes une poule mouillée de rabâcher ainsi sur les femmes. Si vous croyez que je ne suis pas un vrai homme, descendez sur le sentier, et soit à coups de poing, soit à l'épée, ou bien avec l'arc et les flèches, votre corps éprouvera si je suis un homme.

— Non, je ne suis pas batailleur, dit Matcham énergiquement. Je ne veux pas faire la moindre offense. Je veux plaisanter seulement. Et, si je parle de femmes, c'est que j'ai entendu dire que vous alliez vous marier.

— Moi, me marier ! s'exclama Dick. Bon, c'est la première nouvelle. Et qui épouserai-je ?

— Une Joanna Sedley, répliqua Matcham en rougissant. C'est une combinaison de Sir Daniel ; il a de l'argent à gagner des deux côtés ; et j'ai entendu la pauvre fille se lamenter de cette union à faire pitié. Il paraît qu'elle est de votre avis, ou bien que le fiancé lui déplaît.

— Bah ! le mariage est comme la mort, il vient pour tout le monde, dit Richard avec résignation. Et elle s'est lamentée ? Voyez un peu, voyez quelles têtes de linottes que toutes ces filles : se lamenter avant de m'avoir vu ! Est-ce que je me lamente ? Non pas. Si je me marie, je me marierai les yeux secs ! Mais, si vous la connaissez, je vous prie, de quelle couleur est-elle, blonde ou brune ? Et est-elle d'humeur méchante ou agréable ?

— Hé, qu'importe ? dit Matcham. Si vous vous mariez, vous n'avez qu'à vous marier. Qu'est-ce que cela fait, brune ou blonde ? Niaiseries que cela. Vous n'êtes pas une poule mouillée, maître Richard ; vous vous marierez les yeux secs, quand même.

— C'est bien dit, répliqua Shelton, peu m'importe.

— Cela promet un agréable mari à votre femme, dit Matcham.

— Elle aura le mari pour qui le ciel l'a faite, répondit Richard. Je pense qu'il y en a de pires, aussi bien que de meilleurs.

— Ah, la pauvre fille, dit l'autre.

— Et pourquoi pauvre ? demanda Dick.

— Épouser un homme en bois, répliqua son compagnon. Pauvre moi, si j'avais un mari en bois !

— On dirait vraiment que je suis un homme en bois, répliqua Dick, moi qui traîne à pied, pendant que vous êtes sur mon cheval ; mais, c'est du bon bois, je crois.

— Bon Dick, pardonnez-moi, s'écria l'autre. Oui, vous êtes le meilleur cœur d'Angleterre ; c'était pour rire. Pardonnez-moi, gentil Dick.

— Non, pas de mots bêtes, répliqua Dick, un peu embarrassé par la chaleur de son compagnon. Il n'y a pas de mal. Je ne suis pas susceptible, Dieu merci.

Et à ce moment, le vent qui soufflait en plein dans leur dos leur apporta la discordante fanfare du trompette de Sir Daniel.

— Écoutez, dit Dick, on sonne le boute-selle.

— Ah, dit Matcham, ils se sont aperçus de ma fuite, et maintenant je n'ai plus de cheval, et il devint pâle comme un mort.

— Quelle mine ! répondit Richard. Vous avez une grande avance, et nous sommes près du bac. Et il me semble que c'est moi qui n'ai pas de cheval.

— Hélas, on va me prendre ! cria le fugitif. Dick, bon Dick, je vous supplie, aidez-moi encore un peu !

— Allons, bon, qu'est-ce qui te prend ? dit Richard. Il me semble que je vous aide très manifestement. Mais cela me fait de la peine de voir un compagnon si abattu ! Et écoutez, John Matcham — puisque vous vous appelez John Matcham — moi, Richard Shelton, advienne que pourra, je vous verrai sain et sauf à Holywood. Que les saints me le rendent si je vous fais faute. Allons, remettez-vous un peu. Sir Blancheface. Le chemin est meilleur ici ; donnez de l'éperon. Plus vite ! Plus vite ! Ne vous occupez pas de moi : je cours comme un cerf.

Ainsi, le cheval trottant dur et Dick courant aisément à côté, ils traversèrent la fin du marais, ils arrivèrent au bord de la rivière, près de la cabane du passeur.

CHAPITRE III
LE BAC DU MARAIS

La Till formait à cet endroit une nappe d'eau argileuse, suintement du marais, et coulait parmi une vingtaine d'îlots marécageux couverts de saules.

C'était une vilaine rivière ; mais, par cette matinée brillante et animée, tout était beau. Le vent et les martinets plissaient sa surface d'innombrables rides ; et le ciel s'y réfléchissait en taches d'un bleu riant.

Une crique s'avançait à la rencontre du sentier, et tout près de la rive était la hutte du passeur. Elle était faite de limon et d'osier, et l'herbe poussait verte sur le toit.

Dick alla à la porte et l'ouvrit. A l'intérieur, sur un vieux sale manteau rougeâtre, le passeur était étendu et grelottait ; c'était une grande carcasse d'homme, mais maigre et rongé par la fièvre du pays.

— Hé, maître Shelton, dit-il, venez-vous pour le bac ? Mauvais temps, mauvais temps ! Faites attention. Il y a une compagnie aux alentours. Vous feriez mieux de tourner vos talons et de prendre le pont.

— Non, je suis très pressé, répondit Richard. Le temps vole, passeur. Je n'en ai pas à perdre.

— Quel homme entêté, répondit le passeur, se levant. Si vous arrivez sain et sauf à Moat-House, vous aurez de la chance ; mais je n'en dis pas plus. Puis, apercevant Matcham : Qui est celui-ci ? demanda-t-il, en s'arrêtant, avec un clignement de l'œil, sur le seuil de sa hutte.

— C'est mon parent, maître Matcham, répondit Richard.

— Bien le bonjour, bon passeur, dit Matcham qui avait mis pied à terre, et s'avançait, tenant le cheval par la bride. Préparez-moi votre bateau, je vous prie ; nous avons grande hâte.

Le maigre passeur le regardait fixement.

— Par la messe ! dit-il enfin, et il rit à gorge déployée.

Matcham rougit jusqu'aux oreilles et frissonna ; et Dick, avec un air de colère, mit la main sur l'épaule du butor.

— Eh bien, quoi ! cria-t-il. Occupe-toi de tes affaires, et cesse de te moquer de ceux qui sont au-dessus de toi.

Hughes le passeur délia son bateau en grommelant et le poussa un peu vers l'eau profonde. Puis Dick fit entrer le cheval et Matcham suivit.

— Vous êtes vraiment bien petit, maître, dit Hughes, avec une large grimace : c'est du mauvais modèle, faut croire. Non, maître Shelton, je suis pour vous, ajouta-t-il, prenant les rames. Un chien peut bien regarder un évêque. Je n'ai fait que jeter un coup d'œil sur maître Matcham.

— Assez parlé, drôle, dit Richard. Courbe-moi ton dos.

Ils étaient à ce moment à l'ouverture de la crique, et la vue s'ouvrait en amont et en aval. Partout elle était limitée par des îles. Les rives de limon bordaient la rivière, les saules s'inclinaient, les roseaux pliaient, les martinets sifflaient et plongeaient. Aucune trace d'homme dans ce labyrinthe d'eaux.

— Mon maître, dit le passeur, maintenant le bateau d'une seule rame, j'ai une maudite idée que Jean-des-Marais est dans l'île. Il a une mauvaise dent contre tous les gens de Sir Daniel. Que diriez-vous si je remontais le courant pour aborder à une portée de flèche au-dessus du sentier ? Il vaut mieux ne pas avoir affaire avec Jean-des-Marais.

— Quoi ? Est-il de cette compagnie ? demanda Dick.

— Motus, dit Hughes. Mais je remonterais la rivière, Dick. Pensez, si maître Matcham attrapait une flèche ? Et il rit de nouveau.

— Soit, Hughes, répondit Richard.

— Attention, alors, poursuivit Hughes. S'il en est ainsi, détachez-moi votre arc… bien : maintenant préparez-le… bon ; mettez-moi une flèche. Là, gardez-la comme ça, et regardez-moi d'un air menaçant.

— Que signifie ? demanda Dick.

— Hé, mon maître, si je vous fais passer en cachette, il faut que ce soit par force ou par crainte, répliqua le passeur ; autrement, si Jean-des-Marais en avait vent, il serait capable de se montrer un désastreux voisin.

— Les coquins en agissent-ils si brutalement ? demanda Dick. Est-ce qu'ils commandent le bac de Sir Daniel ?

— Hé, murmura le passeur, clignotant. Remarquez bien ! Sir Daniel tombera. Chut ! Et il se courba sur les rames.

Ils remontèrent longtemps la rivière, tournèrent au bout d'une île, et descendirent doucement un chenal étroit près de la rive opposée. Hughes tenait l'eau au milieu du courant.

— Il faut que je vous fasse aborder ici dans les saules, dit-il.

— Mais il n'y a pas de sentier, rien que du limon et des fondrières, répondit Richard.

— Maître Shelton, répliqua Hughes, je n'ose pas vous faire aborder plus près, et dans votre intérêt maintenant. Il me surveille le bac, appuyé sur son arc. Tout ce qui passe et dépend de Sir Daniel, il les tue comme des lapins. Je l'ai entendu le jurer sur la croix. Si je ne vous avais connu depuis longtemps… oui, voilà bien longtemps… je vous aurais laissé aller ; mais en souvenir des jours passés, et à cause de ce jouet que vous avez avec vous, qui n'est pas fait pour la bataille et les blessures, j'ai risqué mes deux pauvres oreilles pour vous passer sain et sauf. Contentez-vous de ça ; je ne peux pas faire plus, sur mon salut !

Hughes parlait encore, courbé sur ses rames, lorsqu'un grand cri sortit des saules de l'île, et l'on entendit dans le bois comme le bruit d'un homme vigoureux qui se fraye un chemin à travers les branches.

— La peste ! cria Hughes. Il a été tout le temps dans l'île d'en haut ! Il dirigea droit sur le rivage. Menacez-moi de votre arc, bon Dick ; visez-moi bien en face, ajouta-t-il. J'ai essayé de sauver vos peaux, sauvez la mienne à votre tour !

Le bateau se jeta contre un épais fourré de saules avec un craquement. Matcham, pâle, mais ferme et alerte, sur un signe de Dick courut le long des bancs de rameurs et sauta sur la berge ; Dick, prenant le cheval par la bride, tâcha de suivre ; mais, soit à cause de la taille du cheval, soit à cause de l'épaisseur du fourré, ils ne pouvaient avancer. Le cheval hennit et rua, et le bateau qui flottait dans un remous allait et venait et plongeait avec violence.

— Il n'y a pas moyen, Hughes, on ne peut pas atterrir ici, cria Dick, tout en se débattant vigoureusement dans le taillis touffu avec l'animal effaré.

Un homme de haute taille parut au bord de l'île, un arc à la main. Dick le vit un instant du coin de l'œil bandant son arc avec grand effort et tout rouge tant il s'était pressé.

— Qui va là ? cria-t-il à Hughes, qui est là ?

— C'est maître Shelton, John, répondit le passeur.

— Arrêtez, Dick Shelton, cria l'homme de l'île. On ne vous fera pas de mal, par la croix ! Arrêtez ! Revenez, passeur Hughes.

Dick fit une réponse ironique.

— Eh bien alors vous irez à pied, répliqua l'homme en lançant une flèche.

Le cheval, frappé par le trait, dans son agonie fit des mouvements de frayeur ; le bateau se retourna et, l'instant d'après, tous se débattaient dans les tourbillons de la rivière.

Quand Dick revint sur l'eau, il était à un yard environ de la berge, et, avant que sa vue ne se fût éclaircie, sa main se ferma sur quelque chose de solide et de fort qui aussitôt le tira en avant. C'était la cravache que Matcham, rampant sur un saule dont les branches s'avançaient sur l'eau, avait au bon moment offerte à son étreinte.

— Par la messe, lui dit Dick en prenant pied sur le rivage, voilà une vie que je vous dois, car je nage comme un boulet de canon. Et il se tourna immédiatement vers l'île.

Au milieu de la rivière, Hughes le passeur nageait avec son bateau la coque en l'air, tandis que Jean-des-Marais, furieux du mauvais résultat de son coup, lui criait de se dépêcher.

— Venez, John, dit Shelton, il faut courir ! Avant que Hughes ait halé son bateau de l'autre côté où, tous les deux, ils pourront le remettre droit, il faut que nous soyons déjà loin.

Et, joignant l'exemple à la parole, il se mit à courir, faisant mille détours parmi les saules et dans les endroits marécageux, sautant de touffe d'herbes en touffe d'herbes.

Il n'avait pas le temps de se rendre compte de la direction qu'il prenait, tout ce qu'il pouvait faire, était de tourner le dos à la rivière et de courir de toutes ses forces.

Bientôt, cependant, le terrain commença à monter, ce qui prouvait qu'il était bien dans la bonne direction et, bientôt après ils arrivèrent à un talus de tourbe solide où des ormes commençaient à se mêler aux saules.

Mais là, Matcham, qui se traînait loin en arrière, se jeta par terre.

— Laissez-moi, Dick, dit-il haletant, je n'en peux plus.

Dick se retourna et revint vers l'endroit où son compagnon était étendu.

— Quoi ! John, te laisser, cria-t-il, ce serait vraiment une vilenie, quand tu as risqué une flèche et un plongeon, même une noyade, pour me sauver la vie. Une noyade, en vérité, car les saints pourraient seuls dire comment il se fait que je ne vous ai pas entraîné avec moi.

— Non, dit Matcham, nous aurions été sauvés tous deux, car je sais nager.

— Vraiment ? dit Dick en ouvrant les yeux. C'était le seul talent masculin dont il était incapable et dans l'ordre des choses qu'il admirait le plus, savoir nager venait de suite après le fait d'avoir tué un homme en combat singulier. Eh bien, cela m'apprendra qu'il ne faut mépriser personne. Je vous ai promis de prendre soin de vous jusqu'à Holywood, mais, par la croix, John, je crois que vous êtes plus capable de prendre soin de moi.

— Eh bien, Dick, nous sommes amis à présent, dit Matcham.

— Mais nous n'avons jamais été ennemis, répondit Dick. Vous êtes un brave garçon à votre manière, bien qu'un peu poule-mouillée. Je n'ai jamais rencontré votre pareil jusqu'ici. Mais, je vous en prie, reprenez haleine et marchons. Ce n'est pas le moment de bavarder.

— Mon pied me fait bien du mal, dit Matcham.

— Bon, j'avais oublié votre pied, répliqua Dick. Eh bien ! marchons plus doucement. Je voudrais savoir exactement où nous sommes. J'ai absolument perdu le chemin ; peut-être cela vaut mieux. Car, puisqu'on surveille le gué, on doit aussi surveiller le chemin. Je voudrais que Sir Daniel soit revenu avec une quarantaine d'hommes, ils me balayeraient ces coquins comme le vent balaye les feuilles. Venez, John, appuyez-vous sur mon épaule, pauvre diable. Mais non, vous n'êtes pas assez grand. Je me demande quel âge vous avez ?... douze ans ?

— J'ai seize ans, dit Matcham.

— Vous n'avez guère grandi, alors, répondit Dick. Mais donnez-moi la main. Nous irons doucement, ne craignez rien. Je vous dois la vie ; le bien et le mal, je rembourse tout, Jack.

Ils commencèrent à gravir la pente.

— Nous trouverons bien la route, tôt ou tard, continua Dick, et alors tout ira bien. Par la messe, votre main est bien mince, John. Si j'avais une main comme celle-là, j'en aurais honte. Je vais vous dire, ajouta-t-il avec un rire étouffé, je vous jure par la messe que Hughes vous a pris pour une femme.

— Jamais de la vie ! dit l'autre devenant cramoisi.

— C'est vrai, je le parie. Ce n'est pas étonnant de sa part. Vous avez plutôt l'air d'une femme que d'un homme, et je dirai même plus, vous êtes un drôle de type pour un garçon, mais pour une fille, John, vous seriez vraiment gentille. — Vous seriez une jolie fille.

— Mais vous savez bien que je n'en suis pas une.

— Oui, je sais, je plaisante, dit Dick. Vous serez un homme pour votre mère, John, vivat, mon brave ! Vous donnerez de fameux coups. Lequel de nous deux, je me demande, sera fait le premier chevalier, car je veux être chevalier, John, ou mourir pour cela. Sir Richard Shelton, chevalier, cela sonne bien. Mais Sir John Matcham ne fait pas mal non plus.

— De grâce, Dick, arrêtons-nous que je boive, dit l'autre, s'arrêtant près d'une petite source sortie du talus et enfermée dans un petit bassin de gravier grand comme une poche. Et Dick, si je pouvais avoir quelque chose à manger !... J'ai si faim que j'en ai mal au cœur.

— Pourquoi, diable, n'avez-vous pas mangé à Kettley ? demanda Dick.

— J'avais fait un vœu, c'était un péché auquel j'avais été entraîné, balbutia Matcham. Mais à présent je mangerais gloutonnement, ne fût-ce que du pain sec.

— Asseyez-vous alors et mangez, dit Dick, pendant que je vais explorer un peu en avant pour voir où est la route. Et il prit un bissac à sa ceinture où il avait du pain et du lard ; pendant que Matcham mangeait de bon cœur, il s'avança entre les arbres.

Un peu au delà, il y avait dans le terrain une dépression, d'où filtrait, parmi les feuilles mortes, un ruisselet, et encore un peu plus loin, les arbres étaient mieux venus et le chêne et le hêtre remplaçaient le saule et l'orme. Le son continu du vent parmi les feuilles couvrait suffisamment le bruit des pas sur les glands ; c'était à l'oreille ce qu'est à l'œil une nuit sans lune ; mais, malgré cela, Dick marchait avec précautions, se glissant d'un tronc à l'autre, attentif à regarder autour de lui à mesure qu'il avançait. Soudain, un cerf passa comme une ombre à travers le sous-bois devant lui, et il s'arrêta contrarié. Cette partie du bois était certainement déserte, mais cette bête était un messager qu'il envoyait devant lui pour annoncer sa venue ; au lieu de continuer, il se tourna vers le plus proche grand arbre et y grimpa rapidement.

Le hasard le servit bien. Le chêne sur lequel il avait monté était un des plus élevés de cette partie du bois et dépassait ceux qui l'entouraient d'au moins une toise et demie, et, quand Dick eut grimpé sur la plus haute branche fourchue et s'y cramponna, vertigineusement balancé dans le grand vent, il vit derrière lui toute la plaine marécageuse jusqu'à Kettley avec la Till courant parmi les îlots boisés et, devant lui, la ligne blanche de la grande route serpentant à travers la forêt. Le bateau avait été redressé ; — il était même à ce moment au-dessus du gué. A part cela, il n'y avait aucune trace d'homme ni même aucun mouvement que celui des branches sous le vent. Il allait descendre quand, jetant un dernier coup d'œil, il aperçut une ligne de points se mouvant à peu près au milieu des marais. Évidemment une petite troupe suivait la chaussée, et d'un bon pas ; cela lui donna à penser ; il descendit rapidement le long du tronc et rejoignit son camarade à travers le bois.

CHAPITRE IV
LES COMPAGNONS DE LA FORÊT

Matcham était restauré et bien reposé. Ce que Dick venait de voir donnait des ailes aux jeunes gens. Ils franchirent cette partie de bois, traversèrent la route sans encombre et se mirent à gravir les terrains plus élevés de la forêt de Tunstall. Les arbres étaient de plus en plus en bouquets avec des landes roussâtres, couvertes d'ajoncs et, çà et là, de vieux ifs. Le terrain était de plus en plus inégal, avec des trous et des monticules. Et, à chaque pas de leur ascension, le vent soufflait et sifflait de plus en plus fort et les arbres se courbaient devant les rafales comme des cannes à pêche.

Ils venaient d'entrer dans une de ces clairières quand, tout d'un coup, Dick s'aplatit face contre terre parmi les ronces et se mit à ramper doucement en arrière, cherchant l'abri d'un bouquet d'arbres. Matcham, très étonné, car il ne voyait pas la raison de cette fuite, l'imita cependant ; ce ne fut que lorsqu'ils eurent atteint le refuge d'un fourré qu'il se tourna vers son compagnon et lui demanda sa raison.

Pour toute réponse Dick montra du doigt.

A l'autre bout de la clairière un sapin s'élevait bien au-dessus du bois environnant et dressait dans le ciel la masse noire de son feuillage. Jusqu'à cinquante pieds au-dessus du sol, le tronc était droit et solide comme une colonne. A cette hauteur, il se divisait en deux rameaux massifs, et, dans la fourche, comme un matelot dans un mât, était un homme vêtu d'une cotte d'armes verte, épiant de tous côtés. Le soleil brillait sur ses cheveux ; d'une main, il s'abritait les yeux pour voir de loin, et il tournait doucement la tête d'un côté à l'autre avec la régularité d'une machine.

Les jeunes gens se regardèrent.

— Essayons à gauche, dit Dick. Nous avons failli mal tomber, Jack.

Dix minutes après, ils arrivèrent à un sentier battu.

— Voici un endroit de la forêt que je ne connais pas, remarqua Dick. Où peut mener ce chemin ?

— Essayons tout de même, dit Matcham.

Quelques mètres plus loin, le sentier conduisait au haut d'une arête, puis, par une raide descente, dans un vallon creux en forme de coupe. Au pied, émergeant d'une épaisse ramure d'aubépines fleuries, deux ou trois pignons sans toits, noircis comme par le feu et une seule grande cheminée marquaient les ruines d'une maison.

— Qu'est-ce que cela peut être ? dit Matcham.

— Vrai, par la messe, je n'en sais rien, répondit Dick. Je suis tout désorienté. Avançons prudemment.

Avec des battements de cœur, ils descendirent à travers les aubépines. Çà et là ils virent des signes de culture récente ; des arbres fruitiers et des plantes potagères étaient devenus sauvages dans le fourré ; un cadran solaire était tombé dans l'herbe ; ils marchaient sans doute dans un ancien jardin. Encore quelques pas et ils se trouvèrent devant les ruines de la maison. Elle avait été une habitation agréable et bien défendue. Un fossé desséché était creusé profondément tout autour, mais il était, à présent, plein de gravats, et une poutre, tombée en travers, formait pont. Les deux murs opposés étaient encore debout, le soleil brillait à travers leurs fenêtres vides, mais le reste s'était effondré et ne formait plus qu'un grand tumulus de ruines, noircies par le feu. Déjà, dans l'intérieur, quelques plantes poussaient, vertes, dans les crevasses.

— A présent, j'y pense, murmura Dick, ce doit être Grimstone. C'était un fort à un certain Simon Malmesbury. Sir Daniel fut un fléau pour lui ! C'est Bennet Hatch qui l'a brûlé, il y a maintenant cinq ans. Et, ma foi, c'est dommage, car c'était une belle maison.

Dans le fond du vallon, où le vent ne soufflait pas, il faisait chaud et tout était tranquille ; et, Matcham, posant la main sur le bras de Dick, leva un doigt :

— Écoutez ! dit-il.

Alors on perçut un son étrange, qui troublait le calme. Il fut répété deux fois avant qu'ils n'en reconnussent la nature. C'était le bruit d'un gros homme s'éclaircissant la gorge ; puis une voix rude et fausse chanta :

— Alors, debout, il parla, le maître, le roi des Outlaws :

— Que faites-vous là, mes joyeux compagnons, parmi les forêts vertes ?

— Et Gamelyn répondit — il ne regardait jamais à terre ;

— Oh, il faut qu'ils errent dans les bois, ceux qui ne peuvent aller en ville.

Le chanteur s'arrêta, un léger cliquetis de fer suivit, puis le silence.

Les deux jeunes gens se regardèrent. Quel qu'il fût, leur invisible voisin était de l'autre côté de la ruine. Tout d'un coup la figure de Matcham s'anima, et, en un instant, il franchit la poutre renversée et se mit à grimper avec précaution sur la haute pile de décombres qui remplissait l'intérieur de la maison sans toit ; Dick aurait voulu le retenir s'il en avait eu le temps, mais il ne put que le suivre.

Juste dans un coin de la ruine deux poutres étaient tombées en croix et protégeaient une place grande comme un banc d'église. Dans ce coin, les deux jeunes gens se blottirent en silence. Ils étaient parfaitement cachés et, par un trou de flèche, ils voyaient le côté opposé.

En regardant par là, ils furent paralysés de terreur en constatant leur position. La retraite était impossible ; à peine osaient-ils respirer. Sur le bord même du fossé, à trente pieds à peine de l'endroit où ils se tenaient accroupis, un chaudron de fonte bouillait et fumait sur un feu brillant. Tout auprès, dans l'attitude de quelqu'un qui écoute, comme s'il avait perçu le bruit de leur ascension parmi les ruines, un homme, grand, à la face rouge et basanée, était debout. Il tenait dans la main droite, une cuillère, et à sa ceinture pendaient une corne et une formidable dague. Sans aucun doute, c'était le chanteur ; et, sans doute aussi, il était en train d'agiter le contenu de la marmite, lorsque le bruit de quelque pas maladroit sur les plâtras, était venu à son oreille ; un peu plus loin, un autre homme sommeillait, étendu et roulé dans un manteau brun ; un papillon voltigeait autour de sa figure. Ils étaient dans un espace découvert, tout blanc de marguerites et, au bout opposé, un arc, un carquois avec des flèches et un morceau de carcasse de daim étaient suspendus à une aubépine fleurie.

Bientôt l'individu se relâcha de son attitude attentive, porta la cuillère à sa bouche, goûta, fit un signe de tête et recommença à remuer et à chanter.

Oh ! il faut qu'ils errent dans le bois ceux qui ne peuvent aller en ville.

croassa-t-il, reprenant son chant où il l'avait laissé.

O Seigneur, nous ne sommes pas du tout ici pour mal faire,

Mais, si nous nous rencontrons avec un cerf du bon roi, pour lui lancer une flèche.

Tout en chantant, il prenait de temps en temps une cuillerée de bouillon, soufflait dessus et la goûtait en se donnant des airs de cuisinier expérimenté. Enfin, quand il jugea le ragoût prêt, il prit la corne de sa ceinture et en donna trois appels modulés. L'autre se réveilla, se retourna, chassa le papillon et regarda autour de lui.

— Eh quoi, frère ? dit-il. Dîner ?

— Oui, ivrogne, répliqua le cuisinier, c'est le dîner, et un dîner sec par-dessus le marché, sans bière ni pain. A présent on n'a plus d'agrément dans les bois, il fut un temps où un brave garçon pouvait y vivre aussi bien qu'un abbé mitré, à part la pluie et les gelées ; il avait tout son soûl de vin et d'ale. Mais, à présent, on a gâché le métier ; et ce Jean Répare-tout n'est qu'un nigaud empaillé, bon tout au plus à effaroucher les corbeaux.

— Bah ! répondit l'autre, vous êtes trop porté à boire et à manger, Lawless. Attendez un peu, le bon temps reviendra.

— Voyez-vous, répliqua le cuisinier, j'ai attendu ce bon temps depuis que j'étais grand comme ça. J'ai été frère gris ; j'ai été archer du roi ; j'ai été matelot, et j'ai navigué sur les mers salées ; et j'ai été dans les bois avant cette fois-ci, vraiment, et tué le gibier du roi. Qu'en résulte-t-il ? Rien. J'aurais mieux fait de rester au couvent. Jean l'Abbé était plus utile que Jean Répare-tout. Par Notre-Dame, les voilà.

L'un après l'autre, de grands individus bien tournés arrivèrent sur la prairie. Chacun en arrivant produisait un couteau et une écuelle de corne, se servait dans le chaudron et s'asseyait sur l'herbe pour manger. Ils étaient diversement équipés et armés ; quelques-uns en blouses rougeâtres avec un couteau et un vieil arc ; d'autres avec toute l'élégance de la forêt : chapeau et justaucorps en drap vert de Lincoln, avec des flèches armées de plumes de paons dans la ceinture, une corne sur un baudrier, et au côté un glaive et une dague. Ils arrivaient avec le silence de la faim, murmuraient à peine un salut, et se mettaient de suite à manger.

Il y en avait environ une vingtaine de réunis, lorsqu'un bruit de satisfaction étouffée s'éleva tout près dans l'aubépine, et aussitôt après un groupe de cinq ou six hommes des bois déboucha sur la prairie, portant un brancard. Un individu, grand et vigoureux, quelque peu grisonnant et aussi brun qu'un jambon fumé, marchait devant eux avec un certain air d'autorité, et un brillant épieu à la main.

— Garçons, cria-t-il, braves garçons et mes véritables et joyeux camarades, vous avez chanté ces temps-ci sur un sifflet sec et vécu médiocrement. Mais que vous ai-je dit, toujours ! Attendez vaillamment la fortune ; elle tourne, elle tourne vite. Et tenez, voici son premier bon mouvement : cette excellente chose, de l'ale.

Il y eut un murmure de satisfaction lorsque les porteurs déposèrent la civière et découvrirent une bonne barrique.

— Et à présent dépêchez-vous, garçons, il y a de l'ouvrage. Une poignée d'archers viennent d'arriver au gué. Leurs couleurs sont rouge sombre et bleu, ils sont votre but — ils goûteront tous aux flèches — pas un d'entre eux ne doit sortir du bois. Car, mes braves, nous sommes ici une cinquantaine, chacun de nous odieusement spolié ; quelques-uns ont perdu des terres, d'autres des amis ; et quelques-uns ont été mis hors la loi — tous opprimés ! Qui a fait cela ? Sir Daniel, par la croix ! Doit-il ainsi prospérer ? doit-il rester tranquillement dans nos maisons ? doit-il labourer nos champs ? doit-il sucer l'os qu'il nous a volé ? Je jure que non. Il s'est arrogé force de loi ; il a gagné des causes ; mais il y en a une qu'il ne gagnera pas. J'ai ici, à la ceinture, une sommation qui, plaise à Dieu, le vaincra.

Lawless, le cuisinier, en était à sa seconde coupe de bière. Il la leva comme pour un toast à l'orateur.

— Maître Ellis, dit-il, vous voulez la vengeance — cela vous convient ainsi ! — mais votre pauvre frère qui n'eut jamais rien à perdre, ni terre ni amis, pense plutôt, pour sa part, au profit de la chose. Il aimerait tout autant un noble d'or et une cruche de vin de canarie que toutes les vengeances du purgatoire.

— Lawless, répliqua l'autre, pour atteindre Moat-House, Sir Daniel doit passer par la forêt. Nous lui ferons le passage plus cher, parbleu, que n'importe quelle bataille. Alors, quand il sera à terre avec la poignée en haillons de ceux qui nous échapperont, tous ses grands amis tombés et en fuite et nul pour l'aider, nous assiégerons ce vieux renard et grande sera sa chute. C'est un gras chevreuil, nous en aurons chacun notre part.

— Oui, répondit Lawless ; j'en ai déjà mangé beaucoup de ces dîners-là, mais le difficile, c'est de les cuire, brave maître Ellis. Et, pendant ce temps, que faisons-nous ? Nous faisons des flèches, nous faisons des vers et nous buvons de l'eau pure et fraîche, cette boisson malsaine.

— Ce n'est pas vrai, Will Lawless. Vous vous ressentez de l'office de frère gris ; l'avidité sera votre perte, répondit Ellis. Nous avons pris vingt livres à Appleyard. Nous eûmes sept marks du messager la nuit dernière. Il n'y a qu'un jour, nous en avons eu cinquante du marchand.

— Et aujourd'hui, dit l'un des hommes, j'ai arrêté un gros marchand d'indulgences qui se dirigeait vers Holywood en grande hâte. Voici sa bourse.

Ellis en compta le contenu.

— Une centaine de shillings ! grommela-t-il. Imbécile, il en avait bien plus dans ses sandales, ou cousus dans sa palatine. Vous êtes un enfant, Tom Cuckow ; vous avez laissé échapper la proie.

Malgré cela Ellis empocha nonchalamment la bourse.

Il était debout, appuyé sur son épieu, et regardait autour de lui les autres. Ceux-ci, avec des attitudes diverses, prenaient gloutonnement un potage de venaison et le délayaient copieusement avec de l'ale. C'était un bon jour, ils étaient en veine ; mais les affaires pressaient et ils mangeaient rapidement. Les premiers venus avaient dépêché leur repas. Quelques-uns s'étendirent sur l'herbe et s'endormirent immédiatement comme des boas ; d'autres causaient ou examinaient leurs armes, l'un, dont l'humeur était particulièrement gaie, tendit une corne de bière et se mit à chanter.

Il n'y a pas de lois dans la bonne forêt verte,

Ici on ne manque pas de vivres,

C'est joyeux, tranquille, avec du gibier pour notre ordinaire.

En été tout est doux.

Vienne l'hiver avec le vent et la pluie,

Vienne l'hiver avec la neige et les frimas,

Rentrez chez vous le capuchon sur la figure,

Et mangez au coin du feu.

Pendant tout ce temps, les deux jeunes gens avaient écouté, serrés l'un contre l'autre ; Richard avait seulement détaché son arc et tenait tout prêt le grappin dont il se servait pour le bander. Ils n'avaient pas osé bouger et cette scène de vie en forêt s'était déroulée sous leurs yeux comme une scène de théâtre. Mais voici que le spectacle changea d'une façon singulière. La grande cheminée qui dominait les ruines s'élevait juste au-dessus de leur cachette. Il y eut un sifflement dans l'air, puis un bruit sonore et les fragments d'une flèche tombèrent près d'eux. Quelqu'un d'un endroit plus élevé du bois, peut-être la sentinelle qu'ils avaient vue postée dans l'if, avait lancé une flèche sur le haut de la cheminée.

Matcham ne put retenir un petit cri qu'il étouffa aussitôt, et Dick, surpris, lâcha le grappin. Mais pour les hommes de la prairie, ce trait était un signal attendu. Ils furent tous sur pied à l'instant, rajustant leurs ceintures, essayant la corde de leurs arcs, faisant jouer leurs épées et dagues dans les fourreaux. Ellis leva la main, sa figure avait pris tout à coup un air de sauvage énergie ; le blanc de ses yeux brillait dans sa face basanée.

— Camarades, dit-il, vous connaissez vos postes. Que pas une âme ne vous échappe. Appleyard était un stimulant avant dîner ; mais à présent à table. Il y a trois hommes que je vengerai amèrement : Harry Shelton, Simon Malmesbury, et — frappant sur sa vaste poitrine — et Ellis Duckworth, par la messe !

Un homme arriva, rouge de la course, à travers les buissons.

— Ce n'est pas Sir Daniel, dit-il tout essoufflé. Ils ne sont que sept. La flèche a-t-elle touché ?

— Elle a frappé à l'instant, répliqua Ellis.

— La peste ! dit le messager. Il me semblait l'avoir entendue siffler. Et je m'en vais sans dîner.

En une minute, les uns courant, d'autres marchant vite, selon l'éloignement de leurs postes, les compagnons de la Flèche-Noire avaient tous disparu du voisinage de la maison en ruines ; le chaudron, le feu, qui à présent était bas, et la carcasse du daim sur l'aubépine restèrent seuls pour témoigner qu'ils avaient été là.

CHAPITRE V
SANGUINAIRE COMME UN CHASSEUR

Les jeunes gens restèrent immobiles jusqu'à ce que le dernier bruit de pas se fût dissous dans celui du vent. Ils se levèrent alors, tout courbaturés, car la longue contrainte les avait fatigués, escaladèrent les ruines, et traversèrent de nouveau le fossé sur la poutre. Matcham avait ramassé le grappin et marchait le premier ; Dick le suivait avec raideur, son arc sur le bras.

— Et maintenant, dit Matcham, en avant pour Holywood.

— A Holywood ! cria Dick. Quand on tire sur de braves gens ! Pas moi, j'aimerais mieux vous voir pendre, Jack !

— Vous m'abandonneriez ? demanda Matcham.

— Oui, par ma foi ! répliqua Dick. Si je n'arrive pas à temps pour prévenir ces garçons, j'irai mourir avec eux. Quoi ! vous voudriez me voir abandonner mes compagnons avec qui j'ai toujours vécu ? J'espère que non ! Donnez-moi mon grappin !

Mais rien n'était plus loin de l'intention de Matcham.

— Dick, dit-il, vous avez juré par les saints que vous me conduiriez sain et sauf à Holywood. Voudriez-vous rompre votre serment ? Voulez-vous m'abandonner — un parjure ?

— Non, je l'ai bien juré, répliqua Dick, et je voulais le faire ; mais à présent ! Voyons, Jack, revenez avec moi. Laissez-moi seulement, prévenir ces hommes et s'il en est besoin courir les risques avec eux ; je serai libre alors et je reprendrai le chemin de Holywood pour remplir mon serment.

— Vous vous moquez de moi, répondit Matcham. Ces hommes que vous voulez secourir sont les mêmes qui me traquent pour me perdre.

Dick se gratta la tête.

— Je n'y peux rien, Jack, dit-il. Il n'y a pas de remède. Que voulez-vous ? Vous ne courrez pas grand risque, mon garçon, et ceux-là sont en péril de mort. De mort ! ajouta-t-il, pensez-y ! Pourquoi diable me retenez-vous ici ? donnez-moi le grappin. Par saint Georges ! faut-il qu'ils meurent tous ?

— Richard Shelton, dit Matcham, et il le regarda fixement, voulez-vous donc prendre parti pour Sir Daniel ? N'avez-vous pas d'oreilles ? N'avez-vous pas entendu cet Ellis, ce qu'il disait ? Ou n'avez-vous pas de cœur pour votre propre sang et votre père assassiné ? Harry Shelton, a-t-il dit, et Sir Harry Shelton était votre père aussi vrai que le soleil brille au ciel.

— Que voulez-vous ? cria de nouveau Dick. Voulez-vous que j'aie foi en des voleurs ?

— Non, je l'ai déjà entendu dire, répliqua Matcham. Le bruit en court partout ; c'est Sir Daniel qui l'a tué, il l'a tué malgré son serment ; dans sa propre maison, il a versé le sang d'un innocent. Le ciel en demande vengeance ; et vous — le fils de cet homme — vous voulez aller soutenir et défendre le meurtrier !

— Jack, cria le jeune homme, je ne sais pas. Cela peut-être, que sais-je ? Mais pensez à ceci : cet homme m'a nourri et élevé, et j'ai chassé avec ses serviteurs et joué parmi eux ; et les abandonner à l'heure du danger… homme, si je faisais cela, mon honneur serait bien mort ! Non, Jack, il ne faut pas me demander cela ; vous ne pouvez vouloir que je sois vil.

— Mais votre père, Dick ? dit Matcham, un peu ébranlé. Votre père ? et votre serment envers moi ? Vous avez pris les saints à témoins.

— Mon père, dit Shelton. Non ! il voudrait que j'y aille ! Si Sir Daniel l'a tué, quand l'heure viendra, cette main tuera Sir Daniel, mais je n'abandonnerai ni lui, ni les siens dans le danger. Et, quant à mon serment, mon bon Jack, vous m'en délierez ici. Pour la vie de ces hommes qui ne vous ont pas fait de mal et pour mon honneur, vous me rendrez ma liberté.

— Moi, Dick ? Jamais ! répliqua Matcham. Si vous m'abandonnez, vous serez un parjure et je le proclamerai.

— Mon sang bout, dit Dick ; donnez-moi le grappin ! Donnez !

— Je ne veux pas, dit Matcham. Je vous sauverai malgré vous.

— Non ? cria Dick. Je vous y obligerai !

— Essayez ! dit l'autre.

Ils étaient debout se regardant dans les yeux, tous deux prêts à bondir. Alors Dick s'élança ; et, bien que Matcham se fût aussitôt retourné pour fuir, en deux bonds l'autre l'atteignit, arracha le grappin à son étreinte, le jeta rudement à terre, et se tint debout en travers au-dessus de lui, rouge, menaçant, le poing fermé. Matcham restait où il était tombé, la figure dans l'herbe, sans idée de résistance.

Dick banda son arc.

— Je vous apprendrai, dit-il brutalement. Serment ou non, vous pouvez aller vous faire pendre !

Et il se retourna et se mit à courir. Matcham fut aussitôt sur pied et courut après lui.

— Que voulez-vous ? demanda Dick en s'arrêtant. Pourquoi me suivez-vous ? Arrière !

— Je vous suivrai, si cela me plaît, dit Matcham. Ce bois est libre.

— Restez en arrière, par Notre-Dame ! répliqua Dick levant son arc.

— Ah ! vous êtes un brave garçon, dit Matcham. Tirez !

Dick baissa son arme, un peu confus.

— Voyons, dit-il, vous m'avez fait assez de mal. Allez, allez votre chemin tranquillement ; ou, que je le veuille ou non, il faudra bien que je vous y force.

— Bien, dit avec entêtement Matcham, vous êtes le plus fort. Faites le pis. Rien ne m'empêchera de te suivre, Dick, à moins que…

Dick était presque hors de lui. Il était contre sa nature de battre un être si faible, mais il ne voyait pas d'autre moyen de se débarrasser de ce compagnon malencontreux, et, il commençait à le croire peut-être déloyal.

— Vous êtes fou, je pense, cria-t-il. Stupide garçon, je me hâte vers vos ennemis ; aussi vite que mes jambes peuvent me porter, j'y vais.

— Cela m'est égal, Dick, répliqua le garçon. Si vous êtes destiné à mourir, Dick, je mourrai aussi. J'aimerais mieux aller en prison avec vous que d'être libre sans vous.

— Bien, répliqua l'autre. Je ne bavarderai pas plus longtemps. Suivez-moi si cela vous convient ; mais, si vous me trahissez, cela ne vous servira guère, je vous assure. Vous aurez une flèche à travers le corps, mon garçon.

Disant cela, Dick se remit à courir en suivant la lisière du fourré. Il s'avançait en fouillant du regard autour de lui. D'un bon pas il sortit du vallon et arriva de nouveau dans les parties plus découvertes du bois. A gauche, se trouvait une petite éminence mouchetée de genêts dorés et couronnée d'un bouquet de sapins noirs.

— Je verrai de là, pensa-t-il, et il se dirigea dessus à travers une clairière de bruyère.

Il n'avait avancé que de quelques mètres, lorsque Matcham lui toucha le bras et montra du doigt.

Vers l'est du sommet, il y avait un creux, comme si une vallée eût passé de l'autre côté ; la bruyère s'y continuait ; tout le terrain était rougeâtre comme un bouclier mal nettoyé, et pointillé d'ifs de place en place ; et là, l'une suivant l'autre, Dick vit une dizaine de jaques vertes montant le sentier, et, marchant à leur tête, Ellis Duckworth en personne, que son épieu signalait. L'un après l'autre ils gagnèrent le sommet, se montrant un instant contre le ciel, et disparurent de l'autre côté jusqu'au dernier. Dick regarda Matcham d'un meilleur œil.

— Ainsi, vous m'êtes fidèle, Jack ? demanda-t-il, je pensais que vous étiez de l'autre parti.

Matcham se mit à sangloter.

— Qu'est-ce que cela signifie ? dit Dick. Que les saints nous pardonnent ! Allez-vous pleurnicher pour un mot ?

— Vous m'avez fait mal, sanglota Matcham. Vous m'avez fait mal, quand vous m'avez jeté par terre. Vous êtes un lâche d'abuser ainsi de votre force.

— Peuh ! c'est un propos de sot, dit rudement Dick. Vous n'aviez aucun droit sur mon grappin ; maître John. J'aurais bien fait de vous donner une raclée. Si vous venez avec moi, il faut m'obéir ; sur ce, marchons.

Matcham pensa vaguement à rester en arrière ; mais voyant que Dick continuait à courir à toute vitesse vers l'éminence et ne regardait même pas derrière lui, il eut une meilleure inspiration et se mit à courir à son tour. Mais le terrain était difficile et escarpé, Dick avait déjà une bonne avance, et avait, sans aucun doute, les meilleures jambes, et il était depuis longtemps arrivé au sommet, et avait rampé à travers les sapins et s'était blotti dans une touffe de genêts, lorsque Matcham, haletant comme un daim, le rejoignit et se tint silencieusement à côté de lui.

En bas, au fond d'une large vallée, le raccourci venant du hameau de Tunstall serpentait, descendant vers le gué. Il était bien marqué et l'œil le suivait aisément de place en place. Tantôt il était bordé de clairières ouvertes, tantôt la forêt le recouvrait ; chaque cent mètres, il côtoyait un piège. Au loin, sur le sentier, le soleil faisait briller sept salades d'acier, et, de temps en temps, dans l'intervalle des arbres, on pouvait apercevoir Selden et ses hommes chevauchant d'une vive allure toujours pour la mission de Sir Daniel.

Le vent était un peu tombé, mais il agitait joyeusement les arbres, et, peut-être, si Appleyard avait été là, il aurait tiré un avertissement de la conduite inquiète des oiseaux.

— Tenez, regardez, murmura Dick, les voilà déjà bien avancés dans le bois, leur salut serait plutôt d'avancer. Mais voyez-vous là, où cette large clairière se déroule devant nous, avec au milieu une quarantaine d'arbres, comme une île ? Là ils seraient en sûreté. S'ils arrivent jusque-là sans accident, je trouverai moyen de les prévenir. Mais je n'ai pas confiance ; ils ne sont que sept contre beaucoup, et ils n'ont que des arbalètes. L'arc aura toujours le dessus, Jack.

Pendant ce temps, Selden et ses hommes, ignorant leur danger, continuaient à monter le sentier et approchaient peu à peu. Une fois pourtant, ils s'arrêtèrent, se réunirent en groupe et parurent écouter et se montrer quelque chose. Mais c'était au loin vers la plaine que leur attention avait été attirée. Un grognement sourd du canon qui arrivait de temps en temps porté par le vent leur parlait de la grande bataille.

Cela valait la peine d'y penser, vraiment, car si la voix des grands canons était ainsi perceptible dans la forêt de Tunstall, le combat devait s'être rapproché toujours vers l'est et la journée, par conséquent, mauvaise pour Sir Daniel et les seigneurs de la rose rouge.

Mais bientôt la petite troupe se remit en marche et arriva à un endroit du chemin très ouvert et couvert de bruyères, où une langue de forêt seulement descendait rejoindre la route. Ils étaient juste en ligne parallèle à celle-ci lorsqu'une flèche brilla en volant. Un des hommes leva les bras, son cheval se cabra et tous deux tombèrent et se débattirent en une masse confuse. De l'endroit même où étaient les garçons, ils pouvaient entendre la rumeur des cris des hommes ; ils pouvaient voir les chevaux effrayés se cabrer et bientôt, lorsque la troupe commençait à se remettre de sa première surprise, un des hommes descendit de cheval. Une seconde flèche venant de plus loin décrivit un grand cercle ; un second cavalier mordit la poussière. L'homme qui était en train de descendre de cheval lâcha les rênes et son cheval prit la fuite au galop, le traînant par un pied sur la route, le cognant de pierre en pierre et le brisant sous ses sabots. Les quatre qui étaient encore en selle aussitôt se dispersèrent, l'un se retourna et galopa en hurlant vers le gué ; les trois autres, les rênes lâches et le manteau flottant, montèrent au galop la route de Tunstall. De chaque bouquet d'arbres devant lequel ils passaient, sortait une flèche. Bientôt un cheval tomba, mais le cavalier fut vite sur pied et continua à courir après ses compagnons jusqu'à ce qu'une autre flèche l'étendit mort. Un autre homme tomba ; puis un autre cheval ; de toute la troupe un seul homme restait, et à pied ; mais dans différentes directions le bruit de trois chevaux sans cavaliers s'éteignait dans le lointain.

Pendant tout ce temps pas un des assaillants ne s'était montré. Ici ou là, le long de la route, cheval ou homme tombait blessé, agonisant, et nul ennemi compatissant ne sortit de son couvert pour mettre fin à leur souffrance.

Le survivant, solitaire, était debout éperdu sur la route à côté de son coursier mort. Il avait traversé cette large plaine avec l'îlot d'arbres signalé par Dick. Il n'était peut-être pas à cinq cents mètres de l'endroit où les deux garçons étaient cachés et ils pouvaient le voir distinctement, regardant autour de lui dans l'attente de la mort. Mais rien ne vint ; l'homme commença à reprendre courage et soudain détacha et banda son arc. En ce moment, à quelque chose dans sa manière, Dick reconnut Selden. A cet essai de résistance, de tous côtés autour de lui dans le couvert du bois, s'éleva un bruit de rire. Une vingtaine d'hommes au moins, car c'était le centre de l'embuscade, s'unirent dans cette gaieté cruelle. Puis une flèche passa par-dessus l'épaule de Selden ; il sauta et courut un peu en arrière ; une autre flèche, frémissante, le frappa au talon. Il marcha vers le couvert. Un troisième trait lui sauta à la face et tomba par terre devant lui. Et un rire reprit, bruyant et se faisant écho dans plusieurs fourrés.

Il était clair que ses assaillants se contentaient de le harceler comme alors des hommes harcelaient le pauvre taureau, ou comme le chat joue avec la souris. L'escarmouche était bien finie ; plus loin sur la route, un homme en vert déjà ramassait tranquillement les flèches ; et à présent, par plaisir de mauvais cœurs, ils se donnaient le spectacle de la torture d'un pauvre pécheur comme eux.

Selden commença à comprendre ; il poussa un cri de rage, épaula son arbalète et envoya une flèche au hasard dans le bois. La chance le favorisa, car un léger cri répondit. Alors jetant son arme, Selden se mit à courir devant lui dans la clairière et en droite ligne sur Dick et Matcham.

Les compagnons de la Flèche-Noire commencèrent alors à tirer sérieusement.

Mais ils furent bien attrapés ; leur chance était passée ; la plupart d'entre eux avaient le soleil en face, et Selden en courant bondissait de côté et d'autre pour tromper leur tir. Le mieux était, qu'en visant vers le haut de la clairière il avait détruit leur plan, car il n'y avait pas de tireur posté plus haut que celui qu'il venait de tuer ou de blesser ; et l'échec de la combinaison des forestiers devint bientôt visible. Un sifflet se fit entendre trois fois, puis encore deux fois. Cela fut répété dans un autre endroit. Les bois de tous côtés se remplirent du bruit, de gens se faisant jour à travers le sous-bois ; un daim étonné sortit du bois dans la plaine, s'arrêta une seconde sur trois pieds, le nez en l'air, et de nouveau s'enfonça dans le fourré.

Selden courait et bondissait encore ; de moment en moment une flèche le suivait, mais le manquait toujours. On pouvait commencer à croire qu'il allait échapper. Dick avait son arc tout armé prêt à le soutenir ; Matcham lui-même oubliant son propre intérêt, était de tout cœur avec le pauvre fugitif, et les deux jeunes garçons étaient tout animés et tout tremblants jusqu'au fond du cœur. Il était à cinquante mètres d'eux environ, quand une flèche l'atteignit, et il tomba. Il fut debout presque aussitôt, mais alors il courut en boitant, et, comme un aveugle, s'écarta de sa direction.

Dick sauta sur ses jambes et lui fit signe.

— Ici, cria-t-il, par ici ! Il y a du secours, courez, l'ami, courez !

Mais juste à ce moment une seconde flèche frappa Selden à l'épaule, entre les plaques de son brigantin et, traversant sa jaque, le jeta par terre comme une pierre.

— Oh ! le pauvre ! cria Matcham, les mains jointes.

Et Dick pétrifié restait debout sur la colline, cible pour les archers.

Dix contre un qu'il aurait été rapidement frappé — car les hommes de la forêt étaient furieux contre eux-mêmes et étaient pris au dépourvu par l'apparition de Dick à l'arrière de leur position — mais aussitôt, sortant d'une partie du bois étonnamment près des deux jeunes gens, une voix de stentor s'éleva, la voix d'Ellis Duckworth.

— Arrêtez ! rugit-il, ne tirez pas ! Prenez-le vivant ! C'est le jeune Shelton, le fils de Harry.

Et aussitôt un sifflement aigu résonna plusieurs fois, fut de nouveau repris et répété plus loin. Le sifflet, semblait-il, était la trompe de guerre qui servait à Jean Répare-tout pour répandre ses ordres.

— Ah ! Malheur ! dit Dick. Nous sommes pris. Vivement, Jack, venez vite !

Et le couple tourna et courut en arrière, à travers les pins qui couvraient le sommet de la colline.

CHAPITRE VI
JUSQU'A LA FIN DU JOUR

Il était en effet grand temps de courir. De toutes parts la compagnie de la Flèche-Noire se dirigeait vers la colline. Quelques-uns, meilleurs coureurs, ou ayant devant eux un terrain découvert, avaient de beaucoup dépassé les autres et étaient déjà tout près du but ; d'autres, suivant les vallées, s'étaient répandus à droite et à gauche et cernaient les jeunes gens des deux côtés.

Dick s'enfonça sous le couvert le plus proche. C'était un grand bosquet de chênes, avec un terrain ferme sous le pied et libre de broussailles, descendant la colline ; ils allèrent donc bon train. Ensuite venait un terrain découvert que Dick évita en inclinant à gauche. Deux minutes plus tard, le même obstacle se présentait encore, et ils firent de même. Par suite, tandis que les jeunes gens, décrivant une courbe vers la gauche, se rapprochaient de plus en plus de la grande route et de la rivière qu'ils avaient traversée une heure ou deux auparavant, la grande masse de leurs poursuivants se portait de l'autre côté vers Tunstall.

Les garçons s'arrêtèrent pour respirer. Il n'y avait aucun bruit de poursuite. Dick mit son oreille contre terre et n'entendit rien ; mais le vent faisait encore du bruit dans les arbres et il était difficile d'avoir une certitude.

— En avant encore ! dit Dick, et fatigués comme ils l'étaient, et Matcham boitant de son pied blessé, ils reprirent courage, et continuèrent, à toute vitesse, la descente de la colline.

Trois minutes plus tard, ils reprenaient haleine dans un bas, fourré d'arbustes verts. Haut, au-dessus de leurs têtes, les grands arbres formaient un toit continu de feuillage. C'était un bosquet avec des piliers hauts comme une cathédrale et, à part les houx avec lesquels ils se débattaient, libre et moelleusement gazonné.

De l'autre côté, ayant traversé le dernier fourré d'arbres verts, ils se jetèrent étourdiment dans le découvert crépusculaire.

— Arrêtez ! cria une voix.

Et là, entre les fortes racines à cinquante pieds à peine devant eux ils aperçurent un fort gaillard en jaque verte, hors d'haleine à force d'avoir couru, qui immédiatement arma son arc et les menaça. Matcham s'arrêta avec un cri ; mais Dick sans hésitation courut droit sur le forestier, et, tout en courant, tira sa dague. L'autre, soit qu'il fût surpris par l'audace de l'attaque, soit qu'il fût embarrassé par ses ordres, ne tira pas : il restait indécis, et, avant qu'il eût le temps de revenir à lui, Dick lui avait sauté à la gorge, et l'avait couché sur l'herbe. La flèche alla d'un côté, l'arc de l'autre en retentissant.

L'homme de la forêt, désarmé, se cramponna à son assaillant ; mais la dague brilla et descendit deux fois. Alors il y eut deux gémissements, puis Dick se remit sur pieds et l'homme resta sans mouvement, frappé au cœur.

— En avant ! dit Dick, et il se remit à dégringoler la pente, Matcham se traînant en arrière.

A dire vrai, ils n'allaient maintenant pas bien vite, peinant horriblement à courir, haletants comme poissons hors de l'eau. Matcham avait un cruel point de côté et la tête lui tournait ; quant à Dick, ses genoux lui semblaient être de plomb. Mais ils continuaient à courir avec la même ardeur.

Bientôt ils arrivèrent au bout du bosquet, qui se terminait brusquement ; et là, à quelques pas devant eux, la grande route de Risingham à Shoreby s'étendait entre deux murailles d'arbres.

A cette vue, Dick s'arrêta, et aussitôt qu'il eut cessé de courir, il entendit vaguement un bruit confus qui devint rapidement plus fort. C'était d'abord comme un violent coup de vent ; mais bientôt cela devint plus défini et se précisa en un galop de chevaux ; puis, comme un éclair, toute une compagnie d'hommes d'armes tournant l'angle de la route, passa devant les jeunes gens et disparut presque au même instant. Ils couraient comme en fuite, dans un complet désordre ; quelques-uns étaient blessés ; des chevaux sans cavaliers galopaient à côté d'eux avec des selles ensanglantées. C'étaient évidemment des fugitifs de la grande bataille.

A peine le bruit de leur passage commençait à s'éteindre vers Shoreby, de nouveaux sabots firent écho à leur suite et un autre déserteur fit résonner la route ; cette fois, un seul cavalier, et à voir sa splendide armure, un homme de haut rang. Immédiatement après lui, suivaient plusieurs chariots de bagages, dans un galop désordonné, les conducteurs fouettant les chevaux à tour de bras. Ils devaient s'être enfuis de bonne heure ; mais leur lâcheté ne devait pas les sauver. Juste un peu avant qu'ils ne fussent devant l'endroit où se trouvaient les jeunes gens étonnés, un homme à l'armure ébréchée, et qui paraissait hors de lui de fureur, atteignit les chariots et, avec le manche d'une épée se mit à renverser les conducteurs. Quelques-uns sautèrent de leurs places et plongèrent dans le bois, les autres furent sabrés par le cavalier qui ne cessait de les maudire comme des lâches, d'une voix à peine humaine.

Pendant tout ce temps le bruit au loin avait continué à augmenter, le roulement des chariots, le résonnement des sabots, les cris des hommes, une grande et confuse rumeur arrivaient portés par le vent, et il était hors de doute que la déroute de toute une armée se répandait comme une inondation sur la route.

Dick était sombre. Il avait pensé suivre la grande route jusqu'au tournant de Holywood, et, à présent il lui fallait changer son plan. Mais surtout il avait reconnu les couleurs du comte Risingham et il savait que la bataille avait finalement tourné contre la rose de Lancastre. Sir Daniel avait-il rejoint l'armée et était-il à présent fugitif et ruiné ? ou bien avait-il déserté pour la cause d'York et avait-il forfait à l'honneur ? C'était un vilain choix.

— Venez, dit-il, d'un ton ferme, et il tourna sur ses talons et se mit à marcher sous bois, Matcham boitant à sa suite. Pendant quelque temps ils continuèrent à longer sous bois la route en silence. La journée s'avançait ; le soleil se couchait dans la plaine au delà de Kettley, le sommet des arbres au-dessus de leur tête était doré, mais l'ombre commençait à s'épaissir et le frais de la nuit à tomber.

— Si l'on avait au moins quelque chose à manger ! s'écria tout à coup Dick, en s'arrêtant.

Matcham s'assit par terre et se mit à pleurer.

— Vous pouvez pleurer pour votre souper, mais quand il s'agissait de sauver des vies d'hommes vous aviez le cœur plus dur, dit Dick avec mépris. Vous avez sept morts sur la conscience, maître John, et je ne vous le pardonnerai jamais.

— Conscience, ma conscience ! dit Matcham le regardant fièrement. Et vous, vous avez le sang rouge de l'homme sur votre poignard ! Et pourquoi l'avez-vous tué, le malheureux ? Il a bandé son arc, mais il n'a pas tiré ; il vous avait en son pouvoir, mais il vous a épargné. Il est aussi brave de tuer un jeune chat qu'un homme qui ne se défend pas.

Dick était muet.

— Je l'ai tué loyalement, dit-il enfin. Je me suis jeté sur son arc.

— Ce fut un coup de lâche, répliqua Matcham. Vous n'êtes qu'un butor et un tyran, maître Dick : vous abusez de vos avantages ; qu'il vienne un plus fort nous vous verrons ramper sous sa botte ! Vous ne pensez pas non plus à la vengeance, car la mort de votre père n'est pas encore expiée et sa pauvre ombre demande justice. Mais qu'il vous tombe entre les mains une pauvre créature ni forte, ni adroite, mais qui voudrait être votre amie, elle sera écrasée.

Dick était trop furieux pour remarquer cet *Elle*.

— Par ma fois voici du nouveau ! Sur deux l'un est plus fort. Le plus fort renverse l'autre et l'autre n'a que son dû. Vous méritez une raclée, maître Matcham, pour votre mauvaise conduite et manque de reconnaissance envers moi, et ce que vous méritez, vous l'aurez.

Et Dick qui, même dans sa plus grande colère, conservait l'apparence du calme, se mit à déboucler sa ceinture.

— Voici votre souper, dit-il d'un air farouche.

Matcham ne pleurait plus, il était blanc comme un drap, mais il regardait Dick fixement sans faire un mouvement ; Dick fit un pas en balançant la ceinture. Puis il s'arrêta, embarrassé par les grands yeux et la pauvre figure fatiguée de son compagnon. Le courage commençait à lui manquer.

— Avouez, alors, que vous aviez tort, dit-il piteusement.

— Non, dit Matcham. J'avais raison. Allez, cruel ! je suis blessé, je suis fatigué ; je ne résiste pas ; je ne t'ai jamais fait de mal ; venez, battez-moi, lâche !

Dick leva la ceinture à cette dernière provocation ; Matcham tressaillit et se replia sur lui-même avec un air de si cruel effroi que le cœur lui manqua encore. La lanière tomba à son côté et il était planté là, indécis et se sentant très sot.

— Que la peste t'étouffe ! dit-il. Puisque vous avez la main si faible, vous devriez bien faire plus attention à votre langue. Mais j'aimerais mieux être pendu que de vous battre ! et il remit sa ceinture. Vous battre, non, continua-t-il, mais vous pardonner ? Jamais. Je ne vous connaissais pas, vous étiez l'ennemi de mon maître ; je vous ai prêté mon cheval ; vous avez mangé mon dîner, vous m'avez appelé un homme en bois, un lâche et un butor. Non, par la messe ! la mesure est comble et déborde. C'est une bonne chose d'être faible, ma foi ; vous pouvez faire le pis, et personne ne vous punira, vous pouvez voler ses armes à un homme au moment où il en a besoin et il ne faudra pas qu'il les reprenne… vous êtes faible, parbleu ! Quoi ! alors si on vient vous charger avec une lance en criant qu'on est faible, il faudra se laisser transpercer ! Peuh ! sottises !

— Et cependant vous ne me battez pas, répliqua Matcham.

— Passons, dit Dick… passons. Je vous éduquerai. Vous avez été mal élevé, je pense, et, cependant vous êtes capable d'un peu de bien, et, sans aucun doute, vous m'avez tiré de la rivière. Oui, je l'avais oublié, je suis aussi ingrat que toi-même. Mais venez, marchons. Si nous voulons être à Holywood cette nuit ou demain matin de bonne heure, le mieux est de nous mettre en route rapidement.

Mais, bien que Dick en bavardant ainsi, eût repris sa bonne humeur accoutumée, Matcham ne lui avait rien pardonné. Sa violence, le souvenir du forestier qu'il avait tué et, par-dessus tout, la vision de sa ceinture levée sur lui, étaient choses qu'il n'était pas facile d'oublier.

— Je vous remercierai pour la forme, dit Matcham. Mais vraiment, bon maître Shelton, j'aimerais autant trouver mon chemin tout seul. Voici un grand bois ; de grâce, choisissons chacun notre chemin ; je vous dois un dîner et une leçon ; adieu !

— Bah ! s'écria Dick, si cela est votre idée, qu'il en soit ainsi et que le diable vous emporte !

Chacun tourna de son côté et ils commencèrent à marcher séparément sans penser à leur direction, absorbés par leur querelle. Mais Dick n'avait pas fait dix pas qu'il était appelé par son nom et Matcham arrivait en courant.

— Dick, dit-il, c'était vilain de nous séparer si froidement. Voici ma main et mon cœur avec. Pour tout ce en quoi vous m'avez si bien servi et aidé, je vous remercie... non pour la forme mais du fond du cœur. Portez-vous bien !

— Bien, mon garçon, répliqua Dick en prenant la main qui lui était offerte, bonne chance pour vous si vous devez en avoir. Mais j'ai bien peur que non. Vous êtes trop querelleur.

Ainsi ils se séparèrent pour la seconde fois, et quelques instants après ce fut Dick qui courait après Matcham.

— Hé, dit-il, prenez mon arbalète ; vous ne pouvez aller ainsi sans armes.

— Une arbalète ! dit Matcham. Non, mon garçon, je n'aurais ni la force de la tendre, ni l'adresse de viser. Cela ne me servirait à rien, bon garçon. Mais je vous remercie.

La nuit était tombée, et, sous les arbres, ils ne pouvaient plus voir leurs visages.

— J'irai un peu avec vous, dit Dick. La nuit est sombre. Je voudrais au moins vous laisser sur un chemin. J'ai des pressentiments, vous pourriez vous perdre.

Sans un mot de plus il se mit en marche et l'autre le suivit.

L'obscurité devenait de plus en plus épaisse, et, çà et là seulement, dans des endroits découverts, ils apercevaient le ciel parsemé de petites étoiles. Au loin le bruit de la déroute de l'armée de Lancastre continuait à se faire entendre faiblement, mais à chaque pas s'éloignait derrière eux.

Au bout d'une demi-heure de marche silencieuse, ils arrivèrent à une large clairière de bruyère. Elle brillait sous la lumière des étoiles, hérissée de fougères, avec des bouquets d'ifs formant îlots. Et là ils s'arrêtèrent et se regardèrent.

— Vous êtes fatigué, dit Dick.

— Ah ! répliqua Matcham : je suis si fatigué qu'il me semble que je pourrais me coucher et mourir.

— J'entends le grondement d'une rivière, dit Dick, allons jusque-là, car je meurs de soif.

Le terrain descendait doucement, et en effet ils trouvèrent au bas une petite rivière murmurante qui courait entre des saules. Là ils se jetèrent tous deux à terre sur le bord et mettant leurs bouches au niveau d'une flaque étoilée, ils burent à satiété.

— Dick, dit Matcham, c'est assez. Je n'en peux plus.

— J'ai vu un creux comme nous descendions, dit Dick. Étendons-nous-y et dormons.

— Oh ! de tout mon cœur, dit Matcham.

Le creux était sec et sablonneux ; un fouillis de ronces pendait d'un côté et formait un abri à peu près sûr ; les deux jeunes garçons s'y étendirent, serrés l'un contre l'autre pour avoir plus chaud et ayant entièrement oublié leur querelle.

Et bientôt le sommeil tomba sur eux comme un nuage et sous la rosée et les étoiles ils reposèrent paisiblement.

CHAPITRE VII
LA FACE MASQUÉE

Ils se réveillèrent à l'aube : les oiseaux ne chantaient pas encore à pleine gorge, mais gazouillaient çà et là dans le bois ; le soleil n'était pas encore levé, le ciel était seulement, à l'est, barré de couleurs solennelles. A demi morts de faim et surmenés comme ils étaient, ils restaient couchés sans bouger, plongés dans une lassitude délicieuse. Et, comme ils étaient ainsi, le son d'une clochette frappa soudain leurs oreilles.

— Une cloche ! dit Dick s'asseyant, sommes-nous donc si près de Holywood !

Un instant après la cloche résonna de nouveau, mais cette fois un peu plus près et ensuite, toujours se rapprochant, elle continua à sonner irrégulièrement et au large dans le silence du matin.

— Qu'est-ce que cela veut dire ? dit Dick, maintenant tout à fait éveillé.

— C'est quelqu'un qui marche, répliqua Matcham et la cloche résonne toujours quand il marche.

— Je vois bien cela, dit Dick, mais pourquoi ? que fait-il dans les bois de Tunstall ? Jack, ajouta-t-il, moquez-vous de moi si vous voulez, mais je n'aime pas ce son creux.

— Non, dit Matcham, avec un frisson, cela donne une note lugubre. Si le jour n'était pas venu…

A ce moment la cloche hâtant le pas se mit à sonner à coups pressés, puis le marteau frappa un son fort et discordant, enfin elle se tut pour un moment.

— On dirait que le porteur a couru pendant le temps d'un *pater* et a ensuite sauté la rivière, dit Dick.

— Et à présent il recommence à marcher tranquillement, ajouta Matcham.

— Non, répliqua Dick, non Jack, pas si tranquillement. C'est un homme qui marche très vite. C'est un homme qui craint pour sa vie ou qui a quelque affaire pressée. N'entendez-vous pas comme le battement se rapproche vite ?

— Il est tout près maintenant, dit Matcham.

Ils étaient alors sur le bord du creux, et comme ce creux lui-même se trouvait sur une petite éminence, ils commandaient la vue sur la plus grande partie de la clairière jusqu'au bois épais qui la terminait.

Le jour qui était très clair et gris leur montra le ruban blanc d'un sentier serpentant parmi les ajoncs. Il passait à quelque cent mètres du creux et traversait la clairière de l'est à l'ouest. A sa direction Dick jugea qu'il conduisait plus ou moins directement à Moat-House.

Sur ce sentier, sortant de la lisière du bois, une forme blanche apparut. Elle s'arrêta un instant et sembla regarder autour d'elle, puis, à pas lents, courbée presque en deux, elle s'avança sur la bruyère ; à chaque pas la cloche sonnait. Pas de tête, un capuchon blanc qui n'était même pas percé de trous pour les yeux voilait la face ; et à mesure que cette forme avançait, elle semblait tâtonner et chercher son chemin en frappant le sol avec un bâton. Une peur saisit les garçons, froide comme la mort.

— Un lépreux ! dit Dick d'une voix rauque.

— Son attouchement est la mort, dit Matcham, sauvons-nous.

— Non pas, répliqua Dick. Ne voyez-vous pas qu'il est aveugle ? Il se guide avec un bâton. Restons tranquilles, le vent souffle vers le sentier, il passera et ne nous fera pas de mal. Hélas ! pauvre malheureux, nous devrions plutôt le plaindre !

— Je le plaindrai quand il sera loin, répliqua Matcham.

Le lépreux aveugle était maintenant à mi-chemin vers eux, et, à ce moment, le soleil se leva et brilla en plein sur sa face voilée. Il avait été grand avant que la dégoûtante maladie l'eût courbé et même il marchait encore d'un pas vigoureux. Le lugubre battement de sa cloche, le tâtonnement de son bâton, l'étoffe couvrant sa face et la certitude qu'il était non seulement voué à la mort et à la souffrance, mais séparé pour toujours de l'approche de ses semblables, remplissait l'âme des jeunes gens d'épouvante, et à chaque pas qui le rapprochait d'eux leur courage et leur force semblaient les abandonner.

Lorsqu'il arriva à peu près en face du creux, il s'arrêta et tourna sa figure droit vers eux.

— Marie me protège ! il nous voit, dit Matcham d'une voix éteinte.

— Chut ! murmura Dick, il ne peut qu'écouter. Il est aveugle, idiot !

Le lépreux regarda ou écouta, peu importe, pendant quelques secondes. Puis il se remit en marche, mais bientôt, s'arrêta de nouveau, se retourna et sembla regarder les jeunes gens. Dick lui-même devint blanc comme un mort et ferma les yeux comme si un simple coup d'œil eût pu lui communiquer l'infection. Mais bientôt la clochette sonna et, cette fois sans plus d'hésitation, le lépreux traversa le bout de la petite bruyère et disparut sous le couvert du bois.

— Il nous a vus, dit Matcham, j'en jurerais.

— Bah ! répliqua Dick, retrouvant un peu de courage. Il n'a pu que nous entendre. Il avait peur, le pauvre ! Si vous étiez aveugle et marchiez dans une nuit perpétuelle, vous trembleriez, rien qu'à entendre craquer une branche ou chanter un oiseau.

— Dick, mon bon Dick, il nous a vus, répéta Matcham. Quand un homme écoute, il ne fait pas comme celui-ci ; il fait autrement, Dick. C'était voir, ce n'était pas entendre. Il a de mauvaises intentions. Écoutez si sa clochette n'est pas arrêtée.

C'était vrai. La clochette ne sonnait plus.

— Oh ! dit Dick, je n'aime pas cela, non, cela ne me plaît pas. Qu'est-ce que cela veut dire ? Allons-nous-en, par la messe !

— Il est allé vers l'est, ajouta Matcham. Mon bon Dick, allons droit vers l'ouest. Je ne pourrai plus respirer tant que je n'aurai pas tourné le dos à ce lépreux.

— Jack, vous êtes trop peureux, répliqua Dick. Nous irons droit sur Holywood ou, du moins, tout aussi droit que je puis vous guider, et c'est vers le nord.

Ils furent sur pied de suite, passèrent le ruisseau sur quelques pierres et commencèrent à gravir l'autre côté qui était plus escarpé, se dirigeant vers l'orée du bois. Le terrain devenait très inégal, plein de trous et de monticules ; les arbres poussaient, ici dispersés et là par bouquets ; il était de plus en plus difficile de suivre une direction et les jeunes gens allaient un peu au hasard.

De plus, ils étaient épuisés par les fatigues de la veille et le manque de nourriture, ils avançaient lourdement et traînaient les jambes sur le sable.

Bientôt, en arrivant sur le haut d'un monticule, ils aperçurent à quelques centaines de mètres devant eux le lépreux, qui traversait leur ligne dans un creux. Sa cloche était silencieuse, son bâton ne frappait plus le sol et il allait devant lui du pas vif et assuré d'un homme qui voit. Un moment après il avait disparu dans un petit fourré.

A sa vue les jeunes gens s'étaient jetés derrière une touffe de genêts, ils restaient là, frappés d'horreur.

— Certainement il nous poursuit, dit Dick… C'est sûr. Il tenait le battant de sa cloche, avez-vous vu ? pour qu'il ne sonne pas. A présent, que les saints nous protègent ! et nous conduisent, car je n'ai pas de force pour combattre la lèpre.

— Que fait-il ? s'écria Matcham, que veut-il ? A-t-on jamais vu ? un lépreux qui, par pure méchanceté, poursuit des malheureux ? N'a-t-il pas sa cloche justement pour que les gens puissent l'éviter ? Dick, il y a autre chose là-dessous.

— Non, cela m'est égal, grogna Dick, je n'ai plus de force, mes jambes fléchissent. Que les saints m'assistent.

— Allez-vous rester là à ne rien faire ? cria Matcham.

Retournons dans la clairière. Ce sera plus sûr ; il ne pourra nous approcher par surprise !

— Pas moi, dit Dick, mon temps est venu ; et il peut passer près de nous.

— Bandez votre arc, au moins ! cria l'autre. Quoi ! êtes-vous un homme ?

Dick se signa.

— Voulez-vous que je tire sur un lépreux ? dit-il. La main me manquerait. A présent, laissez faire ! Avec des hommes sains je combattrai, mais non avec des revenants et des lépreux. Qu'est celui-ci, je ne sais. Qu'il soit ce qu'il voudra, et le ciel nous protège !

— Et bien, dit Matcham, si c'est cela le courage de l'homme, quelle pauvre chose que l'homme ! Mais puisque vous ne voulez rien faire, cachons-nous.

Un unique tintement de cloche, brusque, se fit entendre.

— Il a lâché le battant, murmura Matcham. Grands saints ! comme il est près !

Mais Dick ne répondit pas un mot, ses dents claquaient presque.

Bientôt ils aperçurent un morceau de la robe blanche entre les broussailles, puis la tête du lépreux avança derrière un tronc d'arbre et sembla sonder minutieusement les environs avant de se retirer.

A leurs sens surexcités, le buisson paraissait tout vivant de frémissements et des craquements de branches mortes ; et ils entendaient mutuellement battre leurs cœurs.

Soudain, avec un cri, le lépreux se précipita dans la clairière et courut droit sur les jeunes gens. Ils se séparèrent en hurlant et se mirent à courir de côtés différents. Mais leur horrible ennemi s'attacha à Matcham, courut vivement sur lui et le fit presque aussitôt prisonnier. Le garçon poussa un cri que l'écho répéta au loin dans la forêt, il eut comme un spasme de résistance, puis tous ses membres se détendirent et il tomba inanimé dans les bras de son vainqueur.

Dick entendit le cri et se retourna. Il vit tomber Matcham, et à l'instant sa force et son courage lui revinrent. Avec un cri de pitié et de colère il détacha et banda son arbalète. Mais avant qu'il eût le temps de tirer, le lépreux leva la main :

— Ne tirez pas, Dick ! cria une voix familière. Ne tirez pas, mauvais plaisant ! ne reconnaissez-vous pas un ami ?

Et couchant Matcham sur le gazon, il défit le capuchon qui lui couvrait la figure et montra les traits de Sir Daniel Brackley.

— Sir Daniel ! s'écria Dick.

— Oui, par la messe, Sir Daniel ! répliqua le chevalier. Voulez-vous tirer sur votre tuteur, coquin ? Mais voici ce... Et il s'interrompit, et montrant Matcham, demanda... Comment l'appelez-vous, Dick ?

— Eh, dit Dick, je l'appelle maître Matcham. Ne le connaissez-vous pas ? Il disait que vous le connaissiez !

— Oui, répliqua Sir Daniel, je connais ce garçon ; et il ricana. Mais il s'est évanoui, et, par ma foi, il aurait pu se trouver mal à moins. Hé ! Dick ? Vous ai-je fait une mortelle peur !

— Oui, vraiment, Sir Daniel, dit Dick en soupirant rien qu'à ce souvenir. Ah ! monsieur, sauf votre respect, j'aurais autant aimé rencontrer le diable en personne ; et, pour dire la vérité, j'en suis encore tout tremblant. Mais que faisiez-vous sous un tel déguisement ?

La colère assombrit soudain le front de Sir Daniel.

— Ce que je faisais ? dit-il. Vous faites bien de me le rappeler ! Quoi ? Je me cachais pour sauver ma pauvre vie dans mon propre bois de Tunstall, Dick. Nous avons été malheureux à la bataille, nous sommes juste arrivés pour être balayés dans la déroute. Où sont tous nos braves gens d'armes ? Par la messe, Dick, je n'en sais rien ! Nous avons été balayés, les coups tombaient drus sur nous ; je n'ai pas vu un homme portant mes couleurs depuis que j'en ai vu tomber trois. Quant à moi, je suis arrivé sain et sauf à Shoreby, et me méfiant de la Flèche-Noire, je me suis procuré cette robe et cette cloche, et suis venu doucement sur le chemin de Moat-House. Il n'y a pas de déguisement comparable à celui-ci ; le tintement de cette cloche ferait fuir le plus solide outlaw de la forêt ; ils deviendraient tous pâles rien qu'à l'entendre. Enfin j'arrivai près de vous et de Matcham. Je ne pouvais voir que très mal à travers ce capuchon et n'étais pas sûr que ce fût vous, étonné surtout, pour bien des raisons, de vous trouver ensemble. De plus, dans la clairière, où il me fallait aller lentement en me servant de mon bâton, je craignais de me découvrir. Mais voyez, ajouta-t-il, ce pauvre malheureux reprend un peu vie. Un peu de bon canarie le remettra.

Le chevalier sortit de dessous sa robe une forte bouteille et se mit à frotter les tempes et, à mouiller les lèvres du patient qui revint peu à peu à lui et roula de l'un à l'autre des yeux ternes.

— Quelle joie, Jack ! dit Dick. Ce n'était pas un lépreux ; c'était Sir Daniel ! Voyez !

— Avalez-moi une bonne gorgée de ceci, dit le chevalier. Cela vous donnera de la virilité. Ensuite je vous ferai manger tous les deux et nous irons tous trois à Tunstall. Car, Dick, continua-t-il, tout en déposant sur l'herbe du pain et de la viande, je vous avouerai en bonne conscience, qu'il me tarde fort d'être à l'abri entre quatre murs. Jamais, depuis que j'ai monté un cheval, je ne me suis trouvé en si mauvaise posture : danger de mort, craintes pour mes terres et mes richesses, et, pour comble, tous ces gredins du bois qui me pourchassent. Mais je ne suis pas encore à bas. Quelques-uns de mes hommes retrouveront bien leur chemin, Hatch en a dix ; Selden en avait six. Bah ! nous serons bientôt encore forts ; et si je peux seulement acheter ma paix avec mon très fortuné et indigne Lord d'York, eh bien ! Dick, nous serons de nouveau un homme et monterons à cheval !

Disant cela, le chevalier se remplit une corne de canarie et d'un geste muet porta la santé de son pupille.

— Selden, bégaya Dick…, Selden… et il s'arrêta ; Sir Daniel déposa le vin sans le goûter.

— Comment, s'écria-t-il, d'une voix altérée. Selden ? Parlez ? Qu'y a-t-il ?

Dick balbutia l'histoire de l'embuscade et du massacre.

Le chevalier écouta en silence, mais en entendant, sa figure se convulsa de rage et de colère.

— Eh bien, dit-il, sur ma main droite, je jure de venger cela ! Si j'y manque, si je ne répands pas le sang de dix hommes pour un, que cette main se dessèche sur mon corps ! J'ai brisé ce Duckworth comme un fétu ; je l'ai fait mendiant à sa propre porte ; j'ai brûlé son toit sur sa tête, je l'ai chassé de ce pays : et maintenant il revient me braver ? Non, Duckworth, cette fois la lutte sera dure !

Il se tut un instant, sa figure travaillait.

— Mangez, dit-il, soudain. Et vous, ici, ajouta-t-il en s'adressant à Matcham, faites-moi serment de me suivre tout droit à Moat-House ?

— Je vous donne ma parole d'honneur, répliqua Matcham.

— Et que ferai-je de votre honneur, dit le chevalier. Jurez sur le salut de votre mère.

Matcham prêta le serment exigé et Sir Daniel remit son capuchon. Cet effrayant déguisement fit encore impression sur ses deux compagnons. Mais le chevalier fut bientôt sur pied.

— Mangez vite, dit-il, et suivez-moi lestement dans ma maison.

A ces mots il s'enfonça dans les bois ; peu après la cloche commença à sonner, marquant ses pas ; les deux jeunes gens, assis à côté du repas auquel ils ne goûtaient pas, l'entendirent s'éteindre lentement, au loin, sur la colline.

— Et alors vous allez à Tunstall ? demanda Dick.

— Oui, vraiment, dit Matcham, puisqu'il le faut ! Je suis plus brave derrière le dos de Sir Daniel qu'en face de lui.

Ils mangèrent hâtivement et se mirent en marche en suivant le chemin par les hautes parties aérées de la forêt, où de grands hêtres étaient dispersés au milieu de prairies vertes, et où les oiseaux et les écureuils étaient joyeux dans les rameaux. Deux heures plus tard, ils descendirent de l'autre côté et déjà, à travers le haut des arbres, aperçurent le toit et les murs rouges du château de Tunstall.

— Ici, dit Matcham, s'arrêtant, vous allez prendre congé de votre ami Jack, que vous ne devez plus revoir. Allons, Dick, pardonnez-lui ce qu'il a fait de mal, comme lui, de son côté, vous pardonne de bon cœur et de bonne amitié.

— Et pourquoi cela ? demanda Dick. Si nous allons tous deux à Tunstall, je vous verrai encore, je pense, et très souvent.

— Vous ne verrez plus jamais le pauvre Jack Matcham, qui était si peureux et si encombrant, et qui, cependant, vous a tiré de la rivière, vous ne le verrez plus, Dick, sur mon honneur ! Il ouvrit ses bras et les deux jeunes gens s'embrassèrent. Et puis, Dick, continua Matcham, j'ai des pressentiments. Vous allez voir un nouveau Sir Daniel, car jusqu'à présent tout lui a merveilleusement réussi, la fortune était avec lui ; mais maintenant que le sort tourne contre lui et qu'il est en péril de sa vie, il me semble qu'il va se montrer mauvais seigneur pour nous deux. Il peut être brave en bataille, mais il a l'œil d'un menteur, il y a de la peur dans son œil, Dick, et la peur est aussi cruelle que le loup ! Nous descendons dans ce château, sainte Marie nous protège pour en sortir !

Et ils continuèrent à descendre en silence et arrivèrent enfin devant la forteresse forestière de Sir Daniel, basse et ombragée, flanquée de tours rondes et tachée de mousses et de lichen, entourée des eaux du fossé couvert de lys. Au moment où ils parurent les portes furent ouvertes, le pont abaissé, et Sir Daniel lui-même avec Hatch et le prêtre à ses côtés se tenaient prêts à les recevoir.

LIVRE II
MOAT-HOUSE

CHAPITRE PREMIER
DICK QUESTIONNE

Moat-House n'était pas loin de la route à travers la forêt. Extérieurement c'était un rectangle compact de pierres rouges, flanqué à chaque coin d'une tour ronde percée de trous pour les archers, et crénelée. Intérieurement elle comprenait une cour étroite. Le fossé large de douze pieds environ était traversé par un seul pont-levis. L'eau lui venait par une tranchée conduisant à un étang dans la forêt et commandée dans toute sa longueur par les créneaux des deux tours du sud. Sauf qu'on avait laissé un ou deux grands arbres touffus à une portée de flèche des murs, la maison était en bonne position de défense.

Dans la cour Dick trouva une partie de la garnison occupée aux préparatifs de défense et discutant tristement sur les chances d'un siège. Quelques-uns faisaient des flèches, d'autres aiguisaient des épées depuis longtemps hors d'usage, mais même en travaillant ils branlaient la tête.

Douze des gens de Sir Daniel s'étaient enfuis de la bataille, s'étaient risqués à traverser la forêt et étaient arrivés vivants à Moat-House. Mais sur ces douze, trois avaient été sérieusement blessés, deux à Risingham dans le désordre de la déroute, un par la terreur de Jean Répare-tout en traversant la forêt. Cela mettait la force de la garnison en comptant Hatch, Sir Daniel et le jeune Shelton à un effectif de vingt-deux hommes. Et à tout moment on pouvait espérer en voir arriver d'autres. Le danger, par conséquent, n'était pas dans le manque d'hommes.

C'était la terreur de la Flèche-Noire qui déprimait les courages. De leurs ennemis déclarés du parti d'York, par ces temps de changements continuels, ils ne se préoccupaient guère. Le monde, comme on disait alors, pouvait changer encore avant qu'il n'arrive du mal. Mais leurs voisins dans la forêt les faisaient trembler. Ce n'était pas Sir Daniel seul qui était en butte à la haine. Les hommes, certains de l'impunité, s'étaient conduits cruellement dans tout le pays. De durs ordres avaient été exécutés durement, et, de la petite bande qui causait, assise dans la cour, il n'y en avait pas un qui ne fût coupable de quelque excès ou cruauté. Et maintenant, par la fortune de la guerre, Sir Daniel était devenu impuissant à protéger ses instruments ; maintenant, résultat de quelques heures de bataille, auxquelles beaucoup d'entre eux n'avaient pas assisté, ils étaient tous devenus de punissables traîtres envers l'État, hors du bouclier de la loi, troupe diminuée dans une pauvre forteresse à peine tenable, exposés de tous côtés au juste ressentiment de leurs victimes. Et les menaces n'avaient pas manqué pour les informer de ce qui les attendait.

A différents moments du soir et de la nuit, pas moins de sept chevaux sans cavalier étaient venus hennir de terreur à la porte. Deux étaient de la troupe de Selden, cinq appartenaient à des hommes qui étaient allés à la bataille avec Sir Daniel. En dernier lieu, un peu avant le jour, un lancier était venu en chancelant sur le côté du fossé, percé de trois flèches ; comme on le transportait, il rendit l'âme ; mais d'après les paroles qu'il prononça dans son agonie, il devait être le dernier survivant d'une troupe nombreuse.

Hatch lui-même montrait sous sa peau tannée la pâleur de l'anxiété, et, quand il eut pris Dick à part, et appris le sort de Selden, il tomba sur un banc de pierre et bel et bien pleura. Les autres, d'où ils étaient assis sur des escabeaux ou des pas de portes dans l'angle ensoleillé de la cour, le regardaient avec étonnement et inquiétude, mais pas un n'osa s'informer au sujet de son émotion.

— Eh bien, maître Shelton, dit Hatch enfin… non, mais qu'ai-je dit ? Nous partirons tous. Selden était un homme de savoir faire ; il était pour moi comme un frère. Eh bien ! il est parti le second ; et nous suivrons tous ! Que disaient leurs vers de gredins ?… Une flèche noire dans chaque cœur noir. N'était-ce pas comme cela ? Appleyard, Selden, Smith, le vieil Humphrey partis et ce pauvre John Carter, gît là, criant, pauvre pécheur, après le prêtre.

Dick écouta. Par une fenêtre basse tout près de l'endroit où ils causaient, des gémissements et des murmures arrivaient à son oreille.

— Est-il là ? demanda-t-il.

— Oui, dans la chambre du second portier, répondit Hatch, nous n'avons pu le porter plus loin, corps et âme étaient trop mal en point. A chaque pas que nous faisions, il croyait s'en aller. Mais à présent je pense que c'est l'âme qui souffre. Toujours c'est le prêtre qu'il demande et je ne sais pourquoi. Sir Olivier n'arrive pas. Ce sera une longue confession, mais le pauvre Appleyard et le pauvre Selden n'en ont pas eu.

Dick se baissa vers la fenêtre et regarda à l'intérieur. La petite cellule était basse et sombre, mais il put voir le soldat blessé couché sur son grabat.

— Carter, pauvre ami, comment allez-vous ? demanda-t-il.

— Maître Shelton, répliqua l'homme dans un murmure surexcité, au nom de la chère lumière du ciel, amenez le prêtre. Hélas ! je suis expédié : je suis bien bas, ma blessure est mortelle. Vous ne pouvez plus rien pour moi : ce sera le dernier service. Mais pour ma pauvre âme et comme un loyal gentilhomme, dépêchez-vous, car j'ai cette affaire sur la conscience qui pèsera bien lourd.

Il gémit, et Dick entendit ses dents claquer de frayeur ou de douleur.

A ce moment Sir Daniel parut sur le seuil de la salle. Il tenait une lettre à la main.

— Garçons, dit-il, nous avons eu une secousse, nous avons eu une culbute, pourquoi le nier ? Il vaut mieux remonter bien vite sur sa bête. Ce vieux Henri VI a eu le dessous. Lavons-nous-en les mains. J'ai un bon ami, très haut placé dans le parti du duc, Lord Wensleydale. Eh bien, j'ai écrit une lettre à mon ami, priant Sa Seigneurie et offrant large satisfaction pour le passé et caution raisonnable pour l'avenir. Je ne doute pas qu'il me soit favorable. Prière sans présents est une chanson sans musique : je le gorge de promesses, amis… je ne suis pas avare de promesses. Qu'est-ce qui manque alors ? Hé ! une chose essentielle… pourquoi vous tromper ?… une chose essentielle et difficile : un messager pour porter la lettre. La forêt… vous ne l'ignorez pas… fourmille de nos ennemis. La rapidité est très nécessaire ; mais sans ruse et précaution, elle ne sert à rien. Qui donc parmi vous va me prendre cette lettre, la porter à Lord Wensleydale et me rapporter la réponse ?

Un homme se leva aussitôt.

— J'irai, s'il vous plaît, dit-il. J'y risquerai ma peau.

— Non, Dicky Bowyer, non pas, répliqua le chevalier. Cela ne me convient pas. Vous êtes rusé, c'est vrai, mais pas prompt. Vous avez toujours été un traînard.

— Alors, Sir Daniel, me voici, dit un autre.

— Dieu m'en garde ! dit le chevalier. Vous êtes vif, mais pas rusé. Vous tomberiez tête baissée dans le camp de Jean Répare-tout. Je vous remercie tous les deux de votre courage ; mais, vraiment, ce n'est pas possible.

Alors Hatch s'offrit et fut aussi refusé.

— J'ai besoin de vous ici, brave Bennet, vous êtes mon bras droit, répondit le chevalier ; et alors plusieurs s'étant avancés ensemble, Sir Daniel enfin en choisit un et lui donna la lettre.

— Eh bien ! lui dit-il, nous dépendons tous de votre rapidité et surtout de votre adresse. Rapportez-moi une bonne réponse, et, avant trois semaines, j'aurai purgé ma forêt de tous ces vagabonds qui nous bravent en face. Mais pensez-y, Throgmorton, la chose n'est pas facile. Il faudra sortir furtivement la nuit et aller comme un renard ; et comment vous traverserez la Till, je l'ignore, ni par le pont, ni par le bac.

— Je sais nager, répondit Throgmorton. Je reviendrai sain et sauf, ne craignez rien.

— Bien, l’ami, allez à l’office, répondit Sir Daniel. Vous nagerez d’abord dans l’ale brune. Et, sur ces mots, il retourna dans la salle.

— Sir Daniel parle bien, dit Hatch à part à Dick. Voyez à présent, là où un homme médiocre aurait arrangé les choses, il parle ouvertement à sa compagnie. Ici, il y a un danger, dit-il, et ici, une difficulté ; et il plaisante en le disant. Non, par saint Barbary, c’est un capitaine né ! Pas un homme qui ne soit remonté ! Voyez comme ils se remettent au travail.

Cet éloge de Sir Daniel donna une idée au jeune homme.

— Bennet, dit-il, comment mon père est-il mort ?

— Ne me demandez pas cela, répliqua Hatch. Je n’y ai été pour rien et n’en ai rien su. D’ailleurs, je me tairai quand même, maître Dick, car, voyez-vous, de ses propres affaires un homme peut parler ; mais des on-dit et des cancans, non pas. Demandez à Sir Olivier... oui, ou à Carter, si vous voulez, pas à moi.

Et Hatch partit faire sa ronde, laissant Dick à ses réflexions.

— Pourquoi n’a-t-il pas voulu me le dire ? pensait le jeune homme. Et pourquoi a-t-il nommé Carter ? Carter... Non, alors Carter y a mis la main, peut-être.

Il entra dans la maison, et, suivant un instant un passage dallé et voûté, il arriva à la porte de la cellule où l’homme blessé gisait, gémissant. A son entrée, Carter sursauta violemment.

— Avez-vous amené le prêtre ? demanda-t-il.

— Pas encore, répondit Dick. Vous avez un mot à me dire d’abord. Comment mon père, Harry Shelton, a-t-il trouvé la mort ?

La figure de l’homme s’altéra soudain.

— Je ne sais pas, répondit-il, bourru.

— Si, vous le savez, répondit Dick, ne cherchez pas à m’éviter.

— Je vous dis que je n’en sais rien, répéta Carter.

— Alors, répondit Dick, vous mourrez sans confession. Ici je suis et ici je resterai. Il ne viendra aucun prêtre près de vous, soyez-en sûr. Car à quoi vous servirait la pénitence si vous n’avez pas l’intention de réparer le mal que vous avez fait ! Et, sans la pénitence, la confession n’est qu’une moquerie.

— Vous dites ce que vous n’avez pas l’intention de faire, maître Dick, dit Carter, tranquillement. Il est mal de menacer un mourant et, à dire vrai, cela ne vous va pas. Et, pour peu louable que ce soit, ce sera encore plus inutile.

Restez si cela vous plaît. Vous condamnerez mon âme… Vous n'apprendrez rien ! C'est mon dernier mot.

Et le blessé se tourna de l'autre côté.

En réalité, Dick avait parlé sans réfléchir et il était tout honteux de sa menace. Cependant il fit un nouvel effort.

— Carter, dit-il, comprenez-moi bien. Je sais que vous n'étiez qu'un instrument dans la main des autres ; un rustre doit obéissance à son seigneur, je ne voudrais pas le charger trop durement. Mais je commence à apprendre de bien des côtés que ce grand devoir pèse sur ma jeunesse et mon ignorance : venger mon père. Je t'en prie donc, mon bon Carter, oublie mes menaces et par pur bon vouloir et en honnête pénitence, dis-moi un mot qui m'aide.

Le blessé garda le silence ; et, quoi que Dick pût dire, il n'en tira pas un mot.

— Bien, dit Dick, je vais aller chercher le prêtre comme vous le désirez ; car, que vous ayez commis des fautes vis-à-vis de moi ou des miens, je ne veux pas en commettre envers qui que ce soit, encore moins contre un homme à ses derniers moments.

Le vieux soldat continua à garder le silence et l'immobilité ; même il retenait ses plaintes, et, lorsque Dick se retourna et quitta la chambre, il admira cette rude force d'âme.

— Et, pourtant, pensait-il, à quoi sert le courage sans l'esprit ? Si ses mains avaient été pures, il aurait parlé, son silence confesse le secret plus haut que les paroles. Oui, de tous côtés, les preuves affluent. Sir Daniel, lui ou ses hommes, ont fait cela.

Dick s'arrêta dans le couloir, le cœur lourd. A ce moment, au déclin de la fortune de Sir Daniel, quand il était assiégé par les archers de la Flèche-Noire et proscrit par les Yorkistes victorieux, devait-il, lui aussi, se tourner contre l'homme qui l'avait nourri et élevé, qui l'avait, il est vrai, sévèrement puni, mais en même temps avait sans défaillance protégé sa jeunesse ? Cette nécessité, si elle devait se produire, était cruelle.

— Le ciel fasse qu'il soit innocent, dit-il.

Des pas résonnèrent sur les dalles, et Sir Olivier, grave, arriva près du jeune homme.

— On vous demande ardemment, dit Dick.

— Je suis en chemin, mon bon Richard, dit le prêtre. C'est ce pauvre Carter. Hélas ! pas de guérison à espérer.

— Et son âme est encore plus malade que son corps, répondit Dick.

— L'avez-vous vu ? demanda Sir Olivier avec un tressaillement visible.

— Je le quitte à l'instant, répliqua Dick.

— Qu'a-t-il dit ? qu'a-t-il dit ? interrompit le prêtre avec une vivacité extraordinaire.

— Il vous demandait de la façon la plus lamentable, Sir Olivier. Vous feriez bien d'y aller au plus vite, car sa blessure est dangereuse, répliqua le jeune garçon.

— J'y vais de ce pas, fut la réponse. Oui, nous avons tous nos péchés. Nous devons tous arriver à notre dernier jour, mon bon Richard.

— Oui, monsieur, et tout serait bien si nous y arrivions honnêtement, répliqua Dick.

Le prêtre baissa les yeux, et avec une bénédiction marmottée s'éloigna rapidement.

— Lui aussi ! pensa Dick… lui qui m'a enseigné la piété ! Mais alors quel monde est celui-ci, si tous ceux qui ont pris soin de moi sont coupables de la mort de mon père ! Vengeance ! Hélas ! quel triste sort que le mien si je dois me venger sur mes amis !

Cette pensée lui rappela Matcham. Il sourit au souvenir de son étrange compagnon et se demanda où il était. Depuis que tous deux étaient arrivés à la porte de Moat-House, le plus jeune garçon avait disparu, et Dick commençait à désirer vivement de causer avec lui.

Environ une heure après, Sir Olivier ayant dit la messe plus tôt, vite la compagnie se réunit pour dîner dans le hall. C'était une pièce longue, basse, jonchée de rameaux verts, aux murs couverts de tenture représentant des sauvages et des limiers de chasse. Çà et là étaient pendus des épées, des arcs, des boucliers ; un feu flambait dans la grande cheminée ; contre le mur il y avait des bancs recouverts d'étoffes, et au milieu la table bien servie attendait l'arrivée des dîneurs.

Ni Sir Daniel ni sa femme ne parurent. Sir Olivier était absent ; là non plus, il ne fut pas question de Matcham. Dick commençait à être inquiet, il se rappelait les tristes pressentiments de son compagnon, il se demandait s'il ne lui était rien arrivé de sinistre dans cette maison.

Après le dîner, il rencontra Goody Hatch, qui se hâtait vers Lady Brackley.

— Goody, dit-il, où est maître Matcham, je te prie ? Je vous ai vue entrer dans la maison avec lui quand nous sommes arrivés.

La vieille femme rit à pleine gorge.

— Ah ? maître Dick, dit-elle, vous avez de fameux yeux, pour sûr, et elle rit de plus belle.

— Mais où est-il ? insista Dick.

— Vous ne le reverrez jamais, répliqua-t-elle, jamais, c'est sûr.

— Si je ne dois plus le revoir, je veux en savoir la raison. Il n'est pas venu ici de son plein gré ; tel que je suis, je suis son meilleur protecteur et je veux le voir bien traité. Il y a trop de mystères ici et je commence à en avoir assez.

Comme Dick parlait, une lourde main tomba sur son épaule. C'était Bennet Hatch qui s'était approché de lui sans qu'il s'en aperçût. D'un signe rapide le lieutenant renvoya sa femme.

— Ami Dick, dit-il aussitôt qu'ils furent seuls ; êtes-vous un sauvage lunatique ? Si vous ne laissez pas certaines choses tranquilles, vous serez mieux au fond de la mer qu'ici à Tunstall, à Moat-House. Vous m'avez questionné, vous avez questionné, harcelé Carter ; vous avez effrayé le faquin de prêtre avec des allusions. Soyez plus prudent, fou ; et à présent, quand Sir Daniel vous fera demander, montrez-moi une figure calme, au nom de la prudence. Vous allez être questionné de près. Attention à vos réponses.

— Hatch, répondit Dick, dans tout ceci je flaire une conscience coupable.

— Et si vous n'êtes pas plus prudent, on flairera du sang... répliqua Bennet. Je vous avertis. Voici qu'on vient vous chercher.

En effet, juste à ce moment, un messager traversa la cour pour inviter Dick à se présenter devant Sir Daniel.

CHAPITRE II
LES DEUX SERMENTS

Sir Daniel était dans le hall ; il allait et venait rageusement devant le feu en attendant Dick. Il n'y avait personne que Sir Olivier, assis discrètement dans un coin, qui feuilletait son bréviaire et marmottait.

— Vous m'avez fait demander, Sir Daniel ? dit Shelton.

— Je vous ai fait demander, parfaitement, répondit le chevalier. Qu'est-ce que j'apprends ? Ai-je été pour vous un mauvais tuteur que vous vous hâtiez de croire au mal que l'on conte sur moi ? Ou parce que vous me voyez battu pour cette fois, pensez-vous à quitter mon parti ? Par la messe, votre père n'était pas ainsi ! Là où il était, il restait, malgré vents et marée. Mais vous, Dick, vous êtes un ami des beaux jours, à ce qu'il paraît, et, aujourd'hui, vous cherchez à vous débarrasser de la foi due.

— Ne vous plaise, Sir Daniel, cela n'est pas, répliqua Dick fermement. Je suis reconnaissant et fidèle, où la gratitude et la foi sont dues. Et, avant d'en dire davantage, je vous remercie et je remercie Sir Olivier ; j'ai contracté une grande dette envers vous deux… aucune ne peut être plus grande ; je serais un chien si je l'oubliais.

— C'est bien, dit Sir Daniel ; et alors se mettant en colère : Reconnaissance et fidélité sont des mots, Dick Shelton, continua-t-il ; je regarde les actes. A cette heure de péril pour moi, lorsque mon nom est hors la loi, lorsque mes terres sont confisquées, lorsque ce bois est rempli d'hommes qui ont faim et soif de ma perte, que fait la reconnaissance ? Que fait la fidélité ? Il ne me reste qu'une faible troupe : est-ce reconnaissant ou fidèle de m'empoisonner leurs cœurs avec vos chuchotements perfides ! Épargnez-moi pareille reconnaissance ! Mais, voyons, maintenant, qu'est-ce que vous voulez ? Parlez, nous sommes ici pour répondre. Si vous avez quoi que ce soit contre moi, avancez et dites-le.

— Monsieur, répliqua Dick, mon père est mort quand je n'étais qu'un enfant. J'ai entendu dire qu'il fut tué traîtreusement. J'ai entendu dire… car je ne veux pas dissimuler… que vous avez trempé dans ce crime. Et je l'avoue… je n'aurai pas l'esprit en paix, ni le cœur à vous servir, tant qu'une certitude n'aura pas dissipé ces doutes.

Sir Daniel s'assit dans une profonde méditation. Il prit son menton dans sa main et regarda Dick fixement.

— Et vous pensez que j'aurais été le tuteur du fils d'un homme que j'aurais assassiné ? demanda-t-il.

— Non, dit Dick ; pardonnez-moi si je réponds comme un rustre ; mais vous savez, bien qu'une tutelle est très avantageuse. Tous ces ans passés, n'avez-vous pas joui de mes revenus et commandé mes hommes ? N'y a-t-il pas encore mon mariage ? Je ne sais pas ce que cela peut valoir… mais cela vaut quelque chose. Pardonnez-moi encore, mais, si vous avez été vil, au point de tuer un homme sous votre garde, c'étaient, peut-être, raisons suffisantes pour vous engager à une moindre vilenie.

— Quand j'étais un garçon de votre âge, répliqua sévèrement Sir Daniel, mon esprit n'était pas si porté aux soupçons. Et Sir Olivier que voici, ajouta-t-il, pourquoi, lui, un prêtre, se serait-il rendu coupable de cet acte ?

— Eh ! Sir Daniel, dit Dick, où le maître ordonne, le chien ira. Il est bien avéré que ce prêtre n'est que votre instrument. Je parle très librement ; ce n'est pas le moment des politesses. Et, comme je parle, je voudrais qu'il me soit répondu ! Et pas de réponse ! Vous questionnez seulement. Prenez garde,

Sir Daniel ; car de cette manière vous augmentez mes doutes au lieu de les dissiper.

—Je vous répondrai franchement, maître Richard, dit le chevalier. Si je prétendais que vous n'avez pas excité ma colère, je mentirais. Mais je serai juste même dans ma colère. Venez à moi avec de telles paroles quand vous aurez grandi et serez devenu un homme et que je ne serai plus votre tuteur, sans pouvoir pour m'en venger, venez à moi alors, et je vous répondrai, comme vous le méritez, avec un coup sur la bouche. Jusque-là vous aurez deux voies à suivre : ou de me ravaler ces insultes, faire taire votre langue et vous battre, en attendant, pour l'homme qui a nourri et protégé votre enfance ; ou bien... la porte est ouverte, les bois sont pleins de mes ennemis... allez.

Le feu avec lequel ces mots furent prononcés, les regards qui les accompagnaient ébranlèrent Dick, et, cependant, il ne put faire autrement que d'observer qu'il n'avait pas de réponse.

—Je ne désire rien plus ardemment, Sir Daniel, que de vous croire, répliqua-t-il. Affirmez-moi que vous n'êtes pour rien là-dedans !

—Acceptez-vous ma parole d'honneur, Dick ? demanda le chevalier.

—Certainement, répondit le jeune homme.

—Je vous la donne, répliqua Sir Daniel. Sur mon honneur, sur le salut éternel de mon âme, et aussi vrai que je devrai répondre de mes actions, je n'ai pas mis la main, je n'ai eu aucune part à la mort de votre père.

Il étendit la main et Dick la prit vivement. Ni l'un ni l'autre ne remarquèrent le prêtre, qui, à l'énoncé de ce faux serment solennel, s'était levé à demi de sa chaise, agonisant d'horreur et de remords.

—Ah ! cria Dick, il faut que votre magnanimité me pardonne ! Oui, j'étais un manant de douter de vous. Mais vous avez ma parole ; je ne douterai plus.

—Bon, Dick, répliqua Sir Daniel, vous êtes pardonné. Vous ne connaissez pas le monde et ses calomnies.

—J'étais d'autant plus à blâmer, dit Dick, que les misérables désignaient non pas vous directement, mais Sir Olivier.

En parlant, il se tourna vers le prêtre et s'arrêta au milieu du dernier mot. Cet homme grand, rouge, corpulent, s'était comme effondré ; ses couleurs étaient parties, ses membres étaient sans force, ses lèvres marmottaient des prières ; et, au moment où Dick fixa soudain les yeux sur lui, il poussa des cris d'animal sauvage et se cacha la figure dans les mains.

Sir Daniel, en deux pas, fut près de lui et le secoua brutalement par l'épaule. En même temps les soupçons de Dick se réveillèrent.

— Mais, dit-il, Sir Olivier peut jurer aussi. C'est lui qu'ils accusaient.

— Il jurera, dit le chevalier.

Sir Olivier, muet, agitait les bras.

— Oui, par la messe ! vous jurerez, cria Sir Daniel, hors de lui de fureur. Ici, sur ce livre, vous allez jurer, continua-t-il, ramassant le bréviaire tombé à terre. Quoi ! vous me faites douter de vous ! Jurez, dis-je, jurez.

Mais le prêtre était toujours incapable de parler. La terreur de Sir Daniel et sa terreur du parjure grandies et presque égales l'étranglaient.

Et juste alors, par la haute fenêtre à carreaux de couleurs, une flèche noire frappa avec fracas et s'enfonça au milieu de la longue table.

Sir Olivier, avec un grand cri, tomba sans connaissance sur les joncs ; tandis que le chevalier, suivi de Dick, se précipita dans la cour et dans le plus proche escalier en tire-bouchon qui montait aux créneaux.

Les sentinelles étaient toutes en alerte. Le soleil brillait tranquillement sur les pelouses vertes pointillées d'arbres et sur les collines boisées de la forêt qui bornaient la vue. Il n'y avait aucune trace d'assiégeant.

— D'où est venu ce coup ? demanda le chevalier.

— De ce massif là-bas, Sir Daniel, répliqua une sentinelle.

Le chevalier resta un instant à rêver. Puis, se tournant vers Dick : — Dick, dit-il, ayez l'œil sur ces hommes, je vous laisse en garde ici. Quant au prêtre, il se disculpera, ou j'en saurai la raison. Je commence presque à partager vos soupçons. Il jurera, croyez-moi, ou alors nous le convaincrons.

Dick répondit assez froidement, et le chevalier, lui jetant un regard perçant, retourna précipitamment vers le hall. Il regarda d'abord la flèche. C'était le premier de ces projectiles qu'il voyait, et comme il le retournait dans tous les sens, la couleur noire lui fit presque peur. Il y avait encore quelque chose d'écrit : un mot… « Terré ».

— Oui, dit-il, ils savent que je suis rentré, alors. Terré ! Oui, mais il n'y a pas un chien parmi eux capable de me déterrer.

Sir Olivier était revenu à lui et se remit sur pieds.

— Hélas ! Sir Daniel, gémit-il, vous avez juré un terrible serment ; vous êtes damné jusqu'à la fin des temps.

— Oui, vraiment, répliqua le chevalier, j'ai prêté un serment, tête de linotte ; mais toi-même en jureras un plus grand. Ce sera sur la sainte croix de Holywood. Veilles-y ; prépare la formule. Il faut que ce soit juré ce soir.

— Que le ciel vous éclaire ! répliqua le prêtre ; que le ciel détourne votre cœur de cette iniquité !

— Voyez-vous, mon bon père, dit Sir Daniel, si vous êtes pour la piété, je ne dis plus rien ; vous commencez tard, voilà tout. Mais si la raison a sur vous quelque influence, écoutez-moi. Ce garçon commence à m'agacer comme une guêpe. J'ai besoin de lui, car je voudrais vendre son mariage. Mais, je vous le dis crûment, s'il continue à me tourmenter, il ira rejoindre son père. Je vais donner des ordres pour le faire mettre dans la chambre au-dessus de la chapelle. Si vous pouvez jurer votre innocence par un bon et solide serment, et d'un ton ferme, c'est bien ; le garçon sera tranquille quelque temps et je l'épargnerai. Si vous bégayez ou pâlissez ou hésitez tant soit peu en jurant, il ne vous croira pas ; et, par la messe, il mourra. A vous d'y penser.

— La chambre au-dessus de la chapelle ! soupira le prêtre.

— Celle-là même, répliqua le chevalier. Donc, si vous désirez le sauver, sauvez-le ; sinon, allez et laissez-moi en paix ! car, si je n'avais été un homme calme, je vous aurais déjà passé mon épée à travers le corps pour votre incroyable lâcheté et folie. Avez-vous choisi ? Hein !

— J'ai choisi, dit le prêtre. Le ciel me pardonne, je ferai le mal pour le bien. Je jurerai pour le salut du jeune homme.

— C'est pour le mieux ! dit Sir Daniel. Envoyez-le donc chercher, vite. Vous le verrez seul. Mais j'aurai l'œil sur vous. Je serai ici, dans la chambre à panneaux.

Le chevalier souleva la tenture et la laissa retomber derrière lui. On entendit le bruit d'un ressort, puis le craquement d'un escalier.

Sir Olivier laissé seul jeta un timide regard vers le haut du mur couvert de tentures, et se signa avec toutes les apparences de la terreur et du remords.

— S'il est dans la chambre de la chapelle, murmura le prêtre, fût-ce au prix de mon salut, il faut que je le sauve.

Trois minutes plus tard, Dick, qui avait été appelé par un autre messager, trouva Sir Olivier debout près de la table du hall, résolu et pâle.

— Richard Shelton, dit-il, vous avez exigé de moi un serment. Je pourrais me plaindre, je pourrais vous refuser ; mais le souvenir du passé ramène vers vous mon cœur, et je vais vous donner la satisfaction que vous désirez. Par la vraie croix de Holywood, je n'ai pas tué votre père.

— Sir Olivier, répliqua Dick, quand d'abord nous avons lu le papier de Jean Répare-tout, j'en étais convaincu. Mais permettez-moi de vous poser deux questions. Vous ne l'avez pas tué ; mais n'y avez-vous eu aucune part ?

— Non, dit Sir Olivier. Et, en même temps, il commençait à se contorsionner la figure et faire des signes avec sa bouche et ses sourcils, comme quelqu'un qui désire donner un avertissement, mais n'ose dire un mot.

Dick le regarda avec étonnement ; puis se tourna et regarda autour de lui dans le hall vide.

— Que faites-vous ? demanda-t-il.

— Quoi ? rien ! répliqua le prêtre dont l'expression s'adoucit aussitôt. Je ne fais rien ; mais je souffre ; je suis malade. Je... je... de grâce, Dick, il faut que je m'en aille. Sur la vraie croix d'Holywood, je suis innocent, soit de violence, soit de perfidie. Soyez satisfait, mon enfant. Adieu !

Et il s'échappa de la pièce avec une vivacité inaccoutumée.

Dick resta cloué sur place, ses yeux errant autour de la chambre ; sa figure était l'image changeante de sentiments variés : étonnement, doute, méfiance, amusement. Peu à peu sa pensée se fit plus claire, la méfiance prit le dessus et fut suivie de la certitude du pis. Il leva la tête et, tout à coup, tressaillit violemment. Haut, sur le mur, la tapisserie représentait un chasseur sauvage ; d'une main, il portait une corne à sa bouche et, de l'autre, il brandissait une forte lance. Sa peau était foncée, car il était censé figurer un Africain.

Or, voici ce qui avait surpris Dick Shelton. Le soleil s'était éloigné des fenêtres, et, en même temps, le feu avait flambé haut sur le large foyer et répandu une teinte changeante sur le plafond et les tentures. Dans cette lumière, le chasseur noir lui avait cligné des yeux avec une paupière blanche.

Il continua à fixer l'œil. La lumière brillait dessus comme une pierre précieuse ; il était limpide, il était vivant. De nouveau la paupière blanche, s'abaissa une fraction de seconde et l'instant d'après disparut.

Il ne pouvait y avoir d'erreur. L'œil vivant qui l'avait espionné à travers le trou de la tapisserie avait disparu. Le feu ne brillait plus sur une surface réfléchissante.

Subitement Dick prit conscience de sa position. L'avertissement de Hatch, les signaux muets du prêtre, cet œil qui l'avait observé du mur, tout cela s'agita dans son esprit. Il vit qu'il avait été mis à l'épreuve, qu'il avait une fois de plus trahi ses soupçons, et que, à moins d'un miracle, il était perdu.

— Si je ne peux sortir de cette maison, pensa-t-il, je suis un homme mort ! Et ce pauvre Matcham aussi... Dans quel nid de basilics je l'ai conduit !

Il était encore à réfléchir ainsi quand un homme vint en hâte lui dire de l'aider à transporter ses armes, ses vêtements et ses deux ou trois livres dans une autre chambre.

— Une autre chambre ? répéta-t-il. Pourquoi cela ? Quelle chambre ?

— C'est une chambre au-dessus de la chapelle, répondit le messager.

— Elle est restée longtemps vide, dit Dick rêvassant. Quelle espèce de chambre est-ce ?

— Mais une bonne chambre, répliqua l'homme. Pourtant... baissant la voix... on la dit hantée.

— Hantée ? répéta Dick avec un frisson ? Je ne l'ai pas entendu dire. Et par qui ?

Le messager regarda autour de lui ; puis dans un murmure bien bas, il dit : — Par le sacristain de Saint-Jean. On l'a eu à coucher ici une nuit, et le matin... pst !... il avait disparu. Le diable l'avait emporté, dit-on ; ce qui est sûr, il avait bu tard la nuit précédente.

Dick suivit l'homme avec de noirs pressentiments.

CHAPITRE III
LA CHAMBRE AU-DESSUS DE LA CHAPELLE

Des créneaux, rien de nouveau ne fut remarqué. Le soleil s'éloigna vers l'ouest, puis disparut ; mais aux yeux de toutes ces sentinelles attentives, rien de vivant ne se montra dans le voisinage du château de Tunstall.

Quand la nuit fut enfin tout à fait revenue, Throgmorton fut conduit dans une chambre surplombant un angle du fossé. De là il fut descendu avec toutes les précautions possibles ; le bouillonnement qu'il fit en nageant fut entendu pendant un court moment ; puis on vit une ombre noire atterrir en s'aidant des branches d'un saule, et s'éloigner en rampant dans l'herbe. Une demi-heure environ, Sir Daniel et Hatch restèrent l'oreille tendue ; mais tout resta tranquille. Le messager s'était éloigné en sûreté.

Le front de Sir Daniel s'éclaircit. Il se tourna vers Hatch.

— Bennet, dit-il, ce Jean Répare-tout n'est rien de plus qu'un homme, vous voyez. Il dort. Nous en finirons bien avec lui, allez !

Toute l'après-midi et le soir Dick avait été envoyé deci, delà, un ordre suivant l'autre tant qu'il fut ahuri du nombre et de la rapidité des commissions. Pendant ce temps, il n'avait plus revu Sir Olivier, pas plus que Matcham, et cependant le prêtre et le jeune garçon étaient constamment présents à son esprit. C'était maintenant son projet de s'enfuir de Moat-House le plus tôt possible ; et pourtant il aurait voulu échanger un mot avec chacun d'eux.

Enfin, une lampe dans une main, il monta à son nouvel appartement. C'était grand, bas, et un peu sombre. La fenêtre avait une vue sur le fossé, et, bien qu'elle fût haute, elle était fortement barrée. Le lit était luxueux, avec un oreiller de duvet, et un de lavande et un couvre-pieds rouge avec un motif de roses brodé. Tout autour des murs, il y avait des placards fermés et condamnés, dissimulés par des tentures aux couleurs sombres. Dick fit le tour, soulevant les tentures, sondant les panneaux, cherchant en vain à ouvrir les placards. Il s'assura que la porte était fermée et les verrous solides ; puis il posa la lampe sur un tasseau et de nouveau regarda autour de lui.

Pour quelle raison lui avait-on donné cette chambre ?

Elle était plus grande et plus belle que la sienne. Cela cachait-il un piège ? Y avait-il une entrée secrète ? Était-elle vraiment hantée ? Il eut un léger frisson.

Juste au-dessus de lui le pas lourd d'une sentinelle arpentait le toit. Au-dessous de lui, comme il savait, était le plafond voûté de la chapelle ; et, à côté de la chapelle, était le hall. Sûrement il y avait un passage secret dans le hall ; l'œil qui l'avait guetté de la tapisserie lui en était une preuve. N'était-il pas plus que probable que ce passage s'étendait jusqu'à la chapelle, et, si cela était, qu'il y avait une ouverture dans sa chambre.

Dormir dans un tel endroit eût été une témérité folle. Il tint prêtes ses armes, il prit position dans un coin de la chambre derrière la porte. En cas de mauvais desseins, il vendrait chèrement sa vie.

Des bruits de pas nombreux, le qui-vive et le mot de passe résonnaient au-dessus de lui le long des créneaux ; on relevait la garde.

Et, à ce moment, on gratta à la porte de sa chambre, légèrement, puis un peu plus fort ; puis un murmure :

— Dick, Dick, c'est moi !

Dick courut à la porte, tira le verrou et laissa entrer Matcham. Il était très pâle et portait une lampe d'une main et un poignard dégainé de l'autre.

— Fermez la porte, murmura-t-il. Vite, Dick. La maison est pleine d'espions ; j'entends leurs pas qui me suivent dans les corridors ; je les entends respirer derrière les tentures.

— Bien, soyez satisfait, répliqua Dick, c'est fermé. Nous sommes en sûreté pour un moment, s'il y a sûreté quelque part dans ces murs. Mais mon cœur est heureux de vous voir. Par la messe ! camarade, je vous croyais perdu. Où étiez-vous caché ?

— Peu importe, répliqua Matcham. Puisque nous voilà réunis, peu importe. Mais, Dick, avez-vous les yeux ouverts ? Vous a-t-on dit ce qui se fera demain ?

— Non, répliqua Dick, que feront-ils demain ?

— Demain ou ce soir, je ne sais, dit l'autre, mais à un moment ou à l'autre, Dick, ils en veulent à votre vie. J'en ai eu la preuve. Je les ai entendus chuchoter, oui, c'est comme s'ils me l'avaient dit.

— Vraiment, répliqua Dick, c'est ainsi ? C'est ce que je pensais.

Et il lui raconta en détails les incidents de la journée.

Quand cela fut fini, Matcham se leva et commença à son tour à examiner la pièce.

— Non, dit-il, il n'y a pas d'entrée visible. Et pourtant, il est certain qu'il y en a une. Dick, je resterai près de vous. Si vous devez mourir, je mourrai avec vous. Et je peux aider... regardez, j'ai volé un poignard... Je ferai de mon mieux ! Et puis, si vous connaissez quelque issue, ou quelque poterne que vous puissiez ouvrir, ou quelque fenêtre par laquelle nous puissions descendre, je ferai joyeusement face à n'importe quel danger pour fuir avec vous.

— Jack, dit Dick. Par la messe ! Jack, vous êtes le meilleur cœur et le plus fidèle et le plus brave de toute l'Angleterre ! Donnez-moi la main, Jack.

Et il serra silencieusement la main de l'autre.

— Je vais vous dire, reprit-il, il y a une fenêtre par laquelle le messager est descendu, la corde doit être encore dans la pièce. C'est un espoir.

— Écoutez ! dit Matcham.

Tous deux tendirent l'oreille. Il y avait du bruit sous le plancher ; cela cessa, puis recommença.

— Quelqu'un, marche dans la chambre au-dessous, chuchota Matcham.

— Non, répliqua Dick, il n'y a pas de chambre dessous, nous sommes au-dessus de la chapelle. C'est mon meurtrier dans le couloir secret. Bien, qu'il vienne ; cela ira mal pour lui ! Et il grinça des dents.

— Éteignez-moi les lumières, dit l'autre. Peut-être il se trahira.

Ils éteignirent les deux lampes et restèrent immobiles comme la mort. Les pas, au-dessous, étaient très légers, mais nettement perceptibles. Plusieurs fois ils s'éloignèrent et se rapprochèrent ; il y eut le fort grincement d'une clef tournant dans une serrure, suivi d'un long silence.

Bientôt les pas reprirent : puis, tout à coup, une raie de lumière brilla dans le plancher de la chambre dans un coin éloigné. Cela s'élargit ; on ouvrit une trappe, laissant entrer un flot de lumière. Ils pouvaient voir la forte main qui la soulevait ; et Dick leva son arc, attendant que la tête se montrât.

Mais il y eut un arrêt. D'un coin éloigné de Moat-House, des cris d'appel se firent entendre, d'abord une voix, puis plusieurs criant un nom. Ce bruit avait évidemment déconcerté le meurtrier, car la trappe fut silencieusement refermée, et les pas s'éloignèrent rapidement, passant de nouveau sous les jeunes gens, puis s'éteignirent dans le lointain.

C'était un moment de répit, Dick respira profondément, et, alors, alors seulement il écouta le bruit qui avait interrompu l'attaque et qui, d'ailleurs, augmentait plutôt. Partout, dans Moat-House, on courait, on ouvrait des portes en les faisant claquer, et la voix de Sir Daniel dominait tout ce branle-bas appelant « Joanna ».

— Joanna ! répéta Dick. Qui, diantre ! cela peut-il être ? Il n'y a pas de Joanna et il n'y en a jamais eu. Qu'est-ce que cela signifie ?

Matcham se taisait. Il semblait s'être éloigné. Une faible lumière d'étoiles entrait seule par la fenêtre, et, à l'autre bout de la pièce où tous deux étaient, l'obscurité était complète.

— Jack, dit Dick, je ne sais pas où vous étiez toute la journée, avez-vous vu cette Joanna ?

— Non, répondit Matcham, je ne l'ai pas vue.

— Ni entendu parler d'elle ?

Les pas se rapprochaient. Sir Olivier criait toujours à pleine voix le nom de Joanna dans la cour.

— En avez-vous entendu parler ? répéta Dick.

— J'en ai entendu parler, dit Matcham.

— Comme votre voix tremble ! Qu'est-ce qui vous prend ? dit Dick. C'est une très bonne chance, cette Joanna : cela détourne de nous leur attention.

— Dick, cria Matcham, je suis perdue ; nous sommes perdus tous les deux ! Fuyons, s'il en est encore temps. Ils n'auront pas de cesse qu'ils ne m'aient trouvée. Ou voyez ! Laissez-moi sortir, quand ils m'auront trouvée, vous fuirez. Laissez-moi sortir, Dick... mon bon Dick. Laissez-moi.

Elle tâtonnait pour trouver le verrou, lorsque Dick enfin comprit.

— Par la messe ! s'écria-t-il, vous n'êtes pas Jack, vous êtes Joanna Sedley ; c'est vous qui ne vouliez pas m'épouser.

La jeune fille s'arrêta, sans parole et sans mouvement. Dick aussi se tut un moment, puis il reprit.

— Joanna, vous m'avez sauvé la vie, et j'ai sauvé la vôtre, nous avons vu couler le sang et été amis et ennemis... et j'ai pris ma ceinture pour vous battre ; et tout le temps je croyais que vous étiez un garçon. Mais, à présent, la mort me tient et mon temps est fini, et, avant de mourir, il faut que je dise ceci : vous êtes la meilleure fille et la plus brave sous le ciel, et, si seulement je pouvais vivre, je vous épouserais avec joie ; et vif ou mort, je vous aime.

Elle ne répondit rien.

— Voyons, dit-il, parlez, Jack. Voyons, soyez une bonne fille et dites que vous m'aimez.

— Mais, Dick, dit-elle, serais-je ici ?

— Bien, voyez-vous, si nous échappons, nous nous marierons ; et, si nous devons mourir, nous mourrons, et ce sera fini. Mais maintenant j'y pense, comment avez-vous trouvé ma chambre ?

— J'ai demandé à dame Hatch.

— Bien, la dame est sûre, elle ne nous dénoncera pas. Nous avons du temps devant nous.

A ce moment, comme pour contredire ses mots, des pas se firent entendre dans le corridor, et un poing frappa rudement la porte.

— Ici ! cria une voix, ouvrez, maître Dick ; ouvrez !

Dick ne répondit, ni ne bougea.

— Tout est perdu, dit la jeune fille ; et elle entoura de ses bras le cou de Dick.

L'un après l'autre, des hommes vinrent s'attrouper devant la porte. Puis Sir Daniel lui-même arriva et le bruit cessa subitement.

— Dick, cria le chevalier, ne soyez pas un âne. Les Sept Dormants auraient été réveillés depuis longtemps. Nous savons qu'elle est ici. Ouvrez donc, mon garçon.

Dick se taisait toujours.

— Enfoncez, dit Sir Daniel. Et, aussitôt ses hommes se ruèrent sur la porte à coups de poings et de pieds. Si solide qu'elle fût, et fortement verrouillée, elle aurait vite cédé, mais, une fois de plus, le hasard s'entremit. Dominant cette tempête de coups, le cri d'une sentinelle fut entendu ; un second suivit, l'alarme courut le long des créneaux, des cris répondirent du bois. Au premier moment, il semblait que les hommes de la forêt prenaient d'assaut Moat-House. Et Sir Daniel et ses hommes, abandonnant aussitôt l'attaque de la chambre de Dick, se hâtèrent d'aller défendre les murs.

— A présent, s'écria Dick, nous sommes sauvés.

Il saisit le grand vieux lit des deux mains et fit en vain tous ses efforts pour le remuer.

— Aidez-moi, Jack. Au nom de votre vie, aidez-moi de toute votre force ! cria-t-il.

A eux deux, d'un formidable effort, ils tirèrent le grand cadre de chêne par la chambre et le poussèrent contre la porte.

— Ça n'en ira que plus mal, dit Joanna tristement. Il entrera par la trappe.

— Non pas, répliqua Dick, il n'osera pas dire son secret à tant de gens. C'est par la trappe que nous fuirons. Écoutez ! l'attaque est finie. Mais ce n'en était pas une.

En effet, il n'y avait pas eu d'attaque, c'était l'arrivée d'une nouvelle troupe de traînards de la déroute de Risingham qui avait dérangé Sir Daniel. Ils avaient couru le risque, profitant de l'obscurité ; on les avait fait entrer par la grande porte ; et maintenant, avec un grand bruit de sabots et le cliquetis des armures et des armes, ils descendaient de cheval dans la cour.

— Il va revenir tout de suite, dit Dick. A la trappe !

Il alluma une lampe et ils allèrent tous deux dans le coin de la chambre. La fente ouverte à travers laquelle une lumière brillait encore faiblement fut aisément découverte, et, prenant une solide épée dans la petite panoplie, Dick l'enfonça profondément dans l'ouverture et pesa fortement sur la poignée. La trappe remua, bâilla un peu, et enfin fut grande ouverte. La saisissant avec leurs mains, les deux jeunes gens la renversèrent. Cela découvrit quelques marches au bas desquelles brûlait une lampe laissée par leur ennemi.

— A présent, dit Dick, passez devant et prenez la lampe. Je suivrai pour fermer la trappe.

Ainsi ils descendirent l'un après l'autre, et lorsque Dick baissait la trappe, les coups recommencèrent à tonner contre les panneaux de la porte.

CHAPITRE IV
LE PASSAGE

Le passage dans lequel Dick et Joanna se trouvèrent alors était étroit, sale et court. A l'autre bout, se trouvait une porte entrouverte, la porte, sans doute, qu'ils avaient entendu ouvrir par l'homme. De lourdes toiles d'araignées pendaient du plafond, et le sol pavé sonnait creux sous le pas le plus léger.

Au delà de la porte, il y avait deux directions à angle droit. Dick en choisit une au hasard, et le couple se hâta avec des pas sonores le long de la cavité du toit de la chapelle. Le haut du plafond arqué se levait comme un dos de baleine, dans la faible clarté de la lampe. Çà et là, il y avait des judas, dissimulés de l'autre côté par les sculptures de la corniche ; et, regardant en bas par l'un deux, Dick vit le sol pavé de la chapelle, l'autel avec ses cierges allumés et, étendu devant, sur les marches, le corps de Sir Olivier, qui priait les mains levées.

A l'autre bout, ils descendirent quelques marches. Le passage se rétrécissait ; d'un côté, le mur était maintenant en bois ; les interstices laissaient passer un bruit de voix et un tremblotement de lumière ; et bientôt ils arrivèrent à un trou à peu près grand comme l'œil, et Dick, regardant en bas, aperçut l'intérieur du hall, et une demi douzaine d'hommes environ, en jaques, autour de la table, buvant ferme et démolissant un pâté de venaison. C'étaient certainement quelques-uns des derniers arrivés.

— Il n'y a pas moyen par ici, dit Dick. Essayons en arrière.

— Non, dit Joanna, peut-être le passage va plus loin.

Et elle avança. Mais, quelques mètres plus loin, le passage se terminait en haut de quelques marches, et il était clair que, tant que les soldats occuperaient le hall, la fuite était impossible de ce côté.

Ils revinrent sur leurs pas aussi vite que possible et se mirent à explorer l'autre direction. Le couloir était extrêmement étroit, à peine assez grand pour un homme large d'épaules ; et il montait et descendait sans cesse par des petits escaliers casse-cou, si bien que Dick finit par ne plus savoir où il était.

Enfin, il devint à la fois plus étroit et plus bas, les escaliers continuaient à descendre ; les murs de chaque côté devenaient humides et glissants sous la main ; et loin devant eux ils entendirent le cri aigu et le trottinement des rats.

— Nous devons être dans le donjon, dit Dick.

— Et toujours pas de sortie, ajouta Joanna.

— Non, mais il doit y en avoir une, répondit Dick.

Bientôt, en effet, ils arrivèrent à un angle aigu, et le passage aboutissait à un escalier. En haut une grande dalle de pierre servait de trappe ; ils essayèrent de la soulever en s'adossant tous deux contre elle. Impossible de la remuer.

— Quelqu'un la maintient, suggéra Joanna.

— Non pas, dit Dick, car un homme fût-il, fort comme dix, céderait quand même un peu. Mais ceci résiste comme un roc. Il y a un poids sur la trappe. Il n'y a pas d'issue ; et, par ma foi, mon bon Jack, nous sommes prisonniers ici, aussi bien que si nous avions des chaînes aux chevilles. Asseyons-nous donc et causons. Dans un moment nous retournerons, et peut-être ils seront moins sur leurs gardes ; et qui sait ? nous pouvons faire une sortie et courir une chance. Mais, à mon pauvre avis, nous sommes bien perdus.

— Dick ! s'écria-t-elle, quel jour de malheur pour vous que celui où vous m'avez vue ! Car c'est moi, pauvre fille très ingrate, qui vous ai mené là.

— Quelle plaisanterie ! répliqua Dick. C'était écrit et ce qui est écrit, bon gré, mal gré, arrive. Mais dites-moi un peu quelle espèce de fille vous êtes, et comment vous êtes tombée entre les mains de Sir Daniel ; cela vaudra mieux que de vous lamenter sur votre sort ou le mien.

— Je suis orpheline, comme vous, de père et de mère, dit Joanna, et pour mon malheur, et jusqu'ici pour le vôtre, je suis un riche parti. Lord Foxham était mon tuteur ; mais il paraît que Sir Daniel a acheté au roi le droit de me marier, il l'a payé un bon prix. Ainsi j'étais, pauvre jouet, entre deux riches et puissants seigneurs qui se battaient à qui me marierait, et j'étais encore en nourrice ! Bon ! le monde changea, et il y eut un nouveau chancelier, et Sir Daniel acheta ma tutelle par-dessus la tête de Lord Foxham. Et le monde changea de nouveau et Lord Foxham acheta mon mariage par-dessus celle de Sir Daniel ; et depuis jusqu'aujourd'hui, cela alla mal entre eux. Mais, malgré tout, Lord Foxham me garda entre ses mains et me fut un bon seigneur. Et enfin j'allais être mariée… ou vendue, si vous préférez. Cinq cents livres était le prix que devait recevoir Lord Foxham. Hamley était le nom du prétendant, et demain, Dick, j'allais être fiancée. Si Sir Daniel ne l'avait appris, j'aurais été mariée, c'est sûr… et je ne t'aurais jamais vu, Dick… mon cher Dick !

Et elle lui prit la main et la baisa avec une grâce charmante ; et Dick lui prit la main, et fit de même.

— Bien, continua-t-elle, Sir Daniel me surprit dans le jardin et me fit habiller avec ces vêtements d'homme, ce qui est un péché mortel pour une femme ; et, de plus, ils ne me vont pas. Il galopa avec moi jusqu'à Kettley comme vous l'avez vu, me disant que je devais vous épouser ; mais en moi-même, je me promis d'épouser Hamley à son nez !

— Ah ! s'écria Dick, vous aimez donc ce Hamley ?

— Non, répliqua Joanna, pas du tout. Je haïssais seulement Sir Daniel. Et alors, Dick, vous m'avez aidée et vous avez été très bon et très hardi, et mon cœur se porta vers vous, malgré moi, et maintenant si nous trouvons moyen d'y arriver, je me marierai avec vous de mon plein gré. Et, si la destinée cruelle ne le veut pas, du moins, vous me serez toujours cher. Tant que mon cœur battra ; il vous sera fidèle.

— Et moi qui ne me suis jamais soucié d'aucune femme quelconque jusqu'à présent, je me suis attaché à vous lorsque je croyais que vous étiez, un garçon. J'avais pitié de vous sans savoir pourquoi. Quand j'ai voulu vous battre, la main m'a manqué. Mais, quand vous avez avoué que vous étiez une fille, Jack... car je veux encore vous appeler Jack... je sentis que vous étiez celle qui me convenait. Écoutez ! dit-il en s'interrompant... on vient.

Et, en effet, un pas lourd était perceptible dans le passage sonore, et, de nouveau, les rats s'enfuirent par bandes.

Dick reconnut sa position. Le brusque tournant lui donnait l'avantage. Il pouvait ainsi tirer en sûreté à l'abri du mur. Mais il était clair que la lumière était trop près de lui, et courant un peu en avant, il posa la lampe par terre au milieu du passage, et revint à l'affût.

Bientôt, au bout du passage, parut Bennet. Il semblait être seul et portait à la main une torche allumée qui le rendait plus facile à viser.

— Arrêtez, Bennet ! cria Dick. Un pas de plus, et vous êtes mort.

— Vous êtes donc là, répliqua Hatch, fixant l'obscurité. Je ne vous vois pas. Ah ! vous avez prudemment agi, Dick ; vous avez mis votre lampe devant vous. Par ma foi, quoique ce soit fait pour viser mon pauvre corps, je me réjouis de voir que vous avez profité de mes leçons ! Et, à présent, que faites-vous ? Que cherchez-vous là ? Pourquoi voulez-vous tirer sur un vieil et bon ami ? Et avez-vous la jeune dame avec vous ?

— Non, Bennet, c'est moi qui dois questionner, et vous, répondre, répliqua Dick. Pourquoi suis-je en danger de mort ? Pourquoi ces hommes viennent-ils secrètement pour me frapper dans mon lit ? Pourquoi me faut-il fuir dans la forteresse de mon propre tuteur et loin des amis avec lesquels j'ai vécu et à qui je n'ai jamais fait de mal ?

— Maître Dick, maître Dick, dit Bennet, qu'est-ce que je vous ai dit ? Vous êtes brave, mais le garçon le plus maladroit que je connaisse.

— Bien, répliqua Dick, je vois que vous savez tout et que je suis condamné. C'est bien. Ici, où je suis, je reste. Que Sir Daniel m'en fasse sortir s'il le peut !

Hatch se tut un moment.

— Écoutez, dit-il, je retourne vers Sir Daniel pour lui dire où vous êtes et dans quelle position ; car c'est pour cela qu'il m'a envoyé. Mais vous, si vous n'êtes pas un sot, ferez mieux de partir avant que je revienne.

— Partir ! répéta Dick. Je serais parti déjà si je savais comment faire. Je ne peux remuer la trappe.

— Mettez-moi la main dans le coin et voyez ce que vous y trouvez, répliqua Bennet, la corde de Throgmorton est encore dans la chambre brune. Adieu.

Et Hatch, tournant sur ses talons, disparut de nouveau dans le corridor tortueux.

Dick alla aussitôt reprendre sa lampe, et se mit en devoir d'agir suivant l'avis. A un coin de la trappe il y avait dans le mur une profonde cavité. Mettant son bras dans l'ouverture, Dick rencontra une barre de fer qu'il poussa vigoureusement. Il y eut un bruit sec et la dalle de pierre immédiatement remua.

Le passage était libre. Un petit effort souleva aisément la trappe ; et ils arrivèrent dans une chambre voûtée, qui ouvrait d'un côté sur la cour, où un ou deux hommes, les bras nus, pansaient les chevaux des derniers arrivés. Une torche ou deux, chacune fichée dans un anneau de fer contre le mur, éclairait la scène de lueurs changeantes.

CHAPITRE V
DICK CHANGE DE PARTI

Dick éteignit sa lampe de peur qu'elle n'attirât l'attention, et prit le chemin qui montait le long du corridor. Dans la chambre brune, la corde avait été solidement attachée au bois d'un lit très ancien et très lourd. Elle n'avait pas été détachée, et Dick, prenant le rouleau de corde près de la fenêtre, commença à le faire descendre doucement et silencieusement dans l'obscurité de la nuit. Joanna était près de lui ; mais comme la corde s'allongeait et que Dick la faisait toujours aller, une terreur l'emporta sur sa résolution.

— Dick, dit-elle, est-ce donc si profond ? Je ne pourrai pas essayer. Je tomberais infailliblement, bon Dick.

C'était juste au moment délicat de l'opération. Dick tressaillit ; le reste du paquet de corde lui échappa, et le bout tomba en éclaboussant dans le fossé. Aussitôt, du créneau au dessus, une sentinelle cria :

— Qui va là ?

— Au diable ! cria Dick, nous voilà découverts ! Descendez… prenez la corde.

— Je ne le peux pas, fit-elle en reculant.

— Et si vous ne le pouvez pas, je ne peux pas davantage, dit Shelton. Comment puis-je nager dans le fossé sans vous ? Alors vous m'abandonnez ?

— Dick, balbutia-t-elle, je ne peux pas, je n'ai plus de force.

— Par la messe, alors nous sommes perdus ! cria-t-il en frappant du pied ; et alors, entendant des pas, il courut à la porte de la chambre et chercha à la fermer.

Avant qu'il pût pousser le verrou, des bras vigoureux la repoussèrent sur lui de l'autre côté. Il lutta un instant ; puis se sentant faiblir, il courut de nouveau vers la fenêtre. La jeune fille était contre le mur dans l'embrasure de la fenêtre ; elle était à moitié évanouie, et quand il essaya de la soulever dans ses bras son corps était inerte et sans résistance.

Au même instant, les hommes qui avaient forcé la porte se saisirent de lui. Il poignarda le premier d'un coup et les autres se reculèrent un peu en désordre ; il profita de cette chance, enjamba le rebord de la fenêtre, saisit la corde à deux mains et se laissa glisser.

La corde était à nœuds, ce qui la rendait plus facile à descendre ; mais la hâte de Dick était si furieuse, et si petite son expérience dans ce genre de gymnastique, qu'il resta suspendu en l'air, comme un criminel au gibet, tantôt il se cognait la tête, tantôt s'abîmait les mains contre le rugueux mur de pierre. L'air grondait dans ses oreilles ; il voyait les étoiles au-dessus de sa tête, et les étoiles reflétées au-dessous de lui, dans l'eau du fossé, tournoyant comme les feuilles mortes avant l'orage. Et alors il perdit prise et tomba la tête la première dans l'eau glacée.

Quand il revint à la surface, sa main rencontra la corde, qui, allégée de son poids, surnageait sans direction. Il y avait en l'air une lueur rouge, et, levant la tête, il vit à la clarté de plusieurs torches et d'un falot plein de charbons, brûlants, les créneaux garnis de têtes. Il vit les yeux des hommes regarder de ci et de là à sa recherche, mais il était trop loin en bas, la lumière ne l'atteignait pas et ils regardaient en vain.

Il s'aperçut alors que la corde était trop longue, et il se mit à se débattre du mieux qu'il pût vers l'autre côté du fossé, gardant toujours la tête hors de l'eau. Il parvint ainsi à faire plus de la moitié du chemin ; le bord était presque à portée de sa main, avant que la corde ne commençât à le tirer en arrière par son poids. Prenant son courage à deux mains, il l'abandonna et fit un saut vers les rameaux flottants d'un saule qui avait déjà, ce même soir, aidé le messager de Sir Daniel à atterrir.

Il retomba, remonta, enfonça de nouveau, et alors sa main attrapa une branche ; rapide comme la pensée, il se tira dans l'épaisseur de l'arbre et s'y cramponna, dégouttant et essoufflé, et encore à demi incertain de son évasion.

Mais tout cela ne s'était pas fait sans éclabousser énormément, ce qui avait indiqué sa position aux hommes sur les créneaux. Flèches et traits tombèrent donc autour de lui dans l'obscurité, serrés comme des grêlons ; et soudain une torche fut jetée, embrasa l'air dans son rapide passage, resta un moment sur le bord extrême du fossé où elle brûla fortement, éclairant les alentours comme un feu de joie, puis, chance heureuse pour Dick, glissa, plongea dans le fossé et s'éteignit immédiatement.

Elle avait rempli son but. Les tireurs avaient eu le temps de voir le saule et Dick enfoncé parmi ses rameaux ; et quoique le jeune homme eût immédiatement sauté plus haut sur la berge et cherché son salut dans la course, il ne fut pas encore assez agile pour éviter un coup. Une flèche le frappa à l'épaule, une autre lui égratigna la tête.

La douleur causée par ses blessures lui donna des ailes, et il n'eut pas plus tôt atteint le terrain plat, qu'il prit ses jambes à son cou et courut droit devant lui dans l'obscurité, sans réfléchir à la direction de sa course.

Pendant quelques pas les projectiles le suivirent, mais cessèrent bientôt ; et lorsqu'enfin il fit halte et regarda derrière lui, il était déjà à une bonne distance de Moat-House, quoiqu'il pût encore voir les torches aller et venir le long des créneaux.

Il s'appuya contre un arbre, ruisselant d'eau et de sang, meurtri, blessé, seul. Malgré tout, il avait sauvé sa vie pour cette fois ; et, quoique Joanna fût restée au pouvoir de Sir Daniel, il ne se reprochait pas un accident qu'il avait été hors de son pouvoir d'empêcher, et n'augurait aucune fatale conséquence pour la jeune fille. Sir Daniel était cruel, mais il n'était pas probable qu'il serait cruel envers une jeune dame en faveur de qui d'autres protecteurs avaient volonté et pouvoir de lui faire rendre des comptes. Il était plus probable qu'il se hâterait de la marier à quelqu'un de ses amis.

— Bien, pensa Dick, d'ici là je trouverai bien moyen de démasquer ce traître ; car je pense, par la messe, que je suis à présent dégagé de toute reconnaissance ou obligation ; et, quand la guerre est déclarée, la partie est égale.

En attendant, il était dans une triste position.

Il s'avança encore quelque temps dans la forêt ; mais avec la souffrance de ses blessures, l'obscurité de la nuit, et l'extrême désarroi et confusion de son esprit, il devint bientôt tout à fait incapable de se guider ou de continuer sa route à travers les broussailles touffues, et il fut obligé de s'asseoir et de s'accoter contre un arbre.

Quand il s'éveilla de quelque chose entre le sommeil et l'évanouissement, l'aube avait commencé à succéder à la nuit. Une petite brise fraîche s'agitait parmi les arbres, et comme il était assis et regardait fixement devant lui, seulement à moitié éveillé, il aperçut une chose sombre qui se balançait de côté et d'autre entre les arbres, à quelque cent mètres devant lui. La lueur progressive du jour et le retour de ses sens lui permirent enfin de reconnaître l'objet. C'était un homme pendu à une branche d'un grand chêne. Sa tête était tombée en avant sur sa poitrine ; mais, à chaque coup de vent un peu plus fort, son corps tournait sur lui-même, et ses jambes s'agitaient comme un jouet ridicule.

Dick se mit sur pieds, et, chancelant, s'appuyant aux troncs d'arbres, avança et s'approcha de cet objet hideux.

La branche était peut-être à vingt pieds au-dessus du sol, et le malheureux avait été tiré si haut par ses exécuteurs que ses bottes se balançaient bien au-dessus de la tête de Dick, et comme son capuchon avait été tiré sur sa figure il était impossible de le connaître.

Dick regarda autour de lui à droite, à gauche ; et enfin il vit que l'autre bout de la corde avait été solidement attaché au tronc d'un petit aubépin qui poussait tout couvert de fleurs sous la haute arcade du chêne. Avec sa dague, qui, seule, lui restait de toutes ses armes, le jeune Shelton coupa la corde et aussitôt, avec un bruit sourd, le corps tomba comme une masse sur le sol.

Dick leva le capuchon, c'était Throgmorton, le messager de Sir Daniel. Il n'avait pas été loin dans sa mission. Un papier qui avait apparemment échappé à la vue des hommes de la Flèche-Noire sortait de la poitrine de son pourpoint, et Dick, le tirant, vit que c'était la lettre de Sir Daniel à Lord Wensleydale.

— Bon, pensa-t-il, si le monde change encore, j'aurai là de quoi déshonorer Sir Daniel et peut-être le conduire au billot.

Et il serra le papier sur sa poitrine, dit une prière pour le mort, et se remit en marche à travers le bois.

Sa fatigue et sa faiblesse augmentaient, ses oreilles bourdonnaient, ses pas trébuchaient, par moments toute pensée s'éteignait en lui, tant il était affaibli par la perte de son sang. Sans doute il dévia beaucoup de son vrai chemin, mais, enfin, il arriva sur la grande route non loin du hameau de Tunstall.

Une voix rude lui cria : Halte !

— Halte ? répéta Dick ; par la messe, je suis près de tomber.

Et l'acte suivit la parole ; il tomba tout de son long sur la route.

Deux hommes sortirent du fourré, portant tous deux le justaucorps vert de la forêt, et chacun un arc avec un carquois et une courte épée.

— Mais, Lawless, dit le plus jeune, c'est le jeune Shelton.

— Hé ! ceci sera agréable comme du pain pour Jean Répare-tout, répliqua l'autre. Quoique, ma foi, il a été à la guerre. Voici une déchirure sur son crâne qui a dû coûter quelques onces de sang.

— Et ici, ajouta Greensheve, il y a un trou dans son épaule qui doit l'avoir bien piqué. Qui a fait cela, croyez-vous ? Si c'est l'un de nous, il peut faire ses prières ; Ellis lui donnera une courte confession et une longue corde.
— Prenons le petit, dit Lawless. Mettez-le sur mon dos.
Et, quand Dick eut été hissé sur ses épaules, et qu'il eut mis les bras du jeune homme autour de son cou, et le tint solidement, l'ancien frère gris ajouta :
— Gardez le poste, frère Greensheve. J'irai tout seul avec lui.
Et Greensheve retourna à son embuscade sur le côté du chemin, et Lawless descendit péniblement la colline ; il sifflait en marchant avec Dick toujours évanoui, confortablement installé sur ses épaules.
Le soleil se leva comme il sortait de la lisière du bois et voyait le hameau de Tunstall, aux maisons éparpillées sur la colline opposée. Tout semblait tranquille, mais un fort poste d'une dizaine d'archers était tout près du pont de chaque côté de la route, et, aussitôt qu'ils aperçurent Lawless avec son fardeau, ils commencèrent à s'agiter et à bander leurs arcs comme de vigilantes sentinelles.

— Qui va là ? cria celui qui commandait.

— Will Lawless, par la croix… vous me connaissez aussi bien que votre propre main, répliqua l'outlaw avec mépris.

— Donnez le mot d'ordre, Lawless, répliqua l'autre.

— A présent, que le ciel t'éclaire, grand idiot, répliqua Lawless. Ne te l'ai-je pas dit moi-même ? Mais vous avez cette folie de jouer aux soldats. Quand je suis dans la forêt, donnez-moi des manières de forêt, et mon mot pour aujourd'hui, c'est : au diable cette contrefaçon soldatesque !

— Lawless, vous donnez un mauvais exemple, donnez-nous le mot d'ordre, mauvais plaisant, dit le commandant du poste.

— Et si je l'avais oublié ? demanda Lawless.

— Si vous l'aviez oublié… comme je sais que vous ne l'avez pas fait… par la messe ! je ficherais une flèche dans votre gros corps, répliqua le premier.

— Oui-dà, si vous êtes un si mauvais plaisant, dit Lawless, vous aurez votre mot, Duckworth, et Shelton est le mot, et pour l'expliquer, voici Shelton sur mes épaules et c'est à Duckworth que je le porte.

— Passez, Lawless, dit la sentinelle.

— Et où est Jean ? demanda le frère gris.

— Il tient sa cour, par la messe ! et perçoit des rentes comme s'il était né pour cela ! cria un autre de la compagnie.

C'était vrai. Quand Lawless arriva à la petite auberge du village, il trouva Ellis Duckworth entouré des tenanciers de Sir Daniel, qui, par le droit de sa bonne compagnie d'archers, tranquillement percevait les revenus, et donnait, en retour, des reçus par écrit. Aux figures des fermiers, il était évident que cette manière de faire ne leur allait guère ; car ils arguaient avec raison qu'ils auraient simplement à les payer deux fois.

Aussitôt qu'il sut ce qui amenait Lawless, Ellis renvoya le reste des tenanciers, et, avec toutes sortes de marques d'intérêt et d'anxiété, il conduisit Dick dans une chambre intérieure de l'auberge. Là, les blessures au jeune homme furent examinées ; avec des remèdes simples il reprit conscience.

— Cher enfant, dit Ellis en lui prenant la main, vous êtes entre les mains d'un ami qui aimait votre père et vous aime en souvenir de lui. Reposez-vous un peu tranquillement, car vous êtes assez malade. Ensuite vous me raconterez votre histoire, et à nous deux nous trouverons un remède pour tout.

Un peu plus tard dans la journée, après que Dick se fut réveillé d'un sommeil confortable, il se trouva très faible, mais l'esprit plus net et le corps plus à l'aise ; Ellis revint près de lui, et s'assit auprès du lit, lui demanda, au nom de son père, de lui dire les circonstances de sa fuite de Moat-House. Il y avait quelque chose dans la carrure puissante de Duckworth, dans l'honnêteté de sa figure brune, dans la clarté pénétrante de ses yeux, qui engagea Dick à lui obéir, et, du commencement à la fin il lui raconta l'histoire de ses deux jours d'aventures.

— Bien, dit Ellis, quand il eut fini, voyez ce que les saints miséricordieux ont fait pour vous, Dick Shelton, non seulement en sauvant votre corps de si nombreux et mortels dangers, mais aussi en vous amenant vers moi qui n'ai pas de désir plus cher que d'aider le fils de votre père. Soyez seulement loyal envers moi… et je vois que vous êtes loyal… et à nous deux nous amènerons ce déloyal traître à sa mort.

— Ferez-vous l'assaut de la maison ? demanda Dick.

— Je serais fou d'y penser, répliqua Ellis. Il est trop puissant ; ses hommes se réunissent autour de lui ; ceux qui m'ont échappé la nuit dernière, et, par la messe ! arrivèrent si à propos pour vous… ceux-là l'ont sauvé. Non, Dick, au contraire, toi, moi et mes braves archers, il faut disparaître de la forêt bien vite et laisser libre Sir Daniel.

— J'ai de mauvais pressentiments pour Jack, dit le jeune homme.

— Pour Jack ? répéta Duckworth. Ah ! oui, pour la jeune fille ! Non, Dick, je vous promets, s'il est question de mariage, nous agirons tout de suite ; jusque-là ou jusqu'à ce que le moment soit venu, nous allons tous disparaître comme des ombres au matin ; Sir Daniel regardera à l'est et à l'ouest et ne verra aucun ennemi ; il pensera, par la messe ! qu'il a rêvé un instant et vient de se réveiller dans son lit. Mais nos quatre yeux le suivront de près, et nos quatre mains,… l'armée des saints nous vienne en aide ! abattront ce traître !

Deux jours plus tard, la garnison de Sir Daniel s'était tellement accrue qu'il aventura une sortie et, à la tête d'une quarantaine de cavaliers, il poussa sans opposition jusqu'au hameau de Tunstall. Pas une flèche ne vola, pas un homme ne bougea dans le fourré ; le pont était ouvert à tout venant ; et, lorsque Sir Daniel le traversa, il vit les villageois à leurs portes, qui regardaient timidement.

Bientôt l'un d'eux, prenant courage, s'avança et, saluant très bas, présenta une lettre au chevalier.

Sa figure s'assombrit en la lisant. Elle était ainsi conçue :

> Au très déloyal et cruel gentilhomme, Sir Daniel Brackley, chevalier, ces présentes :
>
> « Je trouve que vous avez été déloyal et mauvais depuis le commencement. Vous avez sur les mains le sang de mon père ; c'est bien, il ne se lavera pas. Quelque jour vous périrez par moi, ce que je vous fais savoir ; et je vous fais savoir, de plus, que, si vous cherchez à marier à quelque autre que moi la gentille dame Joanna Sedley, que je me suis moi-même, par un serment solennel, engagé à épouser, le coup sera très prompt. Le premier pas dans cette voie sera ton premier pas vers la tombe. »
>
> Rich. SHELTON.

LIVRE III
LORD FOXHAM

CHAPITRE PREMIER
LA MAISON SUR LA PLAGE

Des mois avaient passé depuis que Richard Shelton s'était évadé de chez son tuteur. Ces mois avaient été pleins d'événements pour l'Angleterre. Le parti de Lancastre, qui était alors presque anéanti, avait relevé la tête. Ceux d'York, défaits et dispersés, leur chef massacré sur le champ de bataille, il semblait, pour un court instant, pendant l'hiver qui suivit les faits déjà racontés, que la maison de Lancastre avait finalement triomphé de ses ennemis.

La petite ville de Shoreby-sur-Till était pleine de nobles Lancastriens du voisinage. Le comte, Risingham était là avec trois cents hommes d'armes ; lord Shoreby avec deux cents ; sir Daniel lui-même, en grande faveur et s'enrichissant toujours du produit des confiscations, était dans une maison à lui, dans la rue principale, avec soixante hommes. Le monde avait, en vérité, changé.

C'était une sombre et très froide soirée de la première semaine de janvier, avec une forte gelée, un vent aigre, et toutes les apparences que la neige tomberait avant le matin.

Dans une taverne obscure, dans une rue détournée, près du port, trois ou quatre hommes étaient assis, buvant de la bière et faisant un hâtif repas d'œufs. C'étaient tous compagnons également vigoureux et bronzés, la main dure, l'œil hardi ; et, quoiqu'ils portassent de simples tuniques comme des paysans, même un soldat ivre aurait regardé à deux fois avant de chercher querelle à une telle compagnie.

Un peu à part, devant le grand feu, était assis un jeune homme, presque un enfant, habillé à peu près de la même façon, bien qu'il fût facile de voir, à ses manières, qu'il était mieux né et qu'il aurait pu porter une épée, si l'occasion l'avait permis.

— Non, dit un des hommes à la table ; je n'aime pas cela. Il en arrivera mal. Ce n'est pas un endroit pour de bons vivants. Un bon vivant aime la pleine campagne, bon gîte et peu d'ennemis ; mais, ici, nous sommes enfermés dans une ville, entourés d'ennemis, et, pour comble de malheur, voyez s'il ne neigera pas avant le matin.

— C'est pour maître Shelton, dit un autre en désignant de la tête le jeune garçon devant le feu.

— Je ferai beaucoup pour maître Shelton, répliqua le premier, mais aller à la potence pour qui que ce soit… non, camarades, pas cela !

La porte de l'auberge s'ouvrit et un autre homme entra vivement et s'approcha du jeune homme devant le feu.

— Maître Shelton, dit-il, Sir Daniel sort avec deux porte-flambeaux et quatre archers.

Dick (car c'était notre jeune ami) se leva aussitôt.

— Lawless, dit-il, vous prendrez la garde de John Capper. Greensheve, venez avec moi. Capper, conduisez-nous. Nous le suivrons, cette fois, même s'il va à York.

L'instant d'après, ils étaient dehors, dans la rue sombre, et Capper, l'homme qui venait d'entrer, montra, à une petite distance, deux torches flambant au vent.

La ville était déjà profondément endormie ; personne ne bougeait dans les rues, et rien n'était plus facile que de suivre le groupe sans être remarqué. Les deux porteurs de torches étaient en tête, puis venait un homme seul, dont le long manteau flottait au vent ; et l'arrière-garde était formée par les quatre archers, tous l'arc au bras. Ils avançaient d'un pas rapide par les ruelles enchevêtrées et se rapprochaient du rivage.

— Il a été chaque nuit de ce côté ? demanda Dick, à voix basse.

— C'est la troisième nuit de suite, maître Shelton, répondit Capper, et toujours à la même heure et avec la même petite escorte, comme s'il poursuivait un but secret.

Sir Daniel et ses hommes étaient arrivés aux limites de la campagne. Shoreby était une ville ouverte et, quoique les seigneurs Lancastriens qui étaient là, eussent une forte garde sur les routes principales, il était pourtant possible d'entrer ou de sortir sans être vu par quelqu'une des petites rues ou à travers la campagne.

Le sentier que Sir Daniel avait suivi, s'arrêta brusquement. Devant lui, il y avait une étendue de dunes arides, et l'on pouvait entendre, d'un côté, le bruit du ressac de la mer. Il n'y avait pas de sentinelle dans le voisinage, ni aucune lumière dans cette partie de la ville.

Dick et ses deux outlaws s'approchèrent davantage de l'objet de leur poursuite et, bientôt, en quittant les dernières maisons, ils purent voir un peu plus loin de chaque côté, et ils aperçurent une autre torche qui s'approchait dans une autre direction.

— Heu ! dit Dick. Je flaire une trahison.

Pendant ce temps, Sir Daniel avait fait halte. Les torches furent plantées dans le sable et les hommes s'étendirent comme pour attendre l'arrivée de l'autre groupe.

Celui-ci s'avançait d'un bon pas. Il se composait seulement de quatre hommes, — deux archers, un valet avec une torche, et un seigneur enveloppé d'un manteau, marchant au milieu d'eux.

— Est-ce vous, monseigneur ? demanda Sir Daniel.

— C'est moi ; oui, vraiment ; et si jamais vrai chevalier a fait ses preuves, je suis cet homme, expliqua le chef de la seconde troupe ; qui, en effet, n'aimerait mieux faire face à des géants, des sorciers ou des païens qu'à ce froid piquant ?

— Monseigneur, répliqua Sir Daniel, la beauté ne vous en sera que plus redevable, n'en doutez pas. Mais continuons-nous ? car le plus tôt vous verrez ma marchandise, plus tôt nous retournerons chez nous.

— Mais pourquoi la gardez-vous ici, bon chevalier ? interrogea l'autre. Si elle est si jeune et si belle et si riche, pourquoi ne la produisez-vous pas parmi ses pareilles ? Vous lui feriez bientôt faire un bon mariage sans avoir besoin de vous geler les doigts et sans risquer de recevoir des flèches en sortant par des temps pareils dans l'obscurité.

— Je vous l'ai dit, monseigneur, répliqua Sir Daniel, la raison ne regarde que moi. Et je ne me propose pas de vous l'expliquer davantage. Qu'il vous suffise de savoir que si vous êtes fatigué de votre vieux compère Daniel Brackley, vous n'avez qu'à publier que vous allez épouser Joanna Sedley, et je vous donne ma parole que vous en serez bientôt débarrassé. Vous le trouverez avec une flèche dans le dos.

Pendant ce temps les deux gentilshommes marchaient vite, s'avançaient vers la dune, les trois torches précédaient, courbées contre le vent et dispersant des nuages de fumée et des aigrettes de feu ; et derrière eux venaient les six archers.

Sur les talons de ceux-ci, Dick suivait. Il n'avait naturellement rien entendu de cette conversation ; mais il avait reconnu dans le second des interlocuteurs le vieux Lord Shoreby en personne, un homme perdu de réputation, que Sir Daniel lui-même affectait de condamner en public.

Bientôt ils arrivèrent tout au bord de la grève. L'air sentait le sel, le bruit du ressac augmentait, et là, dans un grand jardin entouré de murs, se trouvait une petite maison à deux étages, avec des écuries et d'autres communs.

Le premier porteur de torche ouvrit une porte, dans le mur, et, quand toute la bande fut entrée dans le jardin, il la referma à clef de l'autre côté.

Dick et ses hommes furent ainsi empêchés de suivre davantage, à moins d'escalader le mur et de se prendre à un piège.

Ils s'assirent sur une touffe de genêts et attendirent. La lueur rouge des torches s'agitait de haut en bas et çà et là dans l'enclos, comme si les porteurs parcouraient constamment le jardin.

Vingt minutes se passèrent et alors toute la troupe sortit sur la dune. Sir Daniel et le baron, après des saluts cérémonieux, se séparèrent et retournèrent chacun chez soi avec sa suite et ses lumières.

Aussitôt que le son de leurs pas fut couvert par le vent, Dick se mit sur pied aussi vivement qu'il put, car il était raidi et endolori par le froid.

— Capper, vous me prêterez votre dos, dit-il. Ils avancèrent tous trois vers le mur. Capper se baissa et Dick, montant sur ses épaules, grimpa sur le couronnement.

— A présent, Greensheve, murmura Dick, suivez-moi ici ; couchez-vous à plat ventre, de façon à être vu le moins possible, et soyez toujours prêt à me donner la main s'il m'arrive quelque chose de l'autre côté.

Et, en disant cela, il glissa dans le jardin.

Il faisait noir comme dans un four ; il n'y avait pas de lumière dans la maison. Le vent soufflait aigrement dans les pauvres arbustes, et le ressac battait la grève ; il n'y avait pas d'autres bruits. Avec précaution Dick mettait le pied en avant, trébuchant dans les buissons et tâtonnant avec les mains ; bientôt le bruit cassant du gravier sous le pied lui apprit qu'il était dans une allée.

Ici il s'arrêta, et sortant son arc caché sous sa longue tunique, il le prépara pour une action immédiate et avança de nouveau avec plus de résolution et d'assurance. Le sentier le conduisit tout droit au groupe de bâtiments.

Tout semblait tristement délabré : les fenêtres de la maison étaient protégées par des volets vermoulus, les étables étaient ouvertes et vides ; il n'y avait pas de foin dans le grenier, ni de blé dans le coffre à grains. On aurait pu supposer que la maison était déserte ; mais Dick avait de bonnes raisons pour penser autrement. Il continua son inspection, visita les communs, essaya toutes les fenêtres. Enfin il arriva sur le côté de la maison qui faisait face à la mer, et là, en effet, là brillait une faible lumière à une fenêtre du haut.

Il recula un peu, jusqu'à ce qu'il crut voir le mouvement d'une ombre sur le mur de l'appartement. Il se souvint alors que, dans l'écurie, en tâtonnant, sa main s'était posée sur une échelle, et il retourna en toute hâte pour l'apporter. L'échelle était très courte, mais cependant, en montant sur le barreau le plus élevé, il parvint à mettre les mains sur les barres de fer de la fenêtre ; et les saisissant, il se souleva à la force du poignet, si bien que ses yeux pouvaient voir l'intérieur de la chambre.

Deux personnes étaient dedans : la première fut rapidement reconnue par lui, c'était dame Hatch ; la seconde, une grande, belle et grave jeune personne, dans une longue robe brodée... pouvait-elle être Joanna Sedley ? Son vieux compagnon de la forêt, Jack, qu'il avait pensé punir à coups de ceinture ?

Il retomba sur le dernier échelon de son échelle dans une sorte d'éblouissement. Il ne s'était jamais représenté sa bien-aimée comme un être si supérieur, et il fut pris aussitôt d'une espèce de timidité. Mais il n'eut pas le temps de réfléchir. Un faible psst ! résonna près de lui et il se hâta de descendre de l'échelle.

— Qui va là ? murmura-t-il.

— Greensheve, répondit-on à voix basse...

— Qu'y a-t-il ? demanda Dick.

— La maison est surveillée, Maître Shelton, répliqua l'outlaw. Nous ne sommes pas seuls à l'épier, car, pendant que j'étais couché sur le ventre en haut du mur, j'ai vu des hommes ramper dans l'ombre, et je les ai entendus siffler doucement de l'un à l'autre.

— Par ma foi, dit Dick, ceci est plus qu'étrange ! Ne sont-ils pas des hommes de Sir Daniel ?

— Non, monsieur, ils n'en sont pas, répliqua Greensheve, car, si j'y vois bien, chacun d'eux porte à son chapeau un insigne à carreaux blancs et noirs.

— A carreaux blancs et noirs ? répéta Dick. C'est un insigne que je ne connais pas. Il n'est pas de ce pays. Bien, s'il en est ainsi, glissons-nous hors de ce jardin aussi doucement que nous pourrons ; car ici nous sommes en mauvaise posture pour nous défendre. Sans aucun doute il y a dans cette maison des hommes de Sir Daniel, et être pris entre deux est une triste position. Prenez-moi cette échelle ; il faut que je la laisse où je l'ai trouvée.

Ils reportèrent l'échelle dans l'écurie et retournèrent en tâtonnant à l'endroit par lequel ils étaient entrés.

Capper avait pris la place de Greensheve sur le couronnement ; il tendit la main et les tira en haut successivement.

Avec précaution, et sans faire de bruit, ils sautèrent de l'autre côté, et ils n'osèrent parler tant qu'ils ne furent pas revenus à leur cachette dans le genêt.

— A présent, John Capper, dit Dick, retournez vite à Shoreby, comme s'il y allait de votre vie. Amenez-moi immédiatement ce que vous pourrez réunir d'hommes. Ici sera le lieu du rendez-vous, à moins que les hommes soient disséminés et le jour prêt à venir avant qu'ils ne soient réunis, alors ce sera un peu en arrière, près de l'entrée de la ville. Greensheve et moi resterons ici à veiller. Hâtez-vous, John Capper, et que les saints vous aident à aller vite ! Et maintenant, Greensheve, continua-t-il, dès que Capper fut parti, toi et moi nous allons faire un large circuit autour du jardin. Je voudrais bien voir si tes yeux ne t'ont pas trompé.

Se tenant assez loin du mur, et profitant de chaque monticule et de chaque creux, ils longèrent deux côtés de la maison sans rien voir. Sur le troisième côté, le mur du jardin était construit sur la grève, et, pour conserver la distance nécessaire à leur dessein, ils durent descendre sur le sable. Quoique la marée fût encore assez basse, le ressac était si fort et le sable si plat qu'à chaque vague une grande lame d'écume et d'eau venait couvrir une grande étendue, et Dick et Greensheve firent cette partie de leur inspection, à gué, tantôt jusqu'aux chevilles, tantôt jusqu'aux genoux, dans l'eau salée et froide de la mer du Nord.

Tout d'un coup, contre la blancheur relative du mur du jardin, le corps d'un homme se montra comme une faible ombre chinoise faisant de grands signaux avec ses deux bras. Comme il retombait sur le sol, un autre se leva un peu plus loin et répéta le même exercice. Et ainsi de suite comme un silencieux mot d'ordre, ces gestes firent le tour du jardin assiégé.

— Ils font bonne garde, murmura Dick.

— Retournons vers la terre, bon maître, répondit Greensheve. Nous sommes ici trop à découvert, car regardez, quand la vague va se briser lourde et blanche derrière nous, ils nous verront distinctement contre l'écume.

— Vous avez raison, répliqua Dick. Retournons à terre rapidement.

CHAPITRE II
ESCARMOUCHE DANS LA NUIT

Complètement trempés et glacés, les deux aventuriers reprirent leur position dans le genêt.

— Je prie le ciel que Capper fasse vite, dit Dick. Je promets un cierge à Sainte-Marie-de-Shoreby, s'il arrive avant une heure.

— Vous êtes pressé, maître Dick ? demanda Greensheve.

— Oui, mon brave, car dans cette maison est ma dame que j'aime, et qui peuvent être ceux-ci, qui tournent autour d'elle, la nuit, en secret ? Sûrement des ennemis.

— Bien, répliqua Greensheve, si John vient rapidement, nous leur donnerons leur compte. Dehors ils sont à peine quarante… J'en juge par la distance entre leurs sentinelles… et, puis, comme ils sont si espacés, une vingtaine d'hommes les feraient fuir comme des moineaux. Et pourtant, maître Dick, si elle est déjà au pouvoir de Sir Daniel, ce ne sera pas un grand malheur qu'elle tombe dans celui d'un autre. Qui cela peut-il être ?

— Je soupçonne lord Shoreby, répliqua Dick. Quand sont-ils arrivés ?

— Ils ont commencé à arriver, maître Dick, dit Greensheve, à peu près au moment où vous passiez le mur. Il n'y avait pas une minute que j'étais là quand j'ai aperçu le premier de ces drôles tourner le coin du rempart.

La dernière lumière était déjà éteinte dans la petite maison quand ils avaient passé à gué dans la nappe d'eau des lames brisées, et il était impossible de prévoir à quel moment les hommes aux aguets autour du mur attaqueraient. De deux maux, Dick préférait le moindre. Il préférait que Joanna restât sous la tutelle de Sir Daniel plutôt que de tomber dans les griffes de lord Shoreby, et son parti était pris, si l'on livrait l'assaut de la maison, de venir immédiatement au secours des assiégés.

Mais le temps passait et rien ne bougeait. De quart d'heure en quart d'heure le même signal faisait le tour du mur du jardin, comme si le chef avait désiré s'assurer par lui-même de la vigilance de ses hommes dispersés ; mais rien d'autre ne troublait les environs.

Bientôt les renforts de Dick commencèrent à arriver. La nuit n'était pas encore très avancée qu'il y avait une vingtaine d'hommes tapis près de lui dans les genêts.

Il les sépara en deux corps, prit lui-même le commandement du plus petit, et confia le plus nombreux à la direction de Greensheve.

— Kit, dit-il à ce dernier, conduisez vos hommes à l'angle du jardin, sur la grève. Placez-les fortement et attendez jusqu'à ce que vous m'entendiez tomber sur eux de l'autre côté. C'est de ceux du côté de la mer que je veux m'assurer, car là sera le chef. Le reste se sauvera, laissez-les. Et à présent, mes braves, que personne ne tire une flèche, vous ne feriez que blesser des amis. Prenez le fer, rien que le fer, et, si nous avons le dessus, je promets à chacun de vous un noble d'or quand j'aurai recouvré mon bien.

Parmi la bizarre collection de gens sans aveu, voleurs, assassins et paysans ruinés, que Duckworth avait réunis pour servir ses projets de vengeance, quelques-uns des plus hardis et des plus expérimentés dans la guerre s'étaient offerts pour suivre Richard Shelton. Le service de surveillance des faits et gestes de Sir Daniel dans la ville de Shoreby avait été, dès le début, insupportable à leur tempérament, et ils avaient récemment commencé à exprimer hautement leur mécontentement et à menacer de se disperser. La perspective d'une vive rencontre et d'un butin possible les remettait en belle humeur et ils se préparèrent joyeusement au combat.

Ils jetèrent leurs longues blouses et apparurent les uns en simple justaucorps vert, les autres en fortes jaques de cuir ; sous leurs capuchons, beaucoup portaient des toques avec des plaques de fer et, comme armes offensives, des épées, des poignards, quelques forts épieux et une douzaine de brillantes haches d'armes les mettaient en état de s'engager même contre des troupes féodales régulières. Les arcs, les carquois, les blouses furent cachés dans les genêts et les deux bandes s'avancèrent résolument.

Quand Dick eut atteint l'autre côté de la maison, il posta six hommes en ligne à environ vingt yards du mur du jardin et prit lui-même position quelques pas en avant. Alors ils crièrent tous d'une seule voix en fonçant sur l'ennemi.

Ceux-ci étant très espacés, raidis par le froid et pris à l'improviste, sautèrent stupidement sur leurs pieds et restèrent indécis. Avant qu'ils eussent le temps de se ressaisir, ou même de se faire une idée du nombre et de la valeur de leurs assaillants, un semblable cri d'attaque retentit à leurs oreilles de l'autre bout du mur. Ils se crurent perdus et s'enfuirent.

Ainsi les deux petites troupes d'hommes de la Flèche-Noire se réunirent devant le mur du jardin du côté de la mer et prirent une partie des étrangers pour ainsi dire entre deux feux, tandis que tous les autres s'enfuirent à toutes jambes dans différentes directions et furent bientôt dispersés dans l'obscurité.

Malgré cela le combat ne faisait que commencer. Les outlaws de Dick, quoiqu'ils eussent l'avantage de la surprise, étaient encore beaucoup moins nombreux que les gens qu'ils avaient entourés. La marée était montée ; la grève était réduite à une étroite bande ; et, sur ce champ humide, entre le ressac et le mur du jardin, commença dans l'obscurité, un combat douteux, furieux et meurtrier.

Les étrangers étaient bien armés ; ils s'élancèrent en silence sur leurs assaillants, et la lutte devint une série de combats singuliers. Dick, qui était entré le premier dans la mêlée, fut attaqué par trois hommes ; il abattit le premier d'un seul coup, mais les deux autres fondirent sur lui si violemment qu'il fut obligé de reculer devant leur attaque. L'un de ces hommes était un fort gaillard, presque un géant, et armé d'une épée à deux tranchants qu'il brandissait comme une baguette. Contre cet adversaire, contre la longueur et le poids de son bras et de son arme, Dick et sa hache d'armes étaient absolument sans défense, et si l'autre avait continué à seconder vigoureusement l'attaque, le jeune homme serait certainement tombé. Ce second homme, cependant, plus petit et plus lent dans ses mouvements, s'arrêta un instant pour regarder autour de lui dans l'obscurité, et prêter l'oreille au bruit de la bataille.

Le géant poursuivit toujours son avantage, et Dick fuyait toujours devant lui, guettant une chance. Alors l'énorme lame brilla et s'abattit et le jeune garçon sautant de côté et courant, frappa obliquement et de bas en haut avec sa hache. Un cri d'agonie répondit, et, avant que l'homme blessé eût pu de nouveau lever son arme formidable, Dick, renouvelant deux fois son coup, l'étendit à terre.

L'instant d'après il était engagé d'une manière plus égale avec le second assaillant. Ici il n'y avait pas grande différence de taille, et, quoique l'homme combattît avec une épée et une dague contre une hache, et fût prudent et prompt à la défense, la légère supériorité de ses armes était largement compensée par la plus grande agilité de Dick.

Aucun d'eux ne gagna d'abord d'avantage sérieux, mais le plus âgé peu à peu profitait de l'ardeur du plus jeune pour le mener où il voulait ; et bientôt Dick s'aperçut qu'ils avaient traversé toute la largeur de la grève et combattaient maintenant dans l'écume et le bouillonnement des brisants jusqu'au-dessus des genoux. Là, l'avantage de sa légèreté était perdu ; il se trouvait presque à la discrétion de son ennemi ; encore un peu et il tournait le dos à ses propres compagnons, et il vit que son adroit et habile adversaire cherchait à l'attirer de plus en plus loin.

Dick grinça des dents. Il se décida à terminer le combat immédiatement ; et, dès que la vague suivante se fut retirée, les laissant à sec, il se précipita, reçut un coup sur sa hache, et sauta droit à la gorge de son adversaire. L'homme tomba sur le dos, avec Dick toujours sur lui ; et la vague, revenant rapidement, le recouvrit de son flot.

Pendant qu'il était encore submergé, Dick lui arracha son poignard et se mit sur pieds, victorieux.

— Rendez-vous, dit-il, je vous laisse la vie.

— Je me rends, dit l'autre, se mettant sur les genoux. Vous combattez comme un jeune homme, sans savoir et témérairement, mais par tous les saints, vous vous battez bravement !

Dick retourna vers la grève. Le combat faisait toujours rage et devenait douteux dans la nuit ; par-dessus le rauque rugissement des récifs, le bruit de l'acier contre l'acier, des cris de douleur et des clameurs de guerre résonnaient.

— Conduisez-moi à votre chef, jeune homme, dit le chevalier vaincu. Il est temps d'arrêter cette boucherie.

— Seigneur, répliqua Dick, autant que ces braves gens reconnaissent un chef, le pauvre gentilhomme qui vous parle est celui-là.

— Rappelez votre meute, alors, et j'ordonnerai à mes gredins de se tenir tranquilles, répliqua l'autre.

Il y avait quelque chose de noble à la fois dans la voix et les manières de son dernier adversaire, et, sans hésiter, Dick repoussa toute crainte de trahison.

— Mettez bas les armes, hommes ! cria le chevalier étranger. Je me suis rendu sous promesse de la vie.

Le ton de l'étranger était celui du commandement absolu et presque instantanément le fracas de la confuse mêlée cessa.

— Lawless, cria Dick, êtes-vous sauf ?

— Oui, cria Lawless, sauf et d'aplomb.

— Allumez-moi la lanterne, dit Dick.

— Est-ce que Sir Daniel n'est pas ici ? demanda le chevalier.

— Sir Daniel ? répéta Dick. Par la croix, j'espère que non. Cela irait mal pour moi, s'il y était.

— Mal pour vous, beau sire ? demanda l'autre. Alors si vous n'êtes pas du parti de Sir Daniel, j'avoue que je n'y comprends plus rien. Pourquoi donc êtes-vous tombé sur mon embuscade ? pour quelle querelle, mon jeune et très ardent ami ? dans quel but ? et pour finir avec mes questions, à quel brave gentilhomme me suis-je rendu ?

Mais avant que Dick pût répondre, une voix parla tout auprès dans l'obscurité. Dick vit l'insigne blanc et noir de l'interlocuteur et le respectueux salut qu'il adressa à son supérieur.

— Seigneur, dit-il, si ces messieurs sont des ennemis de Sir Daniel, il est vraiment regrettable que nous en soyons venus aux coups avec eux, mais il serait dix fois plus fâcheux que les uns ou les autres nous restions ici à flâner. Les gardes dans la maison, à moins qu'ils ne soient tous morts ou sourds… ont entendu notre tumulte depuis un quart d'heure ; ils ont dû immédiatement faire quelque signal vers la ville ; et, à moins de partir le plus vite possible, il est probable que nous serons tous attaqués par un nouvel ennemi.

— Hawksley a raison, ajouta le lord. Nous sommes à vos ordres, monsieur ? Où irons-nous ?

—Non, monseigneur, dit Dick, allez où vous voudrez. Je commence à soupçonner que nous avons quelque raison d'être amis, et si, il est vrai, j'ai commencé votre connaissance un peu rudement, je ne voudrais pas la continuer grossièrement. Séparons-nous donc, monseigneur, mettez votre main dans la mienne, et, à l'heure et à l'endroit que vous désignerez, aura lieu notre rencontre et notre accord.

—Vous êtes trop confiant, jeune homme, dit l'autre, mais cette fois votre confiance n'est pas mal placée. Je vous rencontrerai au point du jour à la croix de Sainte-Bride, Allons ! garçons, suivez-moi.

Les étrangers disparurent de la scène avec une rapidité qui semblait inquiète, et pendant que les outlaws se livraient à leur tâche naturelle, le dépouillement des morts, Dick fit une fois encore le tour du mur du jardin pour examiner la façade de la maison.

Dans une petite meurtrière en haut du toit, il aperçut une lumière posée ; et comme elle était certainement visible des fenêtres de service de la maison de ville de Sir Daniel, il ne douta pas que ce fût le signal craint par Hawksley et qu'avant peu les lances du chevalier de Tunstall arriveraient sur le lieu du combat.

Il mit son oreille sur le sol, et il lui sembla entendre, venant de la ville, un bruit sourd et rude. Il retourna en hâte vers la berge. Mais le travail était terminé ; le dernier corps était désarmé et dépouillé jusqu'à la peau ; et quatre hommes marchaient déjà dans l'eau pour les confier à la merci de l'Océan.

Quelques minutes plus tard, lorsque d'une des ruelles les plus proches de Shoreby, une quarantaine de cavaliers débouchèrent, hâtivement équipés et au galop de leurs montures, le voisinage de la maison au bord de la mer était parfaitement silencieux et désert.

Dick et ses hommes étaient retournés à la taverne « La Chèvre et la Musette » pour prendre quelques heures de sommeil avant le rendez-vous du matin.

CHAPITRE III
LA CROIX DE SAINTE-BRIDE

La croix de Sainte-Bride était un peu en arrière de Shoreby sur les confins de la forêt de Tunstall. Deux routes s'y rencontraient ; l'une venait de Holywood à travers la forêt ; l'autre était cette route venant de Risingham sur laquelle nous avons vu les débris d'une armée de Lancastre fuir en désordre. Ici les deux se réunissaient et descendaient ensemble la colline vers Shoreby ; un peu en arrière du point de jonction, la vieille croix, usée par les intempéries, couronnait le sommet d'un petit monticule.

Ici donc, vers sept heures du matin, Dick arriva. Il faisait plus froid que jamais ; la terre était d'un gris d'argent sous le givre, et le jour se levait à l'est avec des teintes pourpres et orangées.

Dick s'assit sur la marche la plus basse de la croix, s'enveloppa bien dans sa tunique, et regarda attentivement de tous côtés. Il n'attendit pas longtemps. Sur la route de Holywood, un gentilhomme couvert d'une brillante et riche armure, et portant par-dessus un manteau des fourrures les plus rares, arriva au pas d'un splendide coursier. A vingt mètres derrière lui suivait une troupe de lanciers ; mais ceux-ci firent halte dès qu'ils furent en vue du lieu du rendez-vous, tandis que le gentilhomme au manteau de fourrures continua à s'avancer seul.

Sa visière était levée et montrait une expression de grande autorité et de dignité, en rapport avec la richesse du costume et des armes. Et ce fut avec une certaine confusion que Dick se leva de la croix, et descendit au-devant de son prisonnier.

— Je vous remercie de votre exactitude, dit-il. Plaît-il à Votre Seigneurie de mettre pied à terre ?

— Êtes-vous seul, jeune homme ? demanda l'autre.

— Je n'ai pas été si naïf, répondit Dick, et pour être franc avec Votre Seigneurie, je lui dirai que les bois tout autour de cette croix sont pleins de mes braves couchés sur leurs armes.

— Vous avez agi sagement, dit le Lord. Cela me plaît d'autant plus que la nuit dernière vous avez été téméraire, et vous êtes battu, plutôt comme un fou de sarrazin, que comme un guerrier chrétien. Mais il ne me convient pas de me plaindre, à moi qui ai eu le dessous.

— Vous avez eu le dessous en vérité, monseigneur, puisque vous êtes tombé, répondit Dick ; mais, si les vagues ne m'avaient aidé, c'est moi qui aurais eu le dessous. Vous vous êtes plu à me faire vôtre par plusieurs marques de votre dague que je porte encore. Et, en fait, monseigneur, je pense que j'ai eu tout le danger aussi bien que tout le profit de ce petit pêle-mêle d'aveugles sur la grève.

— Vous êtes assez adroit pour peu vous en soucier, je vois, répliqua l'étranger.

— Non, monseigneur, pas adroit, répliqua Dick. En cela je ne visais aucun avantage pour moi-même. Mais quand, à la lumière de ce nouveau jour, je vois quel puissant chevalier s'est rendu, non à mes armes seules, mais à la fortune, à l'obscurité et à la marée… et combien aisément le combat aurait pu tourner autrement avec un soldat aussi neuf et aussi rustique que moi... ne vous étonnez pas, monseigneur, si je demeure confondu de ma victoire.

— Vous parlez bien, dit l'étranger. Votre nom ?

— Mon nom, s'il vous plaît, est Shelton, répondit Dick.

— On m'appelle Lord Foxham, ajouta l'autre.

— Alors, monseigneur, avec votre bon plaisir, vous êtes tuteur de la plus charmante fille d'Angleterre, répliqua Dick, et, pour votre rançon et la rançon de ceux pris avec vous sur la grève, il n'y aura pas d'hésitation sur les conditions. Je demande, monseigneur, à votre bon vouloir et bienfaisance de m'accorder la main de ma maîtresse Joanna Sedley ; et prenez en échange votre liberté et celle de vos hommes, et (si vous les acceptez) ma reconnaissance et mon hommage jusqu'à ma mort.

— Mais n'êtes-vous pas pupille de Sir Daniel ? Il me semble, si vous êtes le fils de Harry Shelton, que je l'ai entendu dire, dit Lord Foxham.

— Vous plairait-il, monseigneur, de mettre pied à terre ? Je vous dirais volontiers complètement qui je suis, dans quelle situation et pourquoi si hardi dans mes demandes. Je vous supplie, monseigneur, prenez place sur ces marches, écoutez-moi jusqu'au bout, et jugez-moi avec indulgence.

Et Dick aida Lord Foxham à descendre ; le conduisit à la croix sur le monticule ; l'installa à la place où lui-même avait attendu ; et, debout, respectueusement devant son noble prisonnier, raconta l'histoire de sa vie jusqu'aux événements de la dernière nuit.

Lord Foxham écouta gravement, et lorsque Dick eut terminé :

— Maître Shelton, dit-il, vous êtes un très heureux, malheureux jeune gentilhomme ; mais ce qui vous est arrivé d'heureux, vous l'avez amplement mérité ; et ce qui vous est arrivé de malheureux, vous ne l'avez mérité en aucune façon. Soyez satisfait, car vous vous êtes fait un ami qui n'est pas sans puissance ni faveur. Pour vous, quoi qu'il ne convienne pas à une personne de votre rang de frayer avec des outlaws, je dois reconnaître que vous êtes à la fois brave et loyal, très dangereux dans la bataille, très courtois en paix ; un jeune homme d'excellentes dispositions et de conduite généreuse. Quant à vos propriétés, vous ne les reverrez pas avant que le monde change de nouveau. Tant que Lancastre l'emportera, Sir Daniel en aura la jouissance. Ma pupille, c'est une autre affaire ; j'ai déjà promis sa main à un gentilhomme, un membre de ma famille, un nommé Hamley, la promesse est ancienne.

— Ah ! monseigneur, et Sir Daniel l'a promise à Lord Shoreby, interrompit Dick. Et sa promesse, quoique nouvelle, est encore celle qui a le plus de chance de s'accomplir.

— C'est la pure vérité, répliqua Sa Seigneurie. Et considérant, en outre, que je suis votre prisonnier, sans autre composition que ma vie, et surtout que la jeune fille est malheureusement en d'autres mains, j'irai jusque-là. Aidez-moi avec vos braves gens.

— Monseigneur, s'écria Dick, ce sont ces mêmes outlaws auxquels vous me reprochiez de m'associer.

— Qu'ils soient ce qu'ils veulent, ils savent se battre, répliqua Lord Foxham. Aidez-moi donc, et, si par notre alliance, nous reprenons la fille, sur mon honneur de chevalier, elle vous épousera !

Dick plia le genou devant son prisonnier, mais celui-ci, se levant légèrement du pied de la croix, le releva et l'embrassa comme un fils.

— Allons, dit-il, puisque vous devez épouser Joanna, nous devons être amis dès maintenant.

CHAPITRE IV
« LA BONNE ESPÉRANCE »

Une heure après, Dick était de retour à l'auberge « La Chèvre et la Musette », où il déjeunait, et recevait les rapports de ses messagers et de ses sentinelles. Duckworth était encore absent de Shoreby, comme il lui arrivait souvent, car il jouait plusieurs rôles dans le monde, avait des intérêts divers, et dirigeait bien des affaires différentes. Il avait fondé cette compagnie de la Flèche-Noire comme un homme ruiné, avide de vengeance et d'or ; et, pourtant, parmi ceux qui le connaissaient le mieux, il passait pour être l'agent et l'émissaire du grand faiseur de rois d'Angleterre, Richard, comte de Warwick.

Quoi qu'il en soit, en son absence, c'était à Richard Shelton de commander les affaires à Shoreby ; et, s'asseyant pour son repas, il avait l'esprit soucieux et sa figure était grave de réflexions. Il avait été décidé entre lui et Lord Foxham de tenter un coup hardi cette nuit même et de délivrer Joanna par la force. Les obstacles cependant étaient nombreux, et ses espions, arrivant l'un après l'autre, lui apportaient des nouvelles de plus en plus inquiétantes.

L'éveil avait été donné à Sir Daniel par l'escarmouche de la nuit précédente. Il avait augmenté la garnison de la maison dans le jardin, et, non content de cela, il avait disposé des cavaliers dans toutes les ruelles avoisinantes, en sorte qu'il pouvait être immédiatement prévenu de tout mouvement. En outre, dans la cour de son hôtel, des chevaux étaient sellés, et les cavaliers armés de toutes pièces n'attendaient qu'un signal pour partir.

L'entreprise de la nuit semblait de plus en plus difficile à exécuter, lorsque tout à coup la figure de Dick s'éclaircit.

— Lawless, cria-t-il, vous qui avez été matelot, pouvez-vous me voler un vaisseau ?

— Maître Dick, répliqua Lawless, si vous me donniez un coup de main, je consentirais à voler la cathédrale d'York.

Aussitôt, tous deux se mirent en route et descendirent vers le port. C'était un grand bassin situé entre des collines de sable, et entouré de monceaux de dunes, de vieux fatras en ruines et des bouges délabrés de la ville. Bien des bateaux pontés et des barques ouvertes y étaient à l'ancre, ou avaient été tirés sur le rivage.

Une longue durée de mauvais temps les avait ramenés de la haute mer dans l'abri du port ; et les grands amas de nuages noirs, les froides rafales qui se succédaient, tantôt avec des tourbillons de neige, tantôt en simples coups de vent, n'étaient guère rassurants, mais menaçaient de quelque plus sérieuse tempête, avant peu.

Les matelots, à cause du froid et du vent, s'étaient pour la plupart esquivés à terre et criaient et chantaient dans les tavernes du port. Bien des vaisseaux déjà se balançaient abandonnés sur leurs ancres, et, comme le jour s'avançait et que le temps ne semblait pas devoir se remettre, le nombre en augmentait sans cesse. Ce fut sur ces navires désertés, et surtout sur ceux qui étaient le plus éloignés, que Lawless porta son attention, tandis que Dick, assis sur une ancre à moitié enlisée dans le sable, prêtant l'oreille, tantôt à la voix rude, puissante et pleine de présages de la tempête, tantôt aux chants discordants des matelots dans une taverne voisine, oublia bientôt tout ce qui l'entourait, et ses soucis, à l'agréable souvenir de la promesse de Lord Foxham.

Il fut dérangé par un léger coup sur l'épaule. C'était Lawless qui désignait un petit vaisseau, quelque peu isolé, et à petite distance de l'embouchure du port, où il se soulevait régulièrement et doucement à l'entrée des lames. Un pâle rayon de soleil d'hiver tomba à ce moment sur le pont du vaisseau, le mettant en relief contre un banc de nuages menaçants ; et, dans cette lumière rapide, Dick, put voir deux hommes qui halaient la barque sur le flanc du vaisseau.

— Voilà, monsieur, dit Lawless, remarquez-le bien ! Voilà le bateau pour ce soir.

Bientôt le canot fut détaché du flanc du vaisseau, et les deux hommes, le maintenant bien dans le vent, ramèrent vigoureusement vers le rivage. Lawless s'adressa à un flâneur.

— Comment l'appelez-vous ? demanda-t-il, désignant le petit navire.

— On l'appelle *la Bonne Espérance* de Dartmouth, répliqua le flâneur. Son capitaine, un nommé Arblaster, tient la rame d'avant dans la barque là-bas.

C'était tout ce que Lawless voulait savoir. Vite, remerciant l'homme, il fit le tour du rivage, jusqu'à une crique sablonneuse, vers laquelle se dirigeait la barque. Là, il prit position, et, sitôt qu'ils furent à portée de la voix, il ouvrit le feu sur les matelots de *la Bonne Espérance.*

— Eh quoi ! le compère Arblaster ! cria-t-il. Vous êtes le bien rencontré, oui, compère, vous êtes le très bien rencontré, par la croix ! Et est-ce là *la Bonne Espérance* ? Oui, je l'aurais reconnue entre dix mille !... une belle maîtresse, un beau vaisseau ! Mais, merci de ma vie, mon compère, voulez-vous boire un coup ? J'ai ma propriété à présent dont vous vous souvenez sans doute avoir entendu parler. Je suis riche aujourd'hui, j'ai laissé la mer et je fais voile le plus souvent sur de l'ale épicée. Viens, mon garçon, donne ta main et viens trinquer avec un vieux camarade !

Le capitaine Arblaster, homme à la figure longue, âgé et usé par l'air, un couteau pendu au cou par une corde nattée et tout semblable à un matelot moderne dans sa tenue et sa démarche, s'était reculé avec un étonnement et une méfiance visibles. Mais le mot de propriété et un certain air de simplicité et de bonne camaraderie d'ivrogne que Lawless savait très bien prendre, se combinèrent pour triompher de ses craintes soupçonneuses, sa figure se détendit, et aussitôt il présenta sa main ouverte et serra celle de l'outlaw dans une formidable étreinte.

— Non, dit-il, je ne me souviens pas de vous. Mais qu'est-ce que ça fait ? Je boirais avec n'importe qui, compère, et mon matelot Tom aussi. Matelot Tom, ajouta-t-il, s'adressant à son compagnon, voici mon compère dont je ne me rappelle pas le nom, mais qui est sûrement un très bon marin. Allons boire avec lui et son ami terrien.

Lawless montra le chemin, et ils furent bientôt assis dans une brasserie toute nouvelle, et située dans un endroit exposé et solitaire, et pour cette raison moins encombrée que celles près du centre du port. Ce n'était qu'un hangar de bois, ressemblant à un blockhaus d'aujourd'hui dans les forêts, grossièrement garni d'un ou deux pressoirs, d'un certain nombre de bancs et de planches posées sur des barils en guise de tables. Au milieu, et assiégé par une cinquantaine de violents courants d'air, un feu de bois d'épaves flambait et exhalait une épaisse fumée.

— Ah ! à présent, dit Lawless, voici la joie du matelot, un bon feu et un bon verre de raide à terre, avec le mauvais temps dehors et la tempête au loin sur la mer, grondant dans le toit. A *la Bonne Espérance* ! Puisse-t-elle avoir une heureuse traversée.

— Oui, dit le capitaine Arblaster, c'est un beau temps pour être à terre, c'est vrai. Matelot Tom, qu'en dis-tu ? Compère, vous parlez bien quoique je ne puisse pas me rappeler votre nom, mais vous parlez très bien. Puisse *la Bonne Espérance* avoir une heureuse traversée. Amen !

— Ami Dickon, conclut Lawless, s'adressant à son chef, vous avez certaines affaires en train si je ne me trompe ? Bien, je te prie d'y aller tout de suite. Car je suis ici avec la crème de la bonne compagnie, deux vieux rudes marins ; et jusqu'à votre retour je garantis que ces braves garçons resteront ici et me rendront raison, verre pour verre. Nous ne sommes pas comme des terriens, nous autres vieux et rudes Jean-du-Goudron.

— C'est bien dit, répliqua le capitaine. Vous pouvez aller, jeune homme, car je tiendrai compagnie à votre bon ami et mon bon compère jusqu'au couvre-feu… oui, et, par sainte Marie, jusqu'à ce que le soleil se lève de nouveau ! Car, voyez-vous, quand un homme est resté assez longtemps en mer, le sel traverse jusqu'à l'argile des os ; il aura beau boire, il ne sera jamais désaltéré.

Ainsi pressé de tous côtés, Dick se leva, salua la société, sortit dans l'atmosphère orageuse et se rendit aussi vite qu'il put à « La Chèvre et la Musette ». De là, il fit dire à Lord Foxham que sitôt la nuit venue, ils auraient un solide bateau pour prendre la mer. Puis, menant avec lui deux outlaws qui avaient quelque expérience de la mer, il retourna au port, sur la petite crique sablonneuse.

La barque de *la Bonne Espérance* était là, parmi beaucoup d'autres, dont elle se distinguait facilement par son extrême petitesse et fragilité. Quand Dick et ses deux hommes eurent pris place et s'avancèrent hors de la crique dans le port ouvert, la petite coquille enfonçait dans les lames et se penchait à chaque coup de vent comme une chose sur le point d'enfoncer.

La Bonne Espérance, comme nous l'avons dit, était à l'ancre au loin, là où les lames étaient les plus fortes. Aucun vaisseau plus près, qu'à plusieurs longueurs de câble ; les plus voisins étaient eux-mêmes entièrement abandonnés, et, au moment où la barque approcha, une épaisse chute de neige et un soudain assombrissement du temps cacha la suite des opérations des outlaws à tout espionnage possible. En un instant ils avaient sauté sur le pont, et la barque dansait à l'arrière. *La Bonne Espérance* était prise.

C'était un bon et solide bateau, ponté par le travers et entre poupe et proue, mais découvert à l'arrière. Il avait un mât et son gréement tenait de la felouque et du lougre. Il semblait que le capitaine Arblaster eût fait une excellente croisière car la cale était pleine de pièces de vin de France ; et dans la petite cabine, outre la Vierge Marie dans sa niche, qui prouvait la piété du capitaine, il y avait bon nombre de coffres et armoires fermés à clef qui montraient qu'il était riche et rangé.

Un chien, qui était le seul occupant du navire, aboya furieusement et mordit aux talons les nouveaux venus ; il fut bientôt poussé à coups de pieds dans la cabine, et la porte fermée sur son juste ressentiment. Une lampe fut allumée et fixée dans le cordage pour que l'on pût bien distinguer le vaisseau du rivage ; une des pièces de vin dans la cale fut défoncée et un verre d'excellent vin de Gascogne vidé à l'entreprise de la nuit ; puis, tandis qu'un des outlaws préparait son arc et ses flèches pour être prêt à défendre le vaisseau contre tout venant, l'autre hala la barque, sauta par-dessus bord et la maintint en attendant Dick.

— Bien, Jack, faites bonne garde, dit le jeune chef, qui se préparait à suivre son homme. Vous ferez cela très bien.

— Oui, répondit Jack, je ferai très bien, vraiment, tant que nous resterons ici ; mais sitôt que ce pauvre bateau mettra le nez hors du port... Voyez comme il tremble ! Ah ! le pauvre malheureux entend ce qu'on dit et le cœur lui a manqué dans ses côtes de chêne. Regardez donc, maître Dick, comme le ciel devient noir !

L'obscurité en avant était en effet étonnante. De grandes lames s'élevaient dans cette obscurité l'une après l'autre, et l'une après l'autre, soulevaient légèrement, *la Bonne Espérance*, et plongeaient vertigineusement de l'autre côté. Une neige légère et de légers flocons d'écume, volaient et poudraient le pont ; et le vent jouait lugubrement dans les cordages.

— Ma foi, ça a l'air de se gâter, dit Dick. Bah, courage ! Ce n'est qu'un grain, ça va bientôt passer. Mais, malgré ce qu'il disait, il était péniblement impressionné par le morne désordre du ciel et par les gémissements et sifflements du vent ; et, en quittant *la Bonne Espérance*, et regagnant la crique à force de rames, il se signa dévotement et recommanda au Ciel les vies de tous ceux qui allaient s'aventurer en mer.

Au point de débarquement une douzaine d'outlaws étaient déjà réunis. Le canot leur fut laissé, et ordre leur fut donné d'embarquer immédiatement.

Un peu plus loin, sur la berge, Dick trouva Lord Foxham qui courait à sa recherche, la figure cachée sous un capuchon sombre, et sa brillante armure couverte d'un long manteau rougeâtre, de pauvre mine.

— Jeune Shelton, dit-il, vous tenez décidément pour la mer ?

— Monseigneur, répliqua Richard, la maison est entourée de cavaliers ; impossible d'arriver du côté de la terre sans donner l'alarme, et Sir Daniel une fois prévenu de notre expédition, nous ne pourrons pas plus la mener à bonne fin, malgré votre aide, que galoper sur le vent. Tandis qu'en faisant le tour par la mer, nous courons quelque danger à cause du temps ; mais, ce qui est l'essentiel, nous avons chance d'arriver au but et d'enlever la jeune fille.

— Soit, répliqua Lord Foxham. Conduisez-moi. C'est bien par point d'honneur que je vous suivrai, car j'avoue que j'aimerais mieux être au lit.

— Par ici, alors, dit Dick, nous allons chercher notre pilote.

Et il montra le chemin de la grossière taverne, où il avait donné rendez-vous à une partie de ses hommes. Il en trouva quelques-uns qui flânaient dehors, près de la porte ; d'autres, plus hardis, étaient entrés, et, choisissant des places le plus près possible de leur camarade, s'étaient groupés près de Lawless et des deux matelots. Ceux-ci, à en juger par l'altération de leurs traits, et leur œil voilé, avaient depuis longtemps passé les bornes de la modération ; et lorsque Richard entra, suivi de près par Lord Foxham, ils étaient tous les trois en train de chanter un triste vieux refrain marin, faisant chorus avec le gémissement de la tempête. Le jeune chef jeta un regard rapide, autour du hangar. Le feu venait d'être regarni et lançait des torrents de fumée noire, de sorte qu'il était difficile de bien voir dans les coins les plus éloignés. Toutefois, il était évident que les outlaws étaient de beaucoup plus nombreux que les autres hôtes. Rassuré sur ce point, au cas où quelque obstacle empêcherait l'exécution de son plan, Dick s'avança vers la table, et reprit sa place sur le banc.

— Hé ? cria le capitaine, d'une voix d'ivrogne, qui êtes-vous… hé ?

— Je voudrais vous dire un mot dehors, maître Arblaster, répliqua Dick, et voici ce dont nous parlerons. Il lui montra un noble d'or à la lueur, du feu.

Les yeux du marin s'allumèrent, bien qu'il continuât à ne pas reconnaître notre héros.

— Ah ! mon garçon, dit-il, je suis à vous. Compère, je reviens de suite. Buvez sec, compère ; et, prenant le bras de Dick pour raffermir ses pas chancelants, il marcha vers la porte de la taverne.

Aussitôt qu'il eût dépassé la porte, dix bras vigoureux le saisirent et le lièrent, et deux minutes après, les membres liés, et un bon bâillon sur la bouche, il fut jeté comme un paquet dans un grenier à foin du voisinage. Bientôt son matelot Tom, arrangé de même façon, fut jeté à côté de lui, et tous deux furent laissés pour la nuit à leurs peu ordinaires réflexions.

Alors, le moment des ruses étant passé, la troupe de Lord Foxham fut ralliée à un signal convenu, et tous, s'emparant d'autant de bateaux que leur nombre en exigeait, dirigèrent à la rame toute une flottille vers la lumière dans les cordages du navire. Bien avant que le dernier homme eût grimpé sur *la Bonne Espérance*, un bruit de cris furieux, venant de la côte, montra qu'une partie au moins des matelots, avait découvert la perte de leurs barques.

Mais il était trop tard pour les reprendre ou pour se venger. Sur les quarante hommes armés, environ, réunis sur le vaisseau volé, huit avaient été à la mer et pouvaient encore faire la manœuvre. Avec leur aide, un morceau de voile fut tendu. Le câble fut coupé. Lawless, titubant et chantant encore le refrain d'une ballade de matelots, prit en main la longue barre du gouvernail ; et *la Bonne Espérance* s'avança en glissant dans l'obscurité de la nuit, et s'enfonça dans les grandes lames au delà de la barre du port.

Richard prit place à l'avant. Sauf la lanterne même du vaisseau et quelques lumières dans Shoreby, qui déjà disparaissait sous le vent, dans l'atmosphère entière qui les entourait, il faisait noir comme dans un four. Parfois, lorsque *la Bonne Espérance* s'abattait vertigineusement dans la vallée des vagues, une crête se brisait, une énorme cataracte d'écume neigeuse prenait tout à coup naissance, pour, l'instant d'après, s'écouler en torrent dans le sillage, et disparaître.

Plusieurs des hommes s'accrochaient et priaient à haute voix, un plus grand nombre étaient malades, et s'étaient traînés jusqu'à la cale, où ils se débattaient au milieu de la cargaison. Et avec l'extrême violence de la marche, et les continuelles bravades d'ivrogne de Lawless qui criait et chantait toujours à la barre, le plus ferme courage à bord devait avoir une terrible méfiance du résultat.

Mais Lawless, comme guidé par l'instinct, gouvernait entre les brisants, se jetait sous le vent d'un grand banc de sable, où ils naviguèrent un moment dans des eaux tranquilles, et, bientôt après, amena le vaisseau le long d'une grossière jetée de pierres, où il fut hâtivement attaché, et resta, plongeant et grinçant dans l'obscurité.

CHAPITRE V
« LA BONNE-ESPÉRANCE » (*suite*)

La jetée n'était pas loin de la maison où se trouvait Joanna ; il ne restait plus qu'à faire atterrir les hommes, entourer la maison d'un fort parti, enfoncer la porte et enlever la captive. Ils pouvaient donc se considérer comme quittes de *la Bonne Espérance*, elle les avait portés à l'arrière de leurs ennemis, et, que leur entreprise réussît ou échouât, les meilleures chances pour la retraite étaient dans la direction de la forêt et des propriétés de lord Foxham.

Faire atterrir les hommes, cependant, n'était pas chose aisée ; beaucoup avaient été malades, tous étaient transpercés de froid, la promiscuité et le désordre à bord avaient troublé leur discipline ; le mouvement du bateau et l'obscurité de la nuit avaient abattu leur énergie. Ils se précipitèrent sur la jetée ; monseigneur, l'épée tirée contre ses propres serviteurs, dut se jeter en avant ; et cette poussée de foule ne fut pas refrénée sans quelques cris, vraiment déplorables dans l'occurrence.

Lorsqu'un peu d'ordre fut rétabli, Dick, avec quelques hommes choisis, s'avança. L'obscurité à terre, par contraste avec le scintillement du ressac, apparaissait devant lui comme un corps solide, et le hurlement et le sifflement de la tempête couvrait tout autre bruit.

Pourtant il était à peine arrivé au bout de la jetée, qu'il y eut un moment d'accalmie ; et il lui sembla entendre sur le rivage, le pas sonore de chevaux et un cliquetis d'armes. Arrêtant ceux qui le suivaient le plus près, il s'avança, d'un ou deux pas, seul, mettant même le pied sur la dune ; et là, il put s'assurer qu'il y avait des formes d'hommes et de chevaux en marche. Un violent découragement l'assaillit. Si leurs ennemis étaient réellement sur leurs gardes, et s'ils avaient assiégé le bout de la jetée, lui et lord Foxham étaient pris dans une posture de pauvre défense, la mer en arrière et les hommes serrés dans l'obscurité sur une étroite chaussée. Il siffla doucement, ce qui était le signal convenu.

Ce fut un signal pour les autres aussi. En un instant tomba à travers la nuit sombre une averse de flèches lancées au hasard ; et les hommes étaient tellement entassés sur la jetée que plus d'un fut atteint, et il fut répondu aux flèches par des cris d'effroi et de douleur. Dans cette première décharge, lord Foxham fut frappé ; Hawksley le fit porter de suite à bord, et ses hommes pendant la courte fin de l'escarmouche combattirent (ceux du moins qui combattirent), sans ordres. Ce fut peut-être la cause principale du désastre qui suivit bientôt.

Au bout de la jetée, vers la côte, pendant peut-être une minute, Dick tint bon avec une poignée d'hommes ; un ou deux furent blessés de chaque côté de lui ; le fer croisait le fer ; il n'y avait pas encore le moindre signe d'avantage, quand, en un clin d'œil, la marée tourna contre ceux du vaisseau. Quelqu'un cria que tout était perdu ; les hommes étaient dans un état d'esprit à écouter un avis néfaste ; le cri fut repris : « A bord, les amis, il y va de notre vie ! » cria un autre. Un troisième, avec le pur instinct du poltron, suscita l'inévitable rumeur de toute déroute : « Nous sommes trahis ! » Et en un moment, toute cette troupe d'hommes se choquant et se poussant en arrière sur la jetée, tournèrent leurs dos sans défense à leurs ennemis et percèrent la nuit de leurs clameurs apeurées.

Un lâche repoussa l'arrière du vaisseau, pendant qu'un autre le retenait encore par l'avant. Les fugitifs sautèrent en criant et furent hissés à bord, ou retombèrent et périrent dans la mer. Quelques-uns furent massacrés sur la jetée par les ennemis. Beaucoup furent blessés sur le pont du navire dans l'aveugle hâte et la terreur du moment, un homme sautant sur un autre et un troisième sur les deux. Enfin, et soit à dessein, soit par accident, l'avant de *la Bonne Espérance* fut détaché et le toujours prêt Lawless qui avait conservé sa place au gouvernail à travers le tohu-bohu, grâce à sa force physique et à l'usage libéral du froid acier, aussitôt la mit en bon chemin. Le vaisseau commença de nouveau à se mouvoir sur la mer orageuse, le sang coulant sur ses dalots, son pont encombré d'hommes tombés qui se traînaient et se débattaient dans l'obscurité.

Alors Lawless rengaina sa dague et, se tourna vers son voisin : « Je les ai marqués, compère, dit-il, les lâches chiens aboyeurs. »

Pendant qu'ils étaient tous à sauter et se débattre pour leur vie, les hommes n'avaient pas pu s'apercevoir des rudes poussées et des coups tranchants par lesquels Lawless avait conservé son poste dans le désordre. Mais peut-être avaient-ils déjà commencé à comprendre un peu plus clairement ou peut-être une autre oreille surprit les paroles du timonier.

Les troupes frappées de panique se remettent lentement, et des hommes qui viennent de se déshonorer par une lâcheté, comme pour essuyer le souvenir de leur faute, parfois se jettent tout droit par contre dans l'extrême insubordination. Ce fut le cas, et les mêmes hommes qui avaient jeté leurs armes et avaient été hissés, les pieds en avant, sur *la Bonne Espérance*, se mirent à crier contre leurs chefs et demandèrent que quelqu'un fût puni.

Cette croissante animosité se tourna contre Lawless.

Dans le but de gagner le large nécessaire, le vieil outlaw avait tourné la tête de *la Bonne Espérance* vers la mer.

— Quoi, brailla un des mécontents, il nous conduit vers la mer.

— C'est vrai, cria un autre, non, nous sommes trahis pour sûr.

Et tous en chœur crièrent qu'ils étaient trahis et, avec des menaces et des jurons abominables ordonnèrent à Lawless de tourner son vaisseau et de le ramener rapidement à terre.

Lawless, grinçant des dents, continua en silence à gouverner dans le vrai chemin, et guida *la Bonne Espérance* parmi de formidables lames. A leurs terreurs vides, comme à leurs déshonorantes menaces, entre l'ivresse et la dignité, il dédaignait de répondre. Les mécontents se réunirent un peu à l'arrière du mât, et il était évident qu'ils étaient comme des coqs de basse-cour qui « chantent pour se donner du courage ». Bientôt ils seraient mûrs pour n'importe quelle extrémité d'injustice ou d'ingratitude. Dick monta à l'échelle, impatient de s'interposer ; mais un des outlaws, qui était aussi quelque peu matelot, s'avança devant lui.

— Amis, commença-t-il, vous êtes de vraies têtes de bois, je pense. Car pour retourner, par la messe ! il faut avoir du large, n'est-ce pas ? Et ce vieux Lawless…

Quelqu'un frappa l'orateur sur la bouche, et, l'instant d'après, de même que le feu court dans la paille sèche, il fut renversé sur le pont, foulé aux pieds et massacré à coups de dagues par ses compagnons. A cette vue, la colère saisit Lawless.

— Gouvernez vous-mêmes, hurla-t-il avec un juron et, insoucieux du résultat, il quitta le gouvernail.

La Bonne Espérance vacillait à ce moment au sommet d'une lame. Elle s'affaissa avec une effrayante rapidité de l'autre côté. Une vague, comme un grand rempart noir, se souleva immédiatement devant elle, et avec un ébranlement, elle plongea la tête en avant à travers cette colline liquide. L'eau verte passa droit sur elle de la poupe à la proue à la hauteur des genoux, l'écume alla plus haut que le mât ; et elle se releva de l'autre côté avec une indécision effrayante, tremblante comme un animal blessé mortellement.

Six ou sept des mécontents avaient été enlevés par-dessus bord ; et quant aux autres, lorsqu'ils retournèrent leurs langues, ce fut pour beugler aux saints et supplier Lawless de revenir et de reprendre le gouvernail.

Et Lawless n'attendit pas d'être requis deux fois. Le terrible résultat de son accès de juste ressentiment le dégrisa complètement. Il savait mieux que personne à bord, combien *la Bonne Espérance* avait été près de s'enfoncer sous leurs pieds ; et il pouvait juger à la passivité avec laquelle elle avait reçu la mer, que le danger était loin d'être paré.

Dick, qui avait été renversé par le choc, et à moitié noyé, se leva, s'avança péniblement sur la proue inondée, de l'eau jusqu'aux genoux, et se faufila à côté du vieux timonier.

— Lawless, dit-il, notre sort à tous dépend de vous, vous êtes un homme brave, solide et habile à la manœuvre des navires, je vais mettre trois hommes sûrs pour veiller à votre sûreté.

— Inutile, mon maître, inutile, dit le timonier, perçant l'obscurité du regard. Peu à peu, nous nous dégageons de ces bancs de sable ; et peu à peu la mer nous jette des paquets de plus en plus lourds et, quant à tous ces pleurnicheurs, ils seront bientôt sur le dos. Car, mon maître, c'est un mystère, mais véritable, qu'il n'y a jamais eu de méchant homme qui soit un bon marin. Il n'y a que les gens honnêtes et braves qui puissent supporter ce ballottement d'un bateau.

— Non, Lawless, dit Dick en riant, c'est un vrai dicton de matelot, ça n'a pas plus de sens que le sifflement du vent. Mais, je te prie, comment allons-nous ? Sommes-nous en bon chemin ? Nous en tirerons-nous ?

— Maître Shelton, répliqua Lawless, j'ai été Frère Gris, j'en remercie la fortune..., archer, voleur et matelot. De tous ces vêtements, j'avais la meilleure envie de mourir dans celui du Frère Gris comme vous pouvez bien le penser, et la moindre envie de mourir dans la veste goudronnée du matelot ; et cela pour deux excellentes raisons : premièrement, parce que la mort peut prendre un homme subitement; et la seconde, à cause de l'horreur de l'asphyxie dans ce grand bain salé sous mon pied ici... et Lawless frappa du pied. Cependant, continua-t-il, si je ne meurs pas d'une mort de marin, et cela cette nuit même, je devrai une fière chandelle à Notre-Dame.

— C'est vrai ? demanda Dick.

— Parfaitement, répliqua l'outlaw. Ne sentez-vous pas comme le bateau se meut lourdement et lentement ? N'entendez-vous pas l'eau qui baigne sa cale ? Il sera à peine sensible au gouvernail à présent, attendez qu'il s'enfonce un peu plus ; et, ou bien il descendra sous vos pieds comme un bloc de pierre, ou dérivera sur la côte, ici, sous notre vent, et se mettra en pièces comme un paquet de ficelle.

— Vous parlez avec bon courage, répliqua Dick. Et vous n'êtes pas épouvanté ?

— Pourquoi, maître ? répondit Lawless ; si jamais homme eut un mauvais équipage à ramener au port, c'est moi... Frère défroqué, voleur, et tout le reste avec. Bien, vous pouvez vous en étonner, mais je garde bon espoir dans mon bissac et si je dois être noyé, je me noierai l'œil clair, maître Shelton, et la main ferme.

Dick ne répondit pas ; mais il fut surpris de trouver le vieux vagabond si résolu, et craignant quelque nouvelle violence ou trahison, il se mit en quête de trois hommes sûrs. La plupart des hommes avaient déserté le pont, qui était incessamment lavé par la crête des lames, et où ils étaient exposés à l'âpreté du vent d'hiver. Ils s'étaient réunis dans la cale des marchandises, parmi les muids de vin et deux lanternes les éclairaient en se balançant.

Là, quelques-uns conservaient leur gaieté et ne cessaient de porter la santé les uns des autres avec le vin de Gascogne d'Arblaster. Mais, comme *la Bonne Espérance* continuait à s'agiter sur les vagues furieuses et lançait sa poupe et sa proue alternativement haut dans le vide, et profondément dans l'écume blanche, le nombre de ces joyeux compagnons diminuait à chaque instant et à chaque embardée. Beaucoup étaient à part, soignant leurs blessures, mais la plupart étaient déjà abattus par le mal de mer, et gisaient et geignaient à fond de cale.

Greensheve, Cuckow et un jeune garçon de lord Foxham que Dick avait déjà remarqué pour son intelligence et sa bravoure, étaient encore cependant en état de comprendre, et disposés à obéir. Dick les installa comme gardes du corps près de la personne du timonier, puis, avec un dernier regard à la mer et au ciel noirs, il retourna et descendit dans la cabine, où lord Foxham avait été transporté par ses serviteurs.

CHAPITRE VI
« LA BONNE-ESPÉRANCE » (*fin*)

Les plaintes du baron blessé se confondaient avec les gémissements du chien du vaisseau. Soit que le pauvre animal fût en peine d'être séparé de ses amis, soit qu'il reconnût quelque danger dans la marche du vaisseau, ses cris, régulièrement, de minute en minute, dominaient les rugissements des vagues et de l'orage ; et les plus superstitieux des hommes entendaient dans ces hurlements le glas de *la Bonne Espérance.*

Lord Foxham avait été couché dans un hamac sur son manteau de fourrures. Une lampe brûlait faiblement devant la Vierge dans la cloison, et, à sa lueur, Dick put voir la figure pâle et les yeux creux du blessé.

— Je suis grièvement blessé, dit-il. Approchez, jeune Shelton, qu'il y ait au moins près de moi quelqu'un de bien né ; car, après avoir vécu noblement et richement tous les jours de ma vie, c'est une triste condition d'avoir été blessé dans une pareille escarmouche et de mourir ici dans un affreux bateau, glacé, en mer, parmi des gens sans aveu et des rustres.

— Non, monseigneur, dit Dick, je prie plutôt les saints que vous guérissiez de votre blessure et arriviez bientôt à terre sain et sauf.

— Comment ? demanda Sa Seigneurie. Venir sauf à terre ? C'est donc possible ?

— Le vaisseau marche péniblement... la mer est mauvaise et contraire, répliqua le jeune homme, et, d'après ce que m'a dit mon compagnon qui nous gouverne, nous aurons de la chance si nous arrivons à terre à pied sec.

— Ah ! dit le baron, sombre, ainsi, toutes les terreurs accompagneront mon âme au moment du passage ! Monsieur, priez plutôt de vivre durement, afin de pouvoir mourir tranquillement ; cela vaut mieux que d'être flatté et chanté toute la vie au son de la flûte et du tambourin, et d'être à la dernière heure plongé dans le malheur ! Mais j'ai sur la conscience des choses qui ne peuvent être remises. Nous n'avons pas de prêtre à bord ?

— Non, répondit Dick.

— Alors, à mes intérêts séculiers, conclut Lord Foxham. Il faut que vous soyiez pour moi, après ma mort, un aussi bon ami que vous avez été loyal ennemi de mon vivant. Je tombe dans un mauvais moment, pour moi, pour l'Angleterre, et pour ceux qui avaient confiance en moi. Mes hommes devront être conduits par Hamley… celui qui fut votre rival ; ils se réuniront dans la salle longue à Holywood ; cet anneau à mon doigt vous accréditera pour présenter mes ordres ; et, de plus, je vais écrire deux mots sur ce papier, enjoignant Hamley de vous abandonner la demoiselle. Obéirez-vous ? je ne sais.

— Mais, monseigneur, quels ordres ? demanda Dick.

— Oui, dit le baron, oui… les ordres ; et il regarda Dick avec hésitation. Êtes-vous Lancastre ou York ? demanda-t-il enfin.

— J'ai honte de le dire, répondit Dick, c'est à peine si je puis répondre. Mais il est certain que, puisque je sers avec Ellis Duckworth, je sers la maison d'York. Eh bien ! donc, je me déclare pour York !

— C'est bien, répondit l'autre, c'est parfait. Car, en vérité, si vous aviez dit Lancastre, je ne sais ce que j'aurais fait. Mais, puisque vous êtes pour York, écoutez-moi. Je ne suis venu ici que pour surveiller ces seigneurs à Shoreby pendant que mon excellent jeune seigneur Richard de Gloucester[1] prépare une force suffisante pour tomber dessus et les disperser. J'ai pris note de leur force, de leurs gardes, de leurs casernements, et ces notes, je devais les remettre à mon jeune Seigneur, dimanche, une heure avant midi, à la croix de Sainte-Bride, près la forêt. Ce rendez-vous, il est probable que je le manquerai, mais, je vous prie, soyez assez aimable pour vous y rendre à ma place ; et que ni plaisir, peine, tempête, blessure ou peste ne vous empêchent de vous trouver au lieu et à l'heure, car le bien de l'Angleterre dépend de ce coup.

[1] A l'époque de cette histoire, Richard Crookback (le Bossu) n'avait pu être fait duc de Gloucester ; mais, pour la clarté, avec la permission du lecteur, il sera désigné ainsi. (*Note de l'auteur.*)

— Je prends résolument cela sur moi, dit Dick. Autant que cela dépendra de moi, votre mission sera remplie.

— C'est bien, dit le blessé, monseigneur le duc vous donnera d'autres ordres, et si vous lui obéissez avec intelligence et bon vouloir, votre fortune est faite. Approchez un peu la lampe que je puisse écrire ces mots pour vous.

Il écrivit une note « à son honorable cousin, Sir John Hamley », puis une seconde qu'il laissa sans inscription extérieure.

— Ceci pour le duc, dit-il. Le mot est « Angleterre et Édouard » et la réponse « Angleterre et York ».

— Et Joanna, monseigneur ? demanda Dick.

— Vous prendrez Joanna comme vous pourrez, répliqua le baron. Je vous ai désigné comme mon choix dans ces deux lettres ; mais il faudra la prendre vous-même, jeune homme. J'ai essayé comme vous voyez, et j'y ai perdu la vie. Un homme ne peut faire plus.

Cependant le blessé commençait à se sentir très faible ; et Dick, serrant les précieux papiers dans son sein, lui souhaita bon espoir et le laissa reposer.

Le jour commençait à poindre, froid et bleu avec des flocons de neige voltigeants. Tout près sous le vent de *la Bonne Espérance*, la côte se déroulait, des promontoires rocheux alternaient avec des baies sablonneuses ; et, plus loin dans les terres, les cimes des collines boisées de Tunstall se dessinaient vers le ciel ; mais le vaisseau se traînait profondément et s'élevait, à peine au-dessus des vagues.

Lawless était toujours fixé à la barre ; et, maintenant, presque tous les hommes avaient rampé jusque sur le pont et regardaient avec des figures mornes la côte inhospitalière.

— Allons-nous à terre ? demanda Dick.

— Oui, dit Lawless, à moins que nous n'allions d'abord au fond.

A ce moment, le vaisseau se souleva d'un effort si languissant, à la rencontre d'une vague, et l'eau roula si bruyamment dans sa cale, que Dick saisit involontairement le bras du timonier.

— Par la messe ! s'écria Dick, lorsque les bossoirs de *la Bonne Espérance* reparurent au-dessus de l'écume, je croyais le bateau coulé, et mon sang n'a fait qu'un tour.

Dans l'entre-deux, Greensheve, Hawksley et les meilleurs hommes des deux compagnies étaient occupés à démolir le pont pour construire un radeau ; et Dick se joignit à eux, travaillant dur pour ne pas penser à sa situation. Mais, dans son travail même, chaque lame qui frappait le pauvre vaisseau, et chaque lourde embardée, lorsqu'il culbutait enroulant entre les vagues, lui rappelait avec une affreuse angoisse la mort prochaine.

Bientôt, levant les yeux de son travail, il vit qu'ils étaient tout prêts de la côte, au bas d'un promontoire ; un morceau d'une falaise effondrée, contre la base de laquelle la mer se brisait, blanche et forte, surplombait presque le pont, et, plus haut encore, apparaissait une maison, couronnant une dune.

A l'intérieur de la baie, les lames couraient gaiement, soulevaient *la Bonne Espérance* sur leurs épaules tachetées d'écume, l'emportaient malgré le timonier, et, tout à coup la jetèrent avec un grand choc sur le sable, et commencèrent à se briser sur elle à mi-hauteur du mât en la faisant rouler deci, delà. Une autre forte vague suivit, la souleva de nouveau et la porta encore plus loin ; alors une troisième suivit et la laissa loin sur la côte du plus dangereux des récifs, calée sur un banc.

— Eh bien, les garçons, s'écria Lawless, les saints ont veillé sur nous, on peut le dire. La marée descend, asseyons-nous et buvons un verre de vin ; avant une demi-heure, vous pourrez tous aller à terre aussi sûrement que sur un pont.

Une barrique fut ouverte, et, s'asseyant comme ils purent à l'abri de la neige et de l'écume, les naufragés passèrent la coupe de main en main et tâchèrent de se réchauffer le corps et de se remonter le moral.

Dick, cependant, retourna vers Lord Foxham, qui gisait, très inquiet et effrayé, le plancher de sa cabine inondé à hauteur du genou et la lampe qui avait été sa seule lumière, brisée et éteinte par la violence du choc.

— Monseigneur, dit le jeune Shelton, ne craignez rien ; les saints sont avec nous ; les vagues nous ont jeté au haut d'un banc de sable, et, sitôt que la marée aura un peu baissé, nous pourrons gagner la terre à pied.

Il se passa près d'une heure avant que la mer se fût suffisamment éloignée et qu'ils pussent se mettre en route pour la terre, qui apparaissait confusément devant eux à travers un voile de neige.

Sur un monticule d'un côté de leur chemin, une troupe d'hommes étendus étaient entassés, et observaient avec méfiance les mouvements des nouveaux venus.

— Ils devraient s'approcher et nous offrir leur aide, remarqua Dick.

— Bon, s'ils ne viennent pas à nous, allons de leur côté, dit Hawksley. Plus tôt nous arriverons près d'un bon feu et d'un lit sec, mieux cela vaudra pour mon pauvre seigneur.

Mais ils s'étaient à peine avancés dans la direction du monticule, que les hommes, tous ensemble, se levèrent soudain et lancèrent une volée de flèches bien dirigées sur les naufragés.

— Arrière ! arrière ! cria Sa Seigneurie. Attention, au nom du ciel, ne répondez pas !

— Non, cria Greensheve, arrachant, une flèche de son justaucorps de cuir. Nous ne sommes guère en posture de combat, c'est sûr, étant mouillés jusqu'aux os, fatigués comme des chiens, et aux trois quarts gelés ; mais pour l'amour de la vieille Angleterre, qu'est-ce qu'il leur prend de tirer cruellement sur leurs pauvres compatriotes en détresse ?

— Ils nous prennent pour des pirates français, répondit Lord Foxham. En ces temps très troublés et dégénérés, nous ne pouvons garder nos propres côtes d'Angleterre ; et notre vieil ennemi, à qui autrefois nous faisions la chasse sur terre et sur mer, les parcourt à plaisir, volant, tuant et incendiant. C'est la misère et la honte de ce pauvre pays.

Les hommes du monticule les observaient de près, pendant qu'ils se traînaient en montant de la côte, se dirigeant vers l'intérieur entre des collines de sable désolées ; même, pendant un mille environ, ils suivirent leur arrière, prêts, sur un signe, à lancer une nouvelle volée de flèches sur les fugitifs épuisés et démoralisés ; et ce fut seulement lorsque, arrivant enfin sur le sol d'une grande route, Dick commença à mettre sa troupe dans un ordre un peu plus martial, que ces gardiens jaloux des côtes d'Angleterre disparurent silencieusement dans la neige. Ils avaient fait ce qu'ils désiraient, ils avaient protégé leurs propres foyers et leurs fermes, leurs familles et leurs troupeaux ; leurs intérêts particuliers ainsi sauvegardés, aucun d'eux ne se souciait, plus que d'un fétu, que les Français missent à feu et à sang toutes les autres paroisses du royaume d'Angleterre.

LIVRE IV
LE DÉGUISEMENT

CHAPITRE PREMIER
LE REPAIRE

L'endroit où Dick avait débouché sur une grande route n'était pas loin de Holywood, et environ à neuf ou dix milles de Shoreby-sur-Till ; et là, après s'être assurés qu'ils n'étaient pas poursuivis, les deux troupes se séparèrent. Les hommes de Lord Foxham, portant leur maître blessé, se dirigèrent vers le confort et la sécurité de la grande abbaye ; et Dick, quand il les eut vus disparaître sous l'épais rideau de neige tombante, fut laissé seul avec à peu près une douzaine d'outlaws, tout ce qui restait de son corps de volontaires.

Quelques-uns étaient blessés ; tous étaient furieux de leur échec et des longues heures de danger ; et, quoiqu'ils fussent trop affamés et glacés pour faire plus, ils grommelaient et jetaient des regards farouches sur leur chef. Dick leur partagea sa bourse sans rien garder pour lui, les remercia du courage qu'ils avaient déployé bien qu'en son cœur il eût préféré leur reprocher leur poltronnerie ; puis après avoir ainsi un peu adouci l'effet de ses insuccès répétés, il les laissa retrouver leur chemin séparément ou par couples, vers Shoreby et « La Chèvre et la Musette ».

De son côté, influencé par ce qu'il avait vu à bord de *la Bonne Espérance*, il choisit Lawless pour son compagnon de route. La neige tombait sans interruption ni changement, nuage égal et aveuglant, le vent était tombé et ne soufflait plus ; et toute chose s'effaçait, couverte par cette chute silencieuse. Il y avait grand danger de se tromper de chemin et de périr dans un tourbillon ; et Lawless, marchant un demi-pas environ en avant de son compagnon, tendant le cou comme un chien sur une piste, demandait son chemin à chaque arbre et étudiait sa direction comme s'il eût gouverné un vaisseau parmi des récifs.

A peu près à un mille dans la forêt, ils arrivèrent à un endroit ou plusieurs routes se rencontraient sous un bosquet de chênes hauts et tordus. Même dans l'étroit horizon de la neige tombante, c'était un endroit qu'on ne pouvait manquer de reconnaître, et Lawless le reconnut avec une particulière satisfaction.

— A présent, maître Richard, dit-il, si vous n'êtes pas trop fier pour être l'hôte d'un homme qui n'est ni un gentilhomme de naissance, ni même un bon chrétien, je peux vous offrir une coupe de vin et un bon feu pour fondre la moelle de vos os gelés.

— En avant Will, répondit Dick. Une coupe de vin et un bon feu ! Je ferais un fameux détour pour les voir.

Lawless tourna de côté sous les branches dénudées du bosquet, et, marchant quelque temps, d'un pas résolu, arriva à une excavation ou caverne escarpée dont un quart était plein de neige. Sur le bord, un grand hêtre se penchait, les racines saillantes ; et le vieil outlaw, écartant quelques broussailles, disparut tout entier dans la terre.

Le hêtre avait été à moitié déraciné par quelque violent orage et avait arraché une étendue considérable de gazon ; et c'était là-dessous que le vieux Lawless avait creusé sa cachette forestière. Les racines lui servaient de poutres, le gazon était son chaume ; pour murs et plancher, il avait sa mère la terre. Si grossière qu'elle fût, le foyer noirci par le feu dans un coin et la présence dans un autre d'une grande caisse de chêne consolidée avec du fer montraient, au premier coup d'œil, que c'était le repaire d'un homme, non le terrier d'une bête.

Quoique la neige se fût amoncelée à l'ouverture, et eut pénétré sur le sol de cette caverne de terre, l'air y était cependant beaucoup plus chaud qu'au dehors ; et lorsque Lawless eut fait jaillir une étincelle et que les branches de genêt se mirent à flamber et à pétiller sur le foyer, l'endroit prit même une apparence de chez soi confortable.

Avec un soupir de profonde satisfaction, Lawless étendit ses larges mains devant le feu et sembla aspirer la fumée.

— Voici, dit-il, le terrier du vieux Lawless ; veuille le ciel qu'il n'y vienne pas de chien ! J'ai roulé bien loin, deci et delà, partout, depuis l'âge de quatorze ans où j'ai fui de mon abbaye avec la chaîne d'or du sacristain et un livre de messe que j'ai vendu quatre marcs. J'ai été en Angleterre, en France et en Bourgogne, et en Espagne aussi, en pèlerinage pour ma pauvre âme ; et sur mer qui n'est le pays de personne. Mais c'est ici ma place, maître Shelton. C'est ici ma terre natale, ce trou dans la terre. Viennent pluie ou vent… et qu'on soit en avril où les oiseaux chantent et les fleurs tombent sur mon lit, ou qu'on soit en hiver, et que je sois seul assis près de mon bon compère le feu, le rouge-gorge chantant dans les bois… c'est ici que je reviens, et c'est ici, s'il plaît à Dieu que j'aimerais mourir.

— C'est un coin chaud, c'est vrai, répliqua Dick, et agréable et bien caché.

— Il faut qu'il le soit, répondit Lawless, car, s'ils le trouvaient, maître Shelton, cela me briserait le cœur. Mais ici, ajouta-t-il, en creusant de ses doigts dans le sol sablonneux, c'est ma cave à vin et vous allez avoir un flacon d'excellente et forte bière.

Et, en effet, sans creuser beaucoup, il sortit une grande bouteille de cuir de la contenance d'environ un gallon, pleine presque aux trois quarts d'un vin capiteux et doux ; et, quand ils eurent bu l'un à l'autre en camarades, le feu fut regarni et flamba de nouveau, et tous deux, étendus de tout leur long, jouissaient de la chaleur.

— Maître Shelton, remarqua l'outlaw, vous avez eu deux échecs ces temps derniers, et vous êtes sur le point de perdre la jeune fille… est-ce bien cela ?

— C'est cela, répliqua Dick, hochant la tête.

— Eh bien ! continua Lawless, écoutez un vieux fou qui a mis la main à tout et vu bien des choses ! Vous suivez trop les autres, maître Dick. Vous allez avec Ellis ; mais il désire surtout la mort de Sir Daniel, vous allez avec Lord Foxham ; bien… les saints le protègent !… sans doute il a de bonnes intentions. Mais faites vos propres affaires, mon bon Dick. Allez tout droit auprès de la demoiselle. Faites-lui la cour de peur qu'elle ne vous oublie. Tenez-vous prêt, et, dès qu'une chance se présentera, filez avec elle en croupe.

— Oui, mais Lawless, sans aucun doute, elle est à présent dans l'hôtel même de Sir Daniel, répondit Dick.

— Alors c'est là que nous allons, répliqua l'outlaw.

Dick le regarda fixement.

— Oui, sérieusement, dit Lawless. Et, si vous avez si peu confiance et hésitez au premier mot, voyez ceci !

Et l'outlaw, prenant une clef à son cou, ouvrit le coffre de chêne, plongea, y tâta jusqu'au fond son contenu, et en sortit d'abord une robe de frère, puis une ceinture de corde ; et enfin un énorme rosaire de bois assez lourd pour être compté comme une arme.

— Ceci, dit-il, est pour vous. Mettez-les !

Et alors, quand Dick se fut habillé avec ce déguisement religieux, Lawless sortit quelques couleurs et un crayon, et procéda avec la plus grande habileté à maquiller sa figure. Il épaissit ses sourcils ; à la moustache encore à peine visible il rendit le même service ; en même temps, par quelques traits autour des yeux, il en changea l'expression et ajouta quelques années à l'apparence du jeune moine.

— Maintenant, conclut-il, quand j'en aurai fait autant, nous ferons une aussi jolie paire de moines que l'œil puisse désirer. Hardiment nous irons chez Sir Daniel, et l'hospitalité nous y sera donnée pour l'amour de notre mère l'Église.

— Et comment, cher Lawless, s'écria le jeune homme, pourrais-je vous remercier ?

— Peuh, mon frère ! répliqua l'outlaw, je ne fais rien que pour mon plaisir. Ne vous occupez pas de moi. Je suis de ceux, par la messe ! qui savent se tirer d'affaire eux-mêmes. S'il me manque quelque chose, j'ai la langue bien pendue, et une voix comme une cloche de monastère… je demande, mon fils ; et si la demande ne réussit pas, le plus souvent je prends.

Le vieux coquin fit une grimace comique, et, bien que Dick fût ennuyé d'être à ce point l'obligé d'un personnage aussi équivoque, il lui fut impossible de contenir son hilarité.

Là-dessus, Lawless retourna au grand coffre et fut bientôt déguisé de la même façon ; mais, sous sa robe, Dick fut surpris de le voir dissimuler un paquet de flèches noires.

— Pourquoi faites-vous cela ? demanda-t-il. Pourquoi des flèches quand vous ne prenez pas d'arc ?

— Bah ! répliqua Lawless d'un ton léger, il est probable qu'il y aura des têtes cassées… pour ne pas dire des dos… avant que nous sortions sains et saufs, tous deux, d'où nous allons ; et, si quelqu'un tombe, je voudrais que notre compagnie en ait l'honneur. Une flèche noire, maître Dick, c'est le sceau de notre abbaye ; cela vous montre qui a écrit le billet.

— Si vous faites tant de préparatifs, dit Dick, j'ai ici quelques papiers que, dans mon propre intérêt et dans l'intérêt de ceux qui ont eu confiance en moi, il vaudrait mieux mettre en sûreté, plutôt que de les voir trouver sur moi. Où puis-je les cacher, Will ?

— Non, répliqua Lawless, je vais sortir dans le bois et me siffler trois couplets d'une chanson ; pendant ce temps, enterrez-les où il vous plaira, et égalisez le sable sur l'endroit.

— Jamais ! s'écria Richard. J'ai confiance en vous, l'homme. Je serais vraiment vil, si je ne me fiais à vous.

— Frère, vous n'êtes qu'un enfant, répliqua le vieil outlaw, s'arrêtant à l'entrée de la caverne et se retournant vers Dick. Je suis un bon vieux chrétien, je ne suis pas un traître, et je n'épargne pas mon sang quand un ami est en danger. Mais, fou, enfant, je suis un voleur, par métier, par naissance, par habitude. Si ma bouteille était vide et ma gorge sèche, je vous volerais, cher enfant, aussi sûrement que j'aime, estime, admire vos actions et votre personne ! Peut-on parler plus clairement ? Non.

Et il marcha en clopinant entre les buissons et faisant claquer ses gros doigts.

Dick, laissé seul, après avoir donné une pensée étonnée à l'inconséquence du caractère de son compagnon, sortit ses papiers, les examina encore, et les enterra. Il en réserva un seul, qu'il conserva sur lui, car il n'était aucunement compromettant pour ses amis, et pouvait lui servir, en cas de malheur, contre Sir Daniel. C'était la propre lettre de chevalier à Lord Wensleydale portée par Throgmorton, le lendemain de la défaite de Risingham, et trouvée le jour suivant par Dick sur le corps du messager.

Alors, écrasant du pied les tisons du feu, Dick quitta la caverne et rejoignit le vieil outlaw qui l'attendait debout sous les chênes dénudés, et commençait déjà à être saupoudré de neige. Chacun regarda l'autre et tous deux se mirent à rire, si parfait et si drôle était leur travestissement.

— Tout de même, je voudrais être en été, avec un jour clair, grommela l'outlaw, que je puisse me voir au miroir d'une mare. Il y a beaucoup d'hommes de Sir Daniel qui me connaissent, et s'il nous arrive d'être reconnus, il pourra y avoir deux mots pour vous, mon frère, mais quant à moi, le temps d'un *pater*, et je gigoterai au bout d'une corde.

Ainsi ils se mirent tous deux en marche, et longèrent la route de Shoreby, qui, dans cette partie de son parcours, suivait la lisière de la forêt, s'avançait de temps en temps en pleine campagne et passait près de maisons de pauvres gens et de petites fermes.

Bientôt, à l'aspect de l'une de celles-ci, Lawless s'arrêta.

— Frère Martin, dit-il d'une voix merveilleusement déguisée et appropriée à sa robe monacale, entrons et demandons l'aumône à ces pauvres pécheurs. *Pax vobiscum !* Aïe, ajouta-t-il de sa voix naturelle, voilà ce que je craignais, j'ai perdu le ton geignard, et, avec votre permission, bon maître Shelton, je m'exercerai dans ces campagnes avant de risquer mon gros cou en entrant chez Sir Daniel. Mais voyez un peu quelle excellente chose c'est, d'être un maître Jacques, bon à tout faire ! Si je n'avais pas été matelot, vous auriez infailliblement coulé avec *la Bonne Espérance* ; si je n'avais pas été un voleur, je n'aurais pas pu vous peindre la figure ; et, si je n'avais pas été un Frère Gris, chantant haut dans le chœur et mangeant bien au réfectoire, je ne pourrais pas porter ce déguisement, sans que les chiens eux-mêmes nous découvrent et nous aboient après.

Il était arrivé près de la fenêtre de la ferme, et il se leva sur la pointe des pieds pour regarder à l'intérieur.

— Bon, s'écria-t-il, de mieux en mieux. Nous allons joliment mettre à l'épreuve nos fausses têtes, et par-dessus le marché nous ferons une bonne farce à Frère Capper.

Et, ce disant, il ouvrit la porte et entra. Trois hommes de leur propre compagnie étaient assis à table et mangeaient avec voracité. Leurs poignards enfoncés à côté d'eux dans la table, et les regards menaçants et sombres qu'ils continuaient à lancer aux habitants de la maison, prouvaient qu'ils étaient redevables de leur festin plutôt à la force qu'à la bonne grâce. Ils parurent se tourner avec une singulière malveillance vers les deux moines qui, avec une sorte de dignité humble, entraient dans la cuisine de la ferme ; et l'un d'eux — c'était John Capper lui-même — qui semblait avoir le rôle de chef, aussitôt leur ordonna grossièrement de sortir.

— Nous ne voulons pas de mendiants ici, cria-t-il.

Mais un autre, tout aussi éloigné de reconnaître Dick et Lawless, inclinait vers plus de modération.

— Non pas, dit-il, nous sommes forts et nous prenons ; ceux-ci sont faibles et demandent ; mais à la fin, ceux-ci sont les premiers et nous tout en bas. Ne faites pas attention à lui, mon père, venez, buvez dans ma coupe et donnez-moi votre bénédiction !

— Vous êtes des hommes d'un esprit léger, charnel et maudit, dit le moine. Les saints me gardent de jamais boire avec de tels compagnons ! Mais ici, par la pitié que j'ai de tous pécheurs, je vous laisse une sainte relique, que, dans l'intérêt de votre âme, je vous ordonne de baiser et de chérir.

Lawless tonna sur eux comme un frère prêcheur ; puis tout à coup il tira de dessous sa robe une flèche noire, la jeta sur la table des trois outlaws ébahis, se retourna et, emmenant Dick avec lui, fut hors de la pièce et hors de vue sous la neige tombante, avant qu'ils eussent le temps de dire un mot ou de remuer un doigt.

— Eh bien ! dit-il, nous avons essayé nos fausses têtes, maître Shelton. A présent, je risquerai ma pauvre carcasse où vous voudrez.

— Bon, répliqua Richard. Il me tarde d'agir. En avant pour Shoreby !

CHAPITRE II
DANS LA MAISON DE MES ENNEMIS

La résidence de Sir Daniel à Shoreby était une grande maison blanchie à la chaux, agréable, encadrée de chêne sculpté et couverte d'un toit de chaume bas. Derrière, s'étendait un jardin, plein d'arbres fruitiers, d'allées et d'épais berceaux, et dominé de l'autre côté par la tour de l'église de l'abbaye.

La maison pouvait contenir, au besoin, la suite d'un plus grand personnage que Sir Daniel ; mais elle était déjà pleine de brouhaha. La cour résonnait du bruit des armes et des fers des chevaux ; la cuisine, avec le ronflement des fourneaux, bourdonnait comme une ruche ; ménestrels, joueurs d'instruments, cris de bateleurs, s'entendaient du Hall. Sir Daniel, par sa profusion, par la gaieté et la richesse de son installation, rivalisait avec Lord Shoreby et éclipsait Lord Risingham.

Tout hôte était bienvenu. Ménestrels, bateleurs, joueurs d'échecs, marchands de reliques, de drogues, de parfums et de sorts, et, avec ceux-ci, toutes espèces de prêtres, frères ou pèlerins étaient les bienvenus à la table inférieure et dormaient pêle-mêle dans les grandes soupentes ou sur les bancs nus de la longue salle à manger.

Dans l'après-midi qui suivit le naufrage de *la Bonne Espérance*, l'office, les cuisines, les écuries, les remises couvertes qui entouraient deux côtés de la cour, étaient encombrés de flâneurs, les uns appartenant à Sir Daniel et vêtus de sa livrée rouge foncé et bleue, les autres, étrangers sans aveu, que l'avidité attirait vers la ville, et que le chevalier recevait par politique et parce que c'était l'usage de l'époque.

La neige, qui continuait à tomber sans interruption, l'âpreté extrême de la température, et l'approche de la nuit contribuaient à les faire rester à l'abri. Le vin, l'ale, l'argent abondaient ; beaucoup s'étendaient sur la paille de la grange pour jouer, beaucoup étaient encore ivres du repas de midi. Aux yeux d'un moderne, ce spectacle eût paru le sac d'une ville ; aux yeux d'un contemporain, c'était comme dans tout autre riche et noble maison à une époque de fête.

Deux moines — un jeune et un vieux — étaient arrivés tard et se chauffaient à un feu de joie dans un coin du hangar. Une cohue mêlée les entourait — jongleurs, saltimbanques et soldats : et, avec ceux-ci, le plus âgé des deux eut bientôt engagé une conversation si animée et échangé tant de bruyants éclats de rire et de plaisanteries provinciales que le groupe augmentait à chaque instant.

Le plus jeune compagnon, dans lequel le lecteur a déjà reconnu Dick Shelton, assis dès le début un peu à l'écart, s'éloigna peu à peu. Il écoutait avec attention, mais n'ouvrait pas la bouche ; et l'expression sérieuse de sa physionomie montrait qu'il faisait peu de cas des plaisanteries de son compagnon.

A la fin, son regard qui voyageait continuellement deci et delà et surveillait toutes les entrées de la maison, se fixa sur une petite procession qui franchissait la grande porte et traversa obliquement la cour. Deux dames enveloppées d'épaisses fourrures ouvraient la marche, suivies de deux femmes de chambres, et de quatre solides hommes d'armes. En un instant ils avaient disparu dans la maison ; et Dick, se glissant à travers la foule des flâneurs sous le hangar, était déjà à leur poursuite.

— La plus grande des deux était Lady Brackley, pensa-t-il, et où est Lady Brackley, Joanna ne peut être loin.

A la porte de la maison, les quatre hommes d'armes s'étaient arrêtés ; et les dames montaient les marches d'un escalier de chêne poli, sans autre escorte que les deux femmes de chambre. Dick les suivait de près. Le jour tombait, et dans la maison l'obscurité de la nuit était déjà presque venue. Sur les paliers, des torches brûlaient dans des bras de fer ; le long des corridors tapissés, une lampe brûlait à chaque porte. Et où les portes étaient ouvertes, Dick pouvait voir des murs couverts de tentures et des planchers jonchés de rameaux, brillant à la lumière des feux de bois.

Deux étages avaient été gravis, et, à chaque palier, la plus jeune et la plus petite des deux dames s'était arrêtée et avait regardé attentivement le moine. Lui, gardant ses yeux baissés, et, affectant les manières humbles qui convenaient à son travestissement, ne l'avait vue qu'une fois, et ne savait pas avoir attiré son attention. Et alors, sur le troisième palier, le groupe se divisa ; la plus jeune dame continua à monter seule, et l'autre, suivie par les femmes de chambre, prit le corridor à droite.

Dick monta d'un pied léger et, s'arrêtant au coin, avança la tête et suivit des yeux les trois femmes. Sans se retourner ni regarder derrière elles, elles continuaient à descendre le corridor.

— Parfait, pensa Dick. Que je sache seulement où est la chambre de Lady Brackley, et ce serait bien étonnant que je ne rencontre pas dame Hatch en course.

A ce moment, une main se posa sur son épaule, et, d'un bond, avec un cri étouffé, il se retourna et saisit son assaillant.

Il fut quelque peu surpris de reconnaître dans la personne qu'il avait prise si brutalement, la petite jeune dame aux fourrures. Elle, de son côté, était choquée et terrifiée au delà de toute expression et restait tremblante dans son étreinte.

— Madame, dit Dick, en la délivrant, je vous demande mille pardons ; mais je n'ai pas d'yeux en arrière et, par la messe, je ne pouvais pas deviner que vous étiez une femme.

La jeune fille continuait à le regarder, mais maintenant la terreur commençait à faire place à la surprise, et la surprise au soupçon. Dick, qui pouvait lire ces changements sur son visage, s'alarma pour sa propre sûreté dans cette maison hostile.

— Belle dame, dit-il, affectant l'aisance, souffrez que je vous baise la main en gage de votre pardon pour ma brutalité, et je pars aussitôt.

— Vous êtes un étrange moine, jeune homme, répliqua la jeune dame, le fixant d'un regard à la fois hardi et pénétrant, et à présent que ma première surprise est à peu près passée, je peux voir le laïque dans chaque mot que vous prononcez. Que faites-vous ici ? Pourquoi portez-vous ce costume sacrilège ? Venez-vous dans un esprit de paix ou de guerre ? Et pourquoi épiez-vous Lady Brackley comme un voleur ?

— Madame, répliqua Dick, d'une chose je vous prie d'être très sûre : je ne suis pas un voleur. Et même si je viens ici en guerre, ce qui est vrai dans une certaine mesure, je ne fais pas la guerre aux belles dames, et, par conséquent, je vous prie de m'imiter en cela, et de me laisser aller. Car, en vérité, belle madame, criez... si, tel est votre plaisir... criez une seule fois, dites ce que vous avez vu, et le pauvre gentilhomme devant vous est simplement un homme mort. Je ne peux penser que vous voulez être cruelle, ajouta Dick, et prenant la main de la jeune fille entre les siennes, il la regarda avec une courtoise admiration.

— Êtes-vous donc un espion... un Yorkiste ? demanda-t-elle.

— Madame, répliqua-t-il, je suis, en effet, un Yorkiste et, en quelque sorte, un espion. Mais ce qui m'amène dans cette maison, cela même qui me gagnera votre pitié et l'intérêt de votre bon cœur, n'a rien à voir avec York ou Lancastre. Je veux mettre ma vie à votre entière merci. Je suis un amoureux et mon nom...

Mais la jeune dame appliqua tout à coup sa main sur la bouche de Dick, regarda rapidement en haut et en bas, à l'est et à l'ouest, et, voyant qu'il n'y avait personne, l'entraîna avec force et vivacité vers l'étage supérieur.

— Chut, dit-elle, et venez. Vous parlerez plus tard.

Quelque peu abasourdi, Dick se laissa tirer en haut, pousser le long d'un corridor et jeter brusquement dans une chambre éclairée, comme tant d'autres par une souche flambant sur l'âtre.

— A présent, dit la jeune fille, en le forçant à s'asseoir sur un escabeau, mettez-vous là et obéissez à mon bon plaisir souverain. J'ai pouvoir de vie ou de mort sur vous, et je ne me ferai pas scrupule d'abuser de mon pouvoir. Attention à vous ; vous m'avez cruellement meurtri le bras. Il ne savait pas que j'étais une femme, dit-il ! S'il l'avait su, il aurait pris sa ceinture pour me battre, ma foi !

Et à ces mots elle sortit vivement de la chambre, laissant Dick bouche bée d'étonnement, et pas très sûr s'il rêvait ou était éveillé.

— Levé ma ceinture sur elle ! répéta-t-il. Levé ma ceinture sur elle ! Et le souvenir de cette nuit dans la forêt revint à son esprit, et il revit le corps frémissant et les yeux suppliants de Matcham.

Mais il fut bientôt rappelé au souvenir des dangers présents. Dans la chambre voisine, il entendit un bruit comme de quelqu'un qui marche ; puis suivit un soupir qui semblait étrangement proche, puis le froufrou d'une jupe et un bruit de pas se fit entendre de nouveau. Comme il s'était levé pour écouter, il vit la tenture s'agiter le long du mur ; il y eut le son d'une porte qu'on ouvrait, les portières se séparèrent, et, une lampe à la main, Joanna Sedley entra dans la pièce.

Elle était vêtue de riches étoffes de couleurs sombres et brillantes, comme il convient pour l'hiver et pour la neige. Sur sa tête, ses cheveux relevés la paraient comme une couronne. Et elle qui paraissait si petite et si gauche dans les vêtements de Matcham, était maintenant grande comme un jeune saule, et glissait à travers la pièce, comme si elle eût dédaigné la corvée de marcher.

Sans un tressaillement, sans un tremblement, elle leva la lampe et regarda le jeune moine.

— Que faites-vous ici, bon Frère ? demanda-t-elle. Vous vous êtes trompé sans doute. Qui demandez-vous ? Et elle posa sa lampe sur le tasseau.

— Joanna, dit Dick, et la voix lui manqua. Joanna, reprit-il, vous avez dit que vous m'aimiez et, fou que j'étais, je l'ai cru.

— Dick, s'écria-t-elle, Dick !

Et alors, à l'étonnement du jeune homme, cette belle et grande jeune dame ne fit qu'un saut, et jetant ses bras autour de son cou, lui donna une centaine de baisers en un seul.

— Oh ! le nigaud, s'écria-t-elle. Oh ! cher Dick ! Oh ! si vous pouviez vous voir ! Hélas ! ajouta-t-elle en s'arrêtant, j'ai gâté votre visage, Dick ! J'ai effacé un peu de peinture. Mais cela peut se réparer. Ce qui ne peut se réparer, Dick… j'ai bien peur que ce ne soit pas possible… c'est mon mariage avec lord Shoreby.

— C'est décidé alors ? demanda le jeune homme.

— Demain, avant midi, Dick, dans l'église de l'abbaye, répondit-elle. John Matcham et Joanna Sedley finiront tous deux misérablement. Les larmes n'y font rien ; sans quoi j'en pleurerais à perdre les yeux. Je n'ai pas épargné les prières, mais le ciel rejette ma pétition. Et Dick, mon bon Dick… si vous ne pouvez me tirer d'ici avant le matin il faut nous embrasser et nous dire adieu.

— Non, dit Dick, pas moi ; je ne dirai jamais ce mot. C'est du désespoir, et, tant qu'il y a vie, Joanna, il y a espoir. Je veux espérer encore. Oui, par la messe ! et triompher ! Voyez donc quand vous n'étiez pour moi qu'un nom, n'ai-je pas suivi... n'ai-je pas soulevé de braves gens... n'ai-je pas engagé ma vie dans la querelle ? Et à présent que j'ai vu ce que vous êtes... la plus belle et la plus noble fille d'Angleterre... pensez-vous que je changerai ?... Si la mer profonde était là, je la traverserais, si le chemin était plein de lions, je les disperserais comme des souris.

— Ah ! dit-elle sèchement, vous faites beaucoup d'histoires pour une robe bleu de ciel !

— Non, Joanna, protesta Dick, ce n'est pas seulement la robe. Mais, chère, vous étiez déguisée ; me voici déguisé ; et vraiment n'ai-je pas une drôle de figure... une vraie figure de bouffon.

— Oui, Dick, c'est vrai, répondit-elle en souriant.

— Eh bien ! répliqua-t-il triomphant. Il en était de même de vous, pauvre Matcham, dans la forêt. Par ma foi vous étiez une fille à faire rire. Mais maintenant !

Et ils bavardèrent ainsi, se tenant les deux mains, échangeant des sourires et des regards tendres, et les minutes se changeaient en secondes ; et ils auraient continué ainsi toute la nuit. Mais bientôt il y eut du bruit derrière eux ; et ils aperçurent la petite jeune dame, un doigt sur les lèvres.

— Dieu ! s'écria-t-elle, quel bruit vous faites ! Ne pouvez-vous parler à voix basse ? Et à présent, Joanna, ma jolie fille des bois, que donnez-vous à votre commère pour vous avoir amené votre amoureux ?

Joanna courut à elle et, comme réponse, la prit dans ses bras.

— Et vous, monsieur, ajouta la jeune dame, que me donnerez-vous ?

— Madame, répondit Dick, je voudrais vous payer de la même monnaie.

— Venez donc, on vous le permet.

Mais Dick rouge comme une pivoine lui baisa la main.

— Est-ce que ma figure vous fait peur, beau sire ? demanda-t-elle avec une révérence jusqu'à terre ; puis, lorsque Dick l'eut enfin embrassée très froidement, — Joanna, dit-elle, votre amoureux est très timide sous vos yeux ; mais je vous garantis que, quand nous nous sommes d'abord rencontrés, il était plus vif. Je suis toute noire et bleue, ma fille, ne me croyez jamais si je ne suis pas noire et bleue ! Eh bien ! continua-t-elle, avez-vous tout dit ? Car il faut que je renvoie vivement le paladin.

Mais à ces mots tous deux s'écrièrent qu'ils n'avaient encore rien dit, que la nuit ne faisait que commencer et qu'ils ne voulaient pas être séparés si tôt.

— Et le souper ? demanda la jeune dame, ne devons-nous pas descendre au souper ?

— Ah ! c'est vrai ! dit Joanna, je l'avais oublié.

— Cachez-moi alors, dit Dick, mettez-moi derrière les tentures, enfermez-moi dans un coffre, ou tout ce que vous voudrez, que je sois là quand vous reviendrez. Songez donc, belle dame, dans quelle triste situation nous sommes, et que nous ne devrons jamais plus nous revoir, après cette nuit jusqu'à l'heure de notre mort.

A ces mots, la jeune dame s'adoucit, et, quand, peu après, la cloche convia la maison de Sir Daniel à passer à table, Dick fut planté bien droit contre le mur à un endroit ou une séparation dans la tapisserie lui permettait de respirer librement et même de voir dans la chambre.

Il n'avait pas été longtemps dans cette position, quand il fut assez bizarrement dérangé. Le silence à l'étage supérieur de la maison n'était interrompu que par le pétillement des flammes et le sifflement d'une souche verte dans la cheminée ; mais bientôt l'oreille tendue de Dick entendit le bruit d'un homme qui marche avec une extrême précaution ; peu après la porte s'ouvrit, et un nain à face noire, vêtu de la livrée de lord Shoreby, introduisit d'abord la tête, puis son corps difforme dans la chambre. Sa bouche était ouverte comme pour mieux entendre ; et ses yeux, qui étaient très brillants, remuaient sans cesse et vivement de tous côtés. Il tourna et retourna autour de la chambre, frappant ici et là sur les tentures, mais Dick, par miracle, échappa à son inspection. Alors il regarda sous les meubles, et examina la lampe, et enfin avec un air de vif désappointement se préparait à sortir aussi silencieusement qu'il était venu, quand il se mit à genoux, ramassa quelque chose dans les rameaux, sur le plancher, l'examina et avec tous les signes de la joie le cacha dans la poche de sa ceinture.

Dick se sentit défaillir, car l'objet en question était un gland de sa propre ceinture ; et il était certain pour lui que cet espion nabot, qui prenait un malin plaisir à sa besogne, ne perdrait pas de temps à le porter à son maître le baron. Il était presque tenté d'écarter les tentures, de tomber sur le scélérat et de reprendre au risque de sa vie l'objet dénonciateur. Et, tandis qu'il hésitait encore, s'ajouta une nouvelle cause d'inquiétude. Une voix rauque et avinée commença à se faire entendre de l'escalier, et peu après des pas inégaux, lourds et chancelants, résonnèrent le long du corridor.

— Que faites-vous là, joyeux compagnons, dans les bois verts ? chantait la voix. Que faites-vous là ? Hé les sots, que faites-vous là ? ajouta-t-elle avec un accès de rire d'ivrogne ; puis le chant reprit :

Si vous buvez le vin clair,

Gros Frère Jean, mon ami —

Si je mange et si vous buvez,

Qui chantera la messe, dites-moi ?

Lawless, hélas ! qui roulait, ivre, errant dans la maison pour chercher un coin où cuver ses libations. Dick rageait intérieurement. L'espion d'abord effrayé, s'était rassuré en voyant qu'il n'avait affaire qu'à un ivrogne, et avec un mouvement d'une rapidité féline glissa hors de la chambre et disparut de la vue de Dick.

Que faire ? S'il perdait contact avec Lawless pour la nuit, il était également incapable de combiner un plan pour l'enlèvement de Joanna et de l'exécuter. Si, d'autre part, il se risquait à interpeller l'outlaw ivre, l'espion pouvait être encore à portée de voix, d'où les conséquences les plus funestes.

Dick se résolut à courir cette chance. Se dégageant de la tapisserie, il resta dans l'ouverture de la porte la main levée en signe d'avertissement. Lawless, la figure cramoisie, les yeux injectés vacillait sur ses jambes, s'avançait en titubant. Enfin son œil aperçut vaguement son chef, et malgré les signaux impérieux de Dick, le salua aussitôt à haute voix par son nom.

Dick sauta sur lui et secoua furieusement l'ivrogne.

— Brute ! siffla-t-il, et non homme ! C'est pis qu'une trahison d'être aussi stupide. Nous pouvons être tous perdus grâce à ta sottise.

Mais Lawless ne fit que rire et chancela en voulant frapper le jeune Shelton sur l'épaule.

A ce moment l'oreille fine de Dick perçut un rapide frémissement dans la tapisserie. Il sauta vers le bruit, et, en un instant, un morceau de tenture était déchiré, et Dick et l'espion se débattaient tous deux dans ses plis. Ils roulaient l'un sur l'autre, cherchant mutuellement à se prendre à la gorge, tous deux gênés par la tenture et tous deux silencieux dans leur furie mortelle. Mais Dick était de beaucoup le plus fort, et bientôt l'espion était étendu sans défense sous son genou et, d'un seul coup du long poignard, il expira.

CHAPITRE III
L'ESPION MORT

A tout ce combat furieux et rapide Lawless avait assisté inutile, et même lorsque tout fut fini et que Dick, déjà relevé, écoutait avec l'attention la plus passionnée le bourdonnement lointain qui venait des étages inférieurs de la maison, le vieil outlaw, flageolant encore sur ses jambes comme un rameau agité par le vent, continuait à fixer stupidement le visage du mort.

— C'est bien, dit enfin Dick, ils ne nous ont pas entendus, les saints soient loués ! Mais qu'est-ce que je vais faire maintenant de ce pauvre espion ? Au moins je vais reprendre mon gland dans sa poche.

Ce disant, Dick ouvrit l'aumonière ; il y trouva quelques pièces de monnaie, le gland et une lettre adressée à Lord Wensleydale, et scellée du sceau de Lord Shoreby. Ce nom réveilla la mémoire de Dick, et il brisa aussitôt la cire et lut la lettre. Elle était courte, mais à la grande joie de Dick, elle donnait la preuve certaine que Lord Shoreby correspondait traîtreusement avec la maison d'York.

Le jeune homme portait habituellement sur lui de quoi écrire ; ainsi pliant un genou auprès du cadavre de l'espion, il put écrire ces mots dans un coin de la feuille :

> « Monseigneur de Shoreby, vous qui avez écrit la lettre, savez-vous pourquoi votre homme est mort ? Mais, je vous conseille, n'épousez pas.
>
> « Jean REPARE-TOUT. »

Il posa ce papier sur la poitrine de l'espion, et alors, Lawless, qui avait assisté à ces dernières opérations avec de vagues retours d'intelligence, tout à coup tira une flèche noire de dessous sa robe, et en épingla la feuille. La vue de cette insolence ou, comme il semblait presque, de cette cruauté pour le mort, arracha un cri d'horreur au jeune Shelton ; mais le vieil outlaw ne fit qu'en rire.

— Hé, je veux avoir le bénéfice pour mon ordre, fit-il, avec un hoquet. Mes joyeux compères doivent en avoir le bénéfice… le bénéfice, frère ; puis, levant les paupières et ouvrant la bouche comme un chantre, il se mit à tonner d'une voix formidable.

Si vous buvez du vin clair…

— Paix, imbécile, cria Dick, et il le poussa durement contre le mur. En deux mots… s'il peut se faire qu'un homme puisse me comprendre, étant plus plein de vin que de bon sens... en deux mots et au nom de Marie, sortez de cette maison, ou, si vous continuez à rester, non seulement vous serez pendu, mais moi aussi ! Allons ! debout, vivement ! ou par la messe, j'oublierais que je suis un peu votre capitaine et un peu votre débiteur ! Allez !

Le faux moine était maintenant en train de recouvrer quelque peu l'usage de son intelligence ; et la vibration de la voix de Dick, et l'éclat de son regard imprimèrent le sens de ses paroles.

— Par la messe, cria Lawless, si on n'a pas besoin de moi, je peux m'en aller ; et il s'en retourna, suivant le corridor d'un pas incertain, puis descendit les étages en se cognant aux murs.

Sitôt qu'il fut hors de vue, Dick retourna à sa cachette, absolument résolu à voir l'affaire jusqu'au bout. La prudence l'invitait à s'en aller ; mais l'amour et la curiosité l'emportèrent.

Le temps s'écoula lentement pour le jeune homme, serré debout derrière la tenture. Le feu dans la chambre s'éteignit peu à peu, la lampe baissait et fumait, et toujours aucun signe de retour de qui que ce fût vers les parties hautes de la maison, toujours le bruit confus et le cliquetis du souper résonnait de loin en bas, et toujours, sous l'épaisse chute de neige, la ville de Shoreby reposait silencieuse des deux côtés.

A la fin cependant, des pas et des voix s'approchèrent dans l'escalier, et bientôt après plusieurs des hôtes de Sir Daniel arrivèrent au palier, et, prenant le corridor, aperçurent la tenture déchirée et le corps de l'espion.

Plusieurs coururent en avant et plusieurs en arrière et tous ensemble se mirent à crier.

Au bruit de leurs cris, hôtes, hommes d'armes, dames, serviteurs, et en un mot tous les habitants de cette grande maison, arrivèrent, accourant dans toutes les directions, joignant leurs voix au tumulte.

Bientôt on s'écarta, et Sir Daniel s'avança en personne, suivi du fiancé du lendemain, Lord Shoreby.

— Monseigneur, dit Sir Daniel, ne vous ai-je pas parlé de ces drôles de la Flèche-Noire ? La preuve, regardez ! La voici, et, par la croix mon compère, sur un de vos hommes, à moins qu'il ne vous ait volé vos couleurs.

— Pardieu, c'était un de mes hommes, répliqua Lord Shoreby, reculant. Je voudrais en avoir beaucoup comme lui. Il était fin comme un basset et discret comme une taupe.

— Eh compère, vraiment ? demanda Sir Daniel finement. Et qu'était-il venu flairer si haut dans ma pauvre maison ? Mais il ne flairera plus.

— Ne vous plaise, Sir Daniel, dit quelqu'un, il y a un papier avec quelque chose d'écrit dessus, épinglé sur sa poitrine.

— Donnez-le-moi, et la flèche, et tout, dit le chevalier, et, lorsqu'il eut pris le trait dans sa main, il resta quelque temps à le contempler dans une méditation sombre.

— Oui, dit-il, s'adressant à Lord Shoreby, c'est une haine qui me poursuit durement et me tient serré. Ce bois noir ou son pareil exact me jettera aussi à terre. Et, compère, souffrez qu'un simple chevalier vous conseille ; et si ces chiens commencent à prendre votre vent, fuyez ! C'est comme une maladie… toujours suspendue sur notre tête. Mais voyons ce qu'ils ont écrit. C'est comme je le pensais, monseigneur, vous êtes marqué comme un vieux chêne par le bûcheron ; demain ou le jour suivant, par là passera la hache. Mais qu'avez-vous écrit dans une lettre ?

Lord Shoreby arracha le papier de la flèche, le lut, le froissa dans ses mains, et surmontant la répulsion qui l'avait jusqu'alors empêché de s'approcher se jeta à genoux près du corps et fouilla anxieusement l'aumônière.

Il se releva la mine quelque peu décontenancée.

— Compère, dit-il, j'ai vraiment perdu une lettre à laquelle je tenais beaucoup, et si je pouvais mettre la main sur le drôle qui l'a prise, il irait tout droit orner une potence. Mais assurons-nous d'abord des issues de la maison. Assez de mal a déjà été fait, par saint Georges !

Des sentinelles furent postées tout autour de la maison et du jardin. Une sentinelle à chaque palier ; toute une troupe dans le grand vestibule, et une autre encore autour du feu de joie sous le hangar. La suite de Sir Daniel était grossie de celle de Lord Shoreby ; ainsi l'on ne manquait pas d'hommes ni d'armes pour la sécurité de la maison, ou pour prendre au piège un ennemi caché, s'il y en avait.

En attendant, le corps de l'espion fut emporté, sous la neige tombante, et déposé dans l'église de l'abbaye.

Ce fut seulement après toutes ces dispositions prises, et lorsque tout fut rentré dans un silence convenable, que les deux jeunes filles firent sortir Richard Shelton de sa cachette, et lui racontèrent en détail ce qui s'était passé. Lui, de son côté, raconta la visite de l'espion, sa dangereuse découverte et sa fin rapide.

Joanna s'appuya à demi évanouie contre la tenture.

— Cela ne sert à rien, dit-elle. Je serai quand même mariée demain matin !

— Quoi ! s'écria son amie. Et voici notre paladin qui chasse les lions comme des souris ! Vous avez vraiment peu de confiance. Mais voyons, chasseur de lions. Donnez-nous quelque espoir ; parlez, et faites-nous entendre de hardis conseils. Dick était confus que l'exagération de ses propres paroles lui fût ainsi jetée à la figure ; il rougit, mais parla avec fermeté.

— En vérité, dit-il, nous sommes dans une mauvaise passe. Si, pourtant, je pouvais sortir de cette maison pour une demi-heure, je me dis en toute sincérité que tout pourrait encore aller ; et, quant au mariage, il serait empêché.

— Et, quant aux lions, contrefit la jeune fille, ils seront chassés.

— Je vous demande pardon, dit Dick. Je ne parle pas en ce moment comme un homme qui se vante, mais plutôt comme quelqu'un qui cherche aide et conseil ; car, si je ne sors pas de cette maison, à travers ces sentinelles, je puis faire moins que rien. Comprenez-moi, je vous prie.

— Que disiez-vous qu'il était rustique, Joanna ? demanda la jeune fille. Je vous garantis qu'il a une bonne langue ; sa parole est alerte, douce et hardie à plaisir. Que voulez-vous de plus ?

— Non, soupira Joanna, avec un sourire, on a changé mon ami Dick, c'est vrai. Quand je l'ai vu, il était fruste. Mais il importe peu ; il n'y a pas de remède à mon pénible sort, et il faut que je sois Lady Shoreby.

— Eh bien ! donc, dit Dick, je vais tout de même tenter la chance. On ne fait pas grande attention à un frère, et si j'ai trouvé une bonne fée pour me conduire en haut, je puis en trouver une autre pour me faire descendre. Quel est le nom de l'espion ?

— Rutter, dit la jeune dame, et un excellent nom pour lui. Mais comment ferez-vous, chasseur de lions ? Quelle est votre idée ?

— J'essaierai d'aller hardiment, droit devant moi, répliqua Dick ; et, si quelqu'un m'arrête, je resterai impassible, et dirai que je vais prier pour Rutter. On doit être déjà en train de prier sur son pauvre cadavre.

— La ruse est un peu simple, répliqua la jeune fille, mais peut réussir.

— Non, dit le jeune Shelton, ce n'est pas de la ruse, mais de la pure témérité, ce qui vaut mieux parfois, dans les cas les plus difficiles.

— Vous avez raison, dit-elle. Eh bien, allez, au nom de Marie, et que le Ciel vous protège ! Vous laissez ici une pauvre fille qui vous aime absolument et une autre qui est de grand cœur votre amie. Soyez prudent en pensant à elles, et ne faites pas naufrage au port.

— Oui, ajouta Joanna, allez, Dick. Vous ne risquez pas plus à partir qu'à rester. Allez, vous emportez mon cœur avec vous : que les saints vous protègent !

Dick passa la première sentinelle d'un air si assuré, que l'homme simplement s'agita et le fixa ; mais, au second palier, l'homme mit sa lance en travers et le somma de dire ce qu'il voulait.

— *Pax vobiscum*, répondit Dick. Je vais prier sur le corps de ce pauvre Rutter.

— Possible, répliqua la sentinelle, mais il ne vous est pas permis d'aller seul.

Il se pencha sur la balustrade de chêne et siffla un son aigu. — Quelqu'un vient ! cria-t-il ; et il fit signe à Dick de passer.

Au pied de l'escalier, il trouva la garde sur pieds, attendant son arrivée ; et, quand il eut répété son histoire, le chef du poste désigna quatre hommes pour l'accompagner à l'église.

— Ne le laissez pas échapper, mes braves, dit-il, conduisez-le à Sir Olivier, sous peine de la vie !

La porte fut ouverte, un homme prit Dick sous chaque bras, un autre marcha devant avec une torche, et le quatrième, l'arc brandi, et la flèche sur la corde, fermait la marche. Dans cet ordre ils traversèrent le jardin sous l'obscurité épaisse de la nuit et la neige voltigeante, et s'approchèrent des fenêtres faiblement éclairées de l'église de l'abbaye.

A la porte ouest un piquet d'archers était placé, profitant du peu d'abri qu'ils pouvaient trouver sous les entrées voûtées, et tout saupoudrés de neige ; et ce ne fut qu'après avoir échangé un mot avec eux que les conducteurs de Dick furent autorisés à passer et à entrer dans le vaisseau de l'édifice sacré.

L'église était vaguement éclairée par les cierges du grand autel, et par une ou deux lampes qui pendaient de la voûte devant les chapelles particulières des familles illustres. Au milieu du chœur, l'espion mort était étendu sur une bière, les membres pieusement rassemblés.

Un murmure précipité de prières résonnait le long des arceaux ; des figures encapuchonnées étaient agenouillées dans les stalles du chœur, et sur les marches du grand autel un prêtre en habits pontificaux disait la messe.

A cette nouvelle entrée, une des figures encapuchonnées se leva, et, descendant les marches qui élevaient le niveau du chœur au-dessus de celui de la nef, demanda au premier des quatre hommes ce qui les amenait dans l'église. Par respect pour le service et pour la mort, ils parlaient à voix basse ; mais les échos de cet édifice grand et vide saisissaient leurs paroles et sourdement les répétaient et les répétaient le long des ailes.

.. moine ! répliqua Sir Olivier (car c'était lui) quand il eut entendu le .apport de l'archer. Mon frère, je ne m'attendais pas à votre venue, ajouta-t-il, en se tournant vers le jeune Shelton. En toute politesse, qui êtes-vous ? et à l'instance de qui venez-vous joindre vos prières aux nôtres ?

Dick, gardant son capuchon sur sa figure, fit signe à Sir Olivier de s'éloigner des archers d'un pas ou deux ; et aussitôt que le prêtre l'eut fait — je ne peux espérer vous tromper, dit-il, ma vie est dans vos mains.

Sir Olivier tressaillit violemment ; ses grosses joues pâlirent, et un moment il garda le silence.

— Richard, dit-il, qu'est-ce qui vous amène ici, je ne sais ; mais je ne doute guère que ce soit mal. Cependant, pour la bonté passée, je ne voudrais pas vous livrer moi-même. Vous resterez là jusqu'à ce que Lord Shoreby soit marié, et que tous soient rentrés sans encombre, et, si tout va bien, et si vous n'avez combiné aucun malheur, à la fin vous irez où vous voudrez. Mais, si vous poursuivez un but sanglant, que le sang retombe sur votre tête. Amen !

Et le prêtre se signa dévotement, se retourna et s'inclina dans la direction de l'autel.

Là-dessus, il dit quelques mots aux soldats, et, prenant Dick par la main, le conduisit vers le chœur et le plaça dans la stalle à côté de la sienne, où, par pure décence, le jeune homme dut aussitôt s'agenouiller et paraître occupé de ses dévotions. Son esprit et ses yeux étaient pourtant sans cesse en mouvement. Il remarqua que trois des soldats, au lieu de retourner à la maison, avaient pris tranquillement une position avantageuse dans une aile ; et il ne put douter qu'ils l'eussent fait par ordre de Sir Olivier. Il était donc pris au piège. Il lui faudrait passer la nuit dans la lueur spectrale et l'ombre de l'église, en face du visage pâle de celui qu'il avait tué ; et, le matin, voir celle qu'il aimait, mariée à un autre sous ses yeux.

Mais, malgré cela, il parvint à se dominer et se força à attendre patiemment la fin.

CHAPITRE IV
DANS L'ÉGLISE DE L'ABBAYE

Dans l'église de Shoreby les prières continuèrent toute la nuit sans interruption, tantôt avec le chant des psaumes, tantôt avec une note ou deux sur la cloche.

Rutter, l'espion, fut noblement veillé. Il était étendu là, tels qu'ils l'avaient arrangé, ses mains mortes croisées sur la poitrine, ses yeux morts fixant la voûte ; et, tout près, dans la stalle, celui qui l'avait tué attendait avec angoisse la venue du matin.

Une fois seulement, au cours des heures, Sir Olivier se pencha vers son captif.

— Richard, murmura-t-il, mon fils, si vous me voulez du mal, je vous le certifie sur le salut de mon âme, vous vous en prenez à un innocent. Coupable aux yeux du ciel je me déclare moi-même, mais envers vous, je ne le suis, ni ne l'ai jamais été.

— Mon père, répliqua Dick, du même ton de voix, croyez-moi, je n'ai aucun dessein ; mais quant à votre innocence, je ne puis oublier que vous ne vous êtes disculpé que faiblement.

— Un homme peut être innocemment coupable, répliqua le prêtre. Il peut être envoyé aveuglément en mission sans en savoir le vrai but. Il en fut ainsi de moi. J'ai conduit votre père à la mort ; mais, comme le ciel nous voit dans ce lieu saint, je ne savais ce que je faisais.

— Cela peut être, répliqua Dick. Mais voyez quel étrange réseau vous avez tissé, puisque je suis en ce moment à la fois votre prisonnier et votre juge ; que vous devez à la fois menacer mes jours et conjurer ma colère. Il me semble que, si vous aviez été toute votre vie un homme loyal et un bon prêtre, vous ne m'auriez ni craint ainsi, ni détesté ainsi. Et maintenant, à vos prières. Je vous obéis, puisqu'il le faut ; mais je ne veux pas du fardeau de votre compagnie.

Le prêtre émit un soupir, si profond qu'il eût presque éveillé chez le jeune homme quelque sentiment de pitié, et il inclina la tête dans ses mains comme un homme courbé sous le poids des soucis. Il cessa d'unir sa voix aux psaumes, mais Dick pouvait entendre les grains du chapelet glissant entre ses doigts, et les prières marmottées entre ses dents.

Encore un instant, et le gris du matin commença à percer à travers les vitraux peints de l'église, et à faire honte à la lumière des cierges. Le jour lentement grandit et brilla, et maintenant par les baies du sud-ouest un flot vermeil de lumière dansa sur les murs. La tempête était passée, les grands nuages s'étaient déchargés de leur neige et s'étaient éloignés, et le jour nouveau s'ouvrait sur un joyeux paysage d'hiver sous un blanc manteau.

Un bruit de serviteurs d'église suivit. La bière fut portée à la maison mortuaire, les carreaux furent lavés des taches de sang, afin qu'un spectacle de si mauvais présage ne pût déparer le mariage de Lord Shoreby. En même temps, les mêmes ecclésiastiques qui avaient été occupés toute la nuit si lugubrement, commencèrent à prendre leurs figures de fête pour faire honneur à la cérémonie plus gaie qui allait suivre. Et pour mieux annoncer la venue du jour, les gens pieux de la ville commencèrent à arriver et à faire leurs dévotions à leurs autels préférés ou attendre leur tour aux confessionnaux. A la faveur de ce remue-ménage, il était facile d'éviter la vigilance des sentinelles de Sir Daniel à la porte et bientôt, Dick, regardant avec lassitude autour de lui, rencontra l'œil de Will Lawless, toujours dans sa robe de moine.

L'outlaw au même moment reconnut son chef, et, discrètement, lui fit signe de l'œil et de la main.

Dick était loin d'avoir pardonné au vieux coquin son ivresse des plus intempestives, mais il n'avait aucun désir de l'entraîner dans sa propre détresse et il lui fit signe, aussi clairement qu'il lui fut possible, de s'en aller.

Lawless, comme s'il eût compris, disparut aussitôt derrière un pilier, et Dick respira.

Quel fut alors son désappointement de se sentir tirer par une manche et de voir le vieux voleur installé, à côté de lui, sur le siège le plus proche, et en apparence plongé dans ses dévotions.

Immédiatement Sir Olivier quitta sa place, et, glissant derrière les stalles, rejoignit les soldats dans l'aile. Si les soupçons du prêtre avaient été éveillés pour si peu, le mal était fait, et Lawless prisonnier dans l'église.

— Ne bougez pas, murmura Dick. Nous sommes dans la plus mauvaise passe, grâce, avant tout, à ta goujaterie d'hier soir. Quand vous m'avez vu si étrangement assis là, où je n'ai ni droit ni intérêt, que diable, ne pouviez-vous flairer le danger, et vous sortir de là ?

— Non, répliqua Lawless, je pensais que vous aviez entendu parler d'Ellis, et que vous aviez de la besogne ici.

— Ellis ! répéta Dick. Ellis est-il de retour ?

— Pour sûr, répliqua l'outlaw. Il est revenu la nuit dernière et m'a donné une forte raclée parce que j'avais bu… si bien que vous êtes vengé, mon maître. C'est un fameux homme qu'Ellis Duckworth ! Il a galopé à bride abattue depuis Craven pour empêcher le mariage, et, maître Dick, vous connaissez sa manière… il l'empêchera !

— Eh bien ! alors, répliqua Dick tranquillement, vous et moi, mon pauvre frère, sommes deux hommes morts ; car je suis ici prisonnier comme suspect, et ma tête répond de ce mariage qu'il se propose de troubler. J'ai un joli choix, par la croix ! perdre ma fiancée ou la vie ! Eh bien le dé est jeté… ce sera la vie.

— Par la messe, cria Lawless, se levant à demi, je suis fini !

Mais Dick lui mit vite la main sur l'épaule.

— Ami Lawless, restez tranquille, dit-il. Si vous avez des yeux, regardez là-bas, dans le coin, près de l'arceau du sanctuaire, ne voyez-vous pas qu'à votre simple mouvement pour vous lever les hommes d'armes, là-bas, sont debout, et prêts à vous arrêter ? Rendez-vous aussi, ami. Vous étiez brave sur le navire quand vous croyiez mourir comme un marin ; soyez brave encore maintenant que vous allez mourir bientôt sur le gibet.

— Maître Dick, dit Lawless haletant. La chose est venue sur moi un peu soudainement, mais donnez-moi le temps de reprendre haleine et j'aurai le cœur aussi hardi que vous.

— Voilà mon brave compagnon ! répliqua Dick. Et cependant, Lawless, c'est bien à contrecœur que je meurs, mais gémir ne sert à rien, pourquoi gémir ?

— C'est sûr, approuva Lawless, et une nique à la mort, au pis ! Cela doit arriver, maître, tôt ou tard ; être pendu pour une bonne cause est une mort douce, dit-on, quoique je n'ai jamais entendu dire qu'il en soit revenu un pour le raconter.

Et, là-dessus, le solide vieil outlaw se renfonça dans sa stalle, croisa les bras, et se mit à regarder autour de lui avec un air de parfaite insolence et indifférence.

— Et quant à ça, ajouta Dick, ce que nous avons de mieux à faire est de rester tranquilles. Nous ne savons pas encore ce que veut faire Duckworth, et quand tout sera dit, même au pis, nous pourrons peut-être nous échapper.

Quand ils eurent cessé de parler, ils perçurent les légers et lointains accords d'une musique joyeuse qui, peu à peu, approchait et grandissait, toujours plus gaie. Les cloches de la tour se mirent à sonner un double carillon, et des gens, de plus en plus nombreux, encombrèrent l'église, secouant la neige de leurs pieds, se frottant les mains et soufflant sur leurs doigts. La porte de l'ouest fut ouverte toute grande, laissant voir la rue tout ensoleillée sous la neige et donnant accès à une grande bouffée d'air vif du matin ; bref, tout indiquait évidemment que Lord Shoreby désirait se marier de très bonne heure et que le cortège nuptial s'avançait.

Quelques-uns des hommes de Lord Shoreby ouvrirent un passage dans la nef en repoussant les gens avec le bois des lances ; et, à ce moment, on put apercevoir en dehors du portail les musiciens laïques, qui arrivaient sur la neige gelée, les fifres et les trompettes la figure écarlate à force de souffler, les tambours et les cymbales tapant à qui mieux mieux.

Arrivés près de l'entrée de l'édifice sacré, ils se séparèrent en deux files de chaque côté, et restèrent debout dans la neige, marquant le pas pour battre la mesure de leur bruyante musique. Au moment où ils ouvrirent ainsi leurs rangs, les conducteurs de ce noble cortège apparurent au milieu derrière eux, et telle était la variété et la gaieté de leur accoutrement, tel était le déploiement de soie et velours, fourrures et satins, broderies et dentelles, que la procession paraissait sur la neige comme un parterre de fleurs dans un sentier, ou un vitrail sur un mur.

D'abord venait la fiancée, triste spectacle, pâle comme l'hiver, accrochée au bras de Sir Daniel, et escortée comme demoiselle d'honneur par la jeune petite dame qui avait protégé Dick la nuit précédente. Tout près, derrière, dans la plus brillante toilette, suivait le fiancé, clochant sur un pied goutteux, et lorsqu'il passa le seuil de l'édifice sacré, il ôta son chapeau, et on put voir que sa tête chauve était rose d'émotion.

Et alors vint l'heure d'Ellis Duckworth.

Dick, qui était assis pétrifié par des émotions contraires, la main crispée sur le pupitre devant lui, remarqua un mouvement dans la foule des gens qui se bousculaient en arrière, des yeux et des bras levés. Suivant ces signes, il vit trois ou quatre hommes avec des arcs bandés, qui se penchaient à la galerie des chantres. Au même moment, ils lancèrent leur décharge, et avant que les clameurs et les cris de la populace épouvantée eussent le temps d'élever leur bourdonnement, ils s'étaient envolés de leurs perchoirs et avaient disparu.

La nef était pleine de têtes se balançant et de voix clamant. Les prêtres, terrifiés, accoururent en foule, quittant leurs places, la musique cessa, et, quoique les cloches au-dessus continuèrent à résonner dans l'air pendant quelques secondes, quelque vent du désastre sembla trouver bientôt son chemin jusque dans la chambre où les sonneurs sautaient sur leurs cordes, et eux aussi cessèrent leur joyeux travail.

Juste au milieu de la nef, le fiancé était étendu mort. La fiancée s'était évanouie. Sir Daniel était debout, dominant la foule dans sa surprise et sa colère, un trait de la longueur d'une aune frémissait dans son avant-bras gauche, et sa figure ruisselait de sang, d'un autre qui l'avait écorché au front. Bien avant qu'aucune recherche pût être faite, les auteurs de cette interruption tragique avaient descendu un escalier en tourniquet et décampé par une porte dérobée.

Mais Dick et Lawless restaient toujours en gage ; ils s'étaient bien levés à la première alerte et avaient manœuvré énergiquement pour gagner la porte ; mais avec l'étroitesse des stalles et l'encombrement de prêtres et de choristes terrifiés, la tentative avait été vaine et ils avaient stoïquement repris leurs places.

Et alors, pâle d'horreur, Sir Olivier se leva et appela Sir Daniel, en désignant Dick de la main.

— Voici, cria-t-il, Richard Shelton… jour néfaste… coupable de meurtre ! Saisissez-le !… Faites-le saisir ! Au nom de nos vies à tous, prenez-le et liez-le serré ! Il a juré notre perte.

Sir Daniel était aveuglé par la colère… aveuglé par le sang chaud qui ruisselait toujours sur sa figure.

— Où ? hurla-t-il. Qu'on le traîne ici ! Par la croix de Holywood, il maudira cette heure.

La foule se recula, et un groupe d'archers envahit le chœur ; leurs rudes mains saisirent Dick, l'arrachèrent de la stalle, la tête la première, et le jetèrent par les épaules en bas des marches du sanctuaire. Lawless de son côté restait tranquille comme une souris.

Sir Daniel, essuyant ses yeux couverts de sang, fixa son captif sans sourciller.

— Hé, dit-il, traître et insolent, je te tiens bien ; et par les plus grands serments, pour chaque goutte de sang qui, en ce moment, coule sur mes yeux, j'arracherai un gémissement à ta carcasse. Qu'on l'emmène, ajouta-t-il, ce n'est pas ici le lieu. Menez-le dans ma maison. Il subira la torture dans chaque jointure de son corps.

Mais Dick, repoussant ceux qui l'avaient pris, éleva la voix :

— Sanctuaire, cria-t-il, sanctuaire ! Holà ! mes pères ! On veut m'arracher de l'église !

— De l'église que tu as souillée par un meurtre, garçon, ajouta un homme grand et magnifiquement vêtu.

— Sur quelle preuve ? cria Dick. On m'accuse de quelque complicité, mais sans un grain de preuve. J'étais, il est vrai, un prétendant à la main de cette damoiselle ; et, j'aurai la hardiesse de le dire, elle accueillait ma cour avec faveur. Mais quoi ? Aimer une fille n'est pas un crime, je pense !… non, pas plus que gagner son amour. Hors cela, je suis ici libre de tout crime.

Il y eut un murmure d'approbation parmi les assistants, tant Dick déclarait hardiment son innocence ; mais en même temps une masse d'accusateurs s'éleva de l'autre côté, disant comment il avait été trouvé la nuit précédente dans la maison de Sir Daniel, et comment il portait un déguisement sacrilège, et au milieu de cette Babel, Sir Olivier, de la voix et du geste, indiqua Lawless comme complice du fait. Il fut à son tour enlevé de son siège et placé à côté de son chef. Les sentiments de la foule s'excitaient de chaque côté, et, tandis que les uns entraînaient les prisonniers en divers sens pour favoriser leur fuite, d'autres les maudissaient et les frappaient du poing. Dick, les oreilles bourdonnantes, et son cerveau tournoyant dans sa tête, était comme un homme qui se débat dans les remous d'une rivière furieuse.

Mais l'homme de haute taille qui avait déjà répondu à Dick, d'une voix formidable, rétablit l'ordre et le silence dans la foule.

— Fouillez-les, dit-il, cherchez leurs armes. Nous pouvons ainsi juger de leurs intentions.

Sur Dick, ils ne trouvèrent que son poignard, et cela parla en sa faveur ; mais quelqu'un s'empressa de le tirer de sa gaine et le trouva encore taché du sang de Rutter. Alors il y eut une grande clameur parmi les serviteurs de Sir Daniel, que le personnage de haute stature réprima d'un regard et d'un geste impérieux. Mais, quand vint le tour de Lawless, on trouva sous sa robe un paquet de flèches identiques à celles qui avaient été tirées.

— Que dites-vous à présent ? demanda à Dick l'homme de haute taille en fronçant le sourcil.

— Monseigneur, répliqua Dick, je suis ici, dans un sanctuaire, n'est-il pas vrai ? Eh bien ! monseigneur, je vois à votre air que vous êtes haut placé et je lis sur votre figure les marques de la piété et de la justice. A vous, donc, je me rendrai prisonnier, et cela en toute confiance, abandonnant les avantages de ce saint lieu. Mais plutôt que d'être remis à la discrétion de cet homme que j'accuse ici à haute voix d'être le meurtrier de mon père naturel et le gardien injuste de mes terres et revenus... plutôt que cela, je vous prierai en grâce que votre noble main m'exécute sur l'heure... Vos propres oreilles ont entendu comment, avant que je sois prouvé coupable, il m'a menacé de torture. Il ne convient pas à votre honneur de me livrer à mon ennemi juré et ancien oppresseur, mais vous me jugerez loyalement, selon la loi, et, si je suis vraiment coupable, vous me tuerez sans haine.

— Monseigneur, cria Sir Daniel, vous n'écouterez pas ce loup ? son poignard sanglant démasque sa face de menteur.

— Non, mais laissez-moi, bon chevalier, répliqua le grand étranger, votre violence parle plutôt contre vous.

Et alors la fiancée, qui était revenue à elle depuis quelques instants, et regardait cette scène d'un air égaré, s'échappa des mains de ceux qui la tenaient, et tomba à genoux devant celui qui venait de parler.

— Monseigneur Risingham, s'écria-t-elle, écoutez-moi en justice. C'est par force que je suis ici sous la garde de cet homme, arrachée aux miens. Depuis lors, je n'eus jamais pitié, appui ni confort, d'aucun homme que de celui-ci... Richard Shelton, qu'ils accusent à présent et travaillent à perdre. Monseigneur, s'il était hier soir dans l'hôtel de Sir Daniel, c'est moi qui l'y ai amené, il ne vint qu'à ma prière, et ne pensait pas à mal. Tant que Sir Daniel lui fut un bon maître, il combattit loyalement avec lui contre ceux de la Flèche-Noire ; mais, quand son déloyal tuteur voulut lui prendre la vie par traîtrise, et qu'il se fut enfui, la nuit, pour le salut de son âme, hors de cette maison sanglante, où pouvait-il se tourner, — lui, sans appui, et sans argent ? Ou s'il est tombé en mauvaise compagnie, qui est à blâmer… le jeune homme traité injustement, ou le tuteur qui a abusé de sa garde ?

Et alors la petite dame se mit à genoux à côté de Joanna.

— Et moi, mon seigneur et oncle, ajouta-t-elle, je peux témoigner sur ma conscience, et à la face de tous que ce qu'a dit cette jeune fille est vrai. C'est moi, indigne, qui ai introduit le jeune homme.

Le comte Risingham avait écouté en silence, et, quand les voix se turent, il resta encore un moment silencieux. Puis il offrit la main à Joanna pour la relever, mais on put remarquer qu'il ne témoigna pas d'une semblable courtoisie envers celle qui s'était dite sa nièce.

— Sir Daniel, dit-il, voici une affaire très compliquée, que je me charge, avec votre agrément, d'examiner et de régler. Soyez donc satisfait ; votre affaire est en bonnes mains ; justice vous sera rendue ! et, en attendant, rentrez de suite chez vous et faites soigner vos blessures. L'air est vif et je ne voudrais pas que vous preniez froid sur ces égratignures.

Il fit un signe de la main ; ce signe fut transmis dans la nef par des serviteurs attentifs, qui suivaient ses moindres gestes. Aussitôt, hors de l'église, une trompette sonna une note aiguë, et, par le portique ouvert, des archers et des hommes d'armes, tous portant les couleurs et les insignes de Lord Risingham commencèrent à défiler dans l'église, prirent Dick et Lawless à ceux qui les retenaient encore, et, fermant leurs rangs sur les prisonniers, se remirent en marche et disparurent.

A leur passage, Joanna tendit les deux mains vers Dick et lui cria : Adieu ; et la demoiselle d'honneur, nullement intimidée par le déplaisir évident de son oncle, lui envoya un baiser avec un : « Bon courage, chasseur de lions ! » qui, pour la première fois depuis l'accident, amena un sourire sur les figures de la foule.

CHAPITRE V
LE COMTE RISINGHAM

Le comte Risingham, quoique de beaucoup le plus important personnage alors à Shoreby, était pauvrement logé dans la maison d'un simple gentilhomme, à la limite extrême de la ville. Rien, si ce n'est les hommes armés aux portes, et les messagers à cheval, qui ne faisaient qu'arriver et repartir, n'annonçait la résidence temporaire d'un grand seigneur.

Il en résulta que, faute de place, Dick et Lawless furent enfermés dans la même pièce.

— Bien parlé, maître Richard, dit l'outlaw, c'était extrêmement bien parlé, et, pour ma part, je vous remercie cordialement. Ici nous sommes en bonnes mains, nous serons justement jugés et, dans le courant de la soirée, très décemment pendus sur le même arbre.

— Oui, mon pauvre ami, je le crois, répondit Dick.

— Nous avons pourtant encore une corde à notre arc, dit Lawless. Ellis Duckworth est un homme comme on n'en trouverait pas un sur dix mille ; il vous porte dans son cœur, à la fois pour vous et en souvenir de votre père ; et, vous sachant innocent de ce fait, il remuera ciel et terre pour vous tirer de là.

— Impossible, dit Dick. Que peut-il faire ? Il n'a qu'une poignée d'hommes. Hélas ! si nous étions à demain… Si je pouvais seulement être à un rendez-vous une heure avant midi, demain… tout irait, je pense, autrement. Mais, à présent, il n'y a rien à faire.

— Bien, conclut Lawless, si vous voulez soutenir mon innocence, je soutiendrai la vôtre, et fermement. Cela ne nous servira à rien ; mais, si je dois être pendu, cela ne sera pas faute de serments.

Et alors, pendant que Dick se livrait à ses réflexions, le vieux coquin se pelotonna dans un coin, tira son capuchon de moine sur sa figure et se mit en mesure de dormir.

Bientôt il ronflait bruyamment, tant sa longue vie de dangers et d'aventures avait émoussé le sens de la crainte.

Ce fut longtemps après midi, le jour baissant déjà, que la porte s'ouvrit, et que Dick fut conduit à l'étage où, dans un cabinet bien chauffé, le comte Risingham était assis, méditant au coin du feu.

A l'entrée de son captif, il leva les yeux.

— Monsieur, dit-il, je connaissais votre père, qui était un homme d'honneur, et cela me dispose à être d'autant plus bienveillant ; mais je ne puis vous cacher que de lourdes charges pèsent sur vous. Vous fréquentez des meurtriers et des voleurs ; il y a preuve certaine que vous avez troublé par actes belliqueux la paix du roi ; vous êtes soupçonné de vous être emparé d'un vaisseau comme un pirate ; vous avez été trouvé caché, dissimulé sous un déguisement, dans la maison de votre ennemi ; un homme a été tué le soir même…

— Ne vous déplaise, monseigneur, interrompit Dick, je vais tout de suite avouer mon crime, tel qu'il est. J'ai tué ce Rutter, et comme preuve… cherchant dans sa poitrine… voici une lettre prise dans son aumônière.

Lord Risingham prit la lettre, l'ouvrit et la lut deux fois.

— Vous l'avez lue ? demanda-t-il.

— Je l'ai lue, répondit Dick.

— Êtes-vous pour York ou pour Lancastre ? demanda le comte.

— Monseigneur, il n'y a que peu de temps, cette question m'a été posée et je ne savais comment répondre, dit Dick ; mais, ayant répondu une fois, je ne changerai pas. Monseigneur, je suis pour York.

Le comte fit un signe approbatif.

— Honnêtement répondu, dit-il ; mais pourquoi alors me livrez-vous cette lettre ?

— Mais contre les traîtres, monseigneur, tous les partis ne sont-ils pas d'accord ? s'écria Dick.

— Je voudrais qu'ils le soient, jeune homme, répliqua le comte, et, du moins, j'approuve votre parole ; il y a plus de jeunesse que de crime en vous, je le vois ; et si Sir Daniel n'était un homme puissant dans notre parti, je serais presque tenté d'épouser votre querelle, car j'ai fait une enquête et il en résulte que vous avez été durement traité, et cela vous excuse grandement. Mais, voyez-vous, monsieur, je suis avant tout un chef au service de la reine ; et, bien que, par nature, homme juste, je crois, et porté à l'indulgence, même à l'excès, cependant, je dois diriger mes actes dans l'intérêt de mon parti, et, pour garder Sir Daniel, je ferais beaucoup.

— Monseigneur, répliqua Dick, vous me trouverez bien hardi de vous donner un avis : mais comptez-vous sur la foi de Sir Daniel ? il me semble qu'il a changé de parti bien souvent.

— Eh ! c'est la manière d'Angleterre. Que voulez-vous ? demanda le comte. Mais vous êtes injuste pour le chevalier de Tunstall, et telle que va la foi dans cette génération sans foi, il s'est montré naguère honorablement loyal envers nous autres de Lancastre. Même dans nos derniers revers, il a tenu ferme.

— Veuillez, alors, dit Dick, jeter les yeux sur cette lettre, elle pourra changer votre opinion sur lui, et il tendit au comte la lettre de sir Daniel à lord Wensleydale.

L'effet sur la physionomie du comte fut instantané ; il rugit comme un lion furieux et sa main d'un mouvement brusque saisit son poignard.

— Vous avez aussi lu cela ? demanda-t-il.

— Parfaitement, dit Dick, c'est le propre domaine de Votre Seigneurie qu'il offre à lord Wensleydale.

— C'est mon propre domaine, comme vous dites, répliqua le comte, je suis votre très obligé pour cette lettre. Cela m'a montré un repaire de renards. Ordonnez, maître Shelton, je ne serai pas en reste de reconnaissance, et pour commencer, York ou Lancastre, homme loyal ou voleur, je vous mets maintenant en liberté. Allez, au nom de Marie ! Mais trouvez juste que je retienne votre compagnon Lawless et le pende. Le crime a été public, et il convient que quelque punition suive.

— Monseigneur, ce sera ma première prière que vous l'épargniez aussi, implora Dick.

— C'est un vieux coquin condamné, voleur et vagabond, maître Shelton, dit le comte. Il y a vingt ans qu'il est mûr pour le gibet et pour une chose ou pour l'autre, demain ou le jour suivant, il n'a pas grand choix.

— Pourtant, monseigneur, c'est par amour pour moi qu'il est venu là, répondit Dick, et je serais un vilain et un ingrat si je l'abandonnais.

— Maître Shelton, vous êtes ennuyeux, répliqua le comte sévèrement. C'est un mauvais moyen pour réussir en ce monde. Quoi qu'il en soit, et pour me débarrasser de votre insistance, je vais encore une fois vous satisfaire. Allez donc tous deux ; mais de la prudence, et sortez vite de la ville de Shoreby ; car ce Sir Daniel (que les saints confondent) a une soif terrible de votre sang.

— Monseigneur, je vous présente maintenant ma reconnaissance en paroles, comptant quelque jour prochain vous en payer quelque chose en actes, répliqua Dick en quittant la chambre.

CHAPITRE VI
ENCORE ARBLASTER

Lorsqu'on laissa Dick et Lawless sortir par une porte de derrière de la maison où Lord Risingham tenait garnison, le soir était déjà venu.

Ils s'arrêtèrent à l'abri du mur du jardin pour se consulter. Le danger était très grand. Si quelqu'un des hommes de Sir Daniel les apercevait et donnait l'alarme, on leur courrait sus et ils seraient immédiatement massacrés, et, non seulement la ville de Shoreby était un véritable filet tendu pour les prendre, mais sortir dans la campagne ouverte était courir le risque de rencontrer des patrouilles.

Un peu plus loin, sur un sol découvert, ils aperçurent un moulin au repos ; et, tout auprès, un très grand grenier, les portes ouvertes.

— Que dites-vous de nous tenir là, jusqu'à la tombée de la nuit ? proposa Dick.

Et Lawless n'ayant pas de meilleure idée à suggérer, ils coururent droit au grenier, et se couchèrent derrière la porte dans la paille. Le jour déclina rapidement ; et bientôt la lune argentait la neige gelée. Maintenant ou jamais, ils avaient l'occasion de gagner « La Chèvre et la Musette » sans être vus, et de changer leurs vêtements dénonciateurs. Pourtant il était encore prudent de faire le tour par les faubourgs et d'éviter la place du Marché, où, dans la foule, ils auraient couru le plus grand danger d'être reconnus et massacrés.

Cette course était longue ; ils devaient passer non loin de la maison sur la grève, maintenant sombre et silencieuse, pour arriver enfin par l'entrée du port. De nombreux navires, comme ils pouvaient le voir par le clair de lune, avaient levé l'ancre, et, profitant du ciel calme, étaient partis. Par suite, les tavernes malfamées le long du port (bien qu'en dépit de la loi du couvre-feu on y vît encore briller des feux et des chandelles), n'étaient plus remplies d'habitués, et ne résonnaient plus de chansons de matelots.

En hâte, courant presque, leurs robes de moines retroussées jusqu'aux genoux, ils s'enfonçaient dans la neige profonde et traversaient le labyrinthe de décombres marins ; ils avaient déjà fait plus de la moitié du tour du port, lorsqu'en passant près d'une taverne, la porte s'ouvrit brusquement et fit jaillir sur eux un flot de lumière.

Ils s'arrêtèrent aussitôt et firent semblant d'être engagés dans une sérieuse conversation.

Trois hommes, l'un après l'autre, sortirent de la taverne, et le dernier ferma la porte derrière lui. Tous trois étaient peu d'aplomb sur leurs jambes, comme s'ils avaient passé la journée en fortes libations, et ils restaient chancelants au clair de lune comme des hommes qui ne savent pas ce qu'ils veulent faire. Le plus grand des trois parlait d'une voix forte et lamentable :

— Sept pièces d'un vin de Gascogne aussi bon que jamais cabaretier en a mis en perce, disait-il, le meilleur bateau du port de Dartmouth, une Vierge Marie en partie dorée, et treize livres de bon or monnayé...

— J'ai éprouvé de dures pertes aussi, interrompit l'un des autres. J'ai éprouvé des pertes, moi aussi, compère Arblaster. J'ai été volé à la Saint-Martin de cinq shillings et une aumônière de cuir qui valait bien neuf pence.

Le cœur manqua à Dick en entendant ces paroles. Jusqu'alors il n'avait peut-être pas pensé deux fois au pauvre capitaine ruiné par la perte de *la Bonne Espérance* ; si insoucieux, dans ce temps-là, étaient les hommes qui portaient des armes, des biens et intérêts de leurs inférieurs. Mais cette rencontre subite lui rappela vivement le sans-gêne et le triste résultat de son entreprise, et lui et Lawless tournèrent la tête d'un autre côté pour éviter d'être reconnus.

Le chien du navire avait cependant échappé au naufrage et trouvé son chemin vers Shoreby. Il était alors sur les talons d'Arblaster, et soudain, flairant et dressant les oreilles, il s'élança et se mit à aboyer furieusement aux deux faux moines. Son maître le suivit en titubant :

— Hé ! camarades ! cria-t-il. Avez-vous une pièce d'un penny pour un pauvre vieux matelot, complètement dépouillé par des pirates ? J'aurais pu payer pour vous deux jeudi matin, et, à présent, ce samedi soir, voilà que je mendie pour une bouteille d'ale ! Demandez à mon matelot, si vous ne me croyez pas. Sept pièces de bon vin de Gascogne, un bateau qui était à moi et qui avait été à mon père avant moi, une sainte Marie en bois de platane et en partie dorée ; et treize livres en or et argent : Hein ! qu'est-ce que vous dites ? Un homme qui s'est battu contre les Français, aussi ; car j'ai combattu les Français, j'ai coupé plus de gorges françaises en pleine mer que jamais homme parti de Dartmouth. Allons ! une pièce d'un penny.

Ni Dick, ni Lawless n'osèrent lui répondre un mot, de crainte qu'il ne reconnût leurs voix, et ils restaient là désemparés comme un navire à terre, ne sachant ni où regarder, ni qu'espérer.

— Êtes-vous muet, garçon ? demanda le capitaine. Camarades, ajouta-t-il avec un hoquet, ils sont morts. Je n'aime pas ces manières mal polies, car un homme muet, s'il est poli, parlera tout de même, quand on lui parle, je pense.

A ce moment le matelot, Tom, qui était un homme d'une grande vigueur physique, parut concevoir quelque méfiance contre ces deux formes silencieuses, et, étant plus sobre que son capitaine, il s'avança brusquement devant lui, saisit rudement Lawless par l'épaule, et lui demanda avec un juron ce qu'il avait à se taire. Alors l'outlaw, pensant que tout était perdu, répondit par une feinte de lutteur qui étendit le matelot sur le sable, et criant à Dick de le suivre, prit sa course à travers les décombres.

L'affaire dura une seconde. Avant que Dick pût se mettre à courir, Arblaster l'avait pris dans ses bras, Tom, relevant la tête, l'avait pris par un pied, et le troisième brandissait au-dessus de lui un coutelas dégainé.

Ce n'était pas tant le danger, ce n'était pas tant l'inquiétude, qui, à ce moment, abattait le courage du jeune Shelton, c'était la profonde humiliation d'avoir échappé à Sir Daniel, d'avoir convaincu Lord Risingham, et de tomber maintenant sans défense dans les mains de ce vieux matelot ivrogne, et non seulement sans défense, mais, comme sa conscience le lui disait bien haut, trop tard, réellement criminel… réellement le débiteur insolvable de l'homme dont il avait volé et perdu le bateau.

— Emportez-le-moi dans la taverne que je voie sa figure, dit Arblaster.

— Non, non, répliqua Tom, vidons d'abord son escarcelle de peur que les autres gars demandent à partager.

Mais bien qu'il fût fouillé de la tête aux pieds, pas un penny ne fut trouvé sur lui, rien que le cachet de Lord Foxham qu'ils arrachèrent brutalement de son doigt :

— Tournez-le-moi vers la lune, dit le capitaine, et prenant Dick par le menton, il lui releva brusquement la tête. Sainte Vierge, cria-t-il, c'est le pirate.

— Eh ! cria Tom.

— Par la vierge de Bordeaux, c'est l'homme lui-même, répéta Arblaster. Eh bien ! voleur de mer, je vous tiens ! cria-t-il ; où est mon vaisseau ? où est mon vin ? Hé ! vous voilà entre mes mains ; Tom, donne-moi un bout de corde ici, je m'en vais vous attacher ce voleur de mer pieds et mains ensemble, comme un dindon à rôtir. Pardi ! je vais vous le lier si bien… et ensuite je vais le battre… le battre !

Ainsi il continuait à parler, tournant en même temps la corde autour des membres de Dick avec la dextérité propre aux marins, et, à chaque tour et chaque croisement, il faisait un nœud, et serrait tout l'ouvrage d'une secousse violente.

Quand il eut fini, le garçon était un vrai paquet entre ses mains, impuissant comme la mort. Le capitaine le tint à bout de bras et éclata de rire. Puis il lui asséna un étourdissant coup de poing sur l'oreille, puis le fit tourner, et lui donna de furieux coups de pieds. La colère monta au cœur de Dick comme une tempête ; la colère l'étouffa et il crut mourir, mais lorsque le marin, fatigué de ce jeu cruel, le laissa tomber de tout son long sur le sable et se retourna vers ses compagnons pour se consulter avec eux, il reprit instantanément son sang-froid. Ce fut un moment de répit. Avant qu'ils recommencent à le torturer, il pourrait trouver quelque moyen d'échapper à cette dégradante et fâcheuse mésaventure.

Bientôt, en effet, et pendant que les autres discutaient encore sur ce qu'ils devaient faire de lui, il reprit courage et d'une voix assez ferme leur adressa la parole :

— Mes maîtres, commença-t-il, êtes-vous devenus fous ? Le ciel vous envoie une occasion de devenir riches, telle que jamais matelot n'en rencontra... telle que vous pourriez faire trente voyages de mer sans la retrouver... Me battre ?... Non ; ainsi ferait un enfant en colère, mais, pour des loups de mer à fortes têtes, qui ne craignent ni feu ni eau, et qui aiment l'or comme ils aiment le bœuf, il me semble que vous n'êtes guère sages.

— Hé, dit Tom, maintenant que vous êtes ficelé, vous voudriez nous attraper.

— Vous attraper ! répéta Dick. Si vous étiez des sots ce serait facile. Mais si vous êtes malins, comme je le crois, vous pouvez voir clairement quel est votre intérêt. Quand je vous ai pris votre bateau, nous étions bien habillés, et armés ; mais maintenant, réfléchissez un peu, qui a rassemblé cette troupe ? certainement quelqu'un qui avait beaucoup d'or. Et si celui-là, étant déjà riche, continue à courir après plus encore, même à travers les orages... réfléchissez bien... ne faut-il pas qu'il y ait un trésor caché quelque part ?

— Qu'est-ce qu'il veut dire ? demanda un des hommes.

— Oui, si vous avez perdu un vieux bateau et quelques cruches de vin tourné, continua Dick, oubliez-les comme les bagatelles qu'ils étaient, et préparez-vous plutôt pour une aventure qui en vaut la peine, qui, en douze heures, fera votre fortune ou votre perte. Mais relevez-moi, et allons quelque part, près d'ici, causer devant une bouteille, car je suis endolori et gelé, et ma bouche est à moitié dans la neige.

— Il ne cherche qu'à nous attraper, dit Tom avec mépris.

— Attraper ! Attraper ! cria le troisième individu. Je voudrais voir celui qui pourrait m'attraper ! Ce serait un bel attrapeur ! Non, je ne suis pas né d'hier. Je peux voir une église quand elle a un clocher ; et, pour ma part, compère Arblaster, je pense qu'il y a quelque bon sens dans ce jeune homme. Irons-nous l'entendre ? Dites, irons-nous l'entendre ?

— Je verrai avec plaisir un pot d'ale forte, brave maître Pirret, répliqua Arblaster. Que dites-vous, Tom ? Mais l'escarcelle est vide.

— Je paierai, dit l'autre... Je paierai. Je voudrais voir ce qu'il en retourne, je crois sur ma conscience qu'il y a de l'or là-dedans.

— Non, si vous recommencez à boire, tout est perdu ! cria Tom.

— Compère Arblaster, vous permettez trop de liberté à votre homme, répliqua maître Pirret. Vous laisserez-vous mener par un homme à gages ? Fi ! fi !

— Paix, garçon ! dit Arblaster, s'adressant à Tom. Rengaine ton aviron. Une belle passe vraiment, quand l'équipage corrige le capitaine !

— Eh bien, allez votre chemin, dit Tom. Je m'en lave les mains.

— Alors, mettez-le sur pieds, dit maître Pirret. Je connais un endroit écarté, où nous pourrons boire et causer.

— Si je dois marcher, mes amis, il faut me détacher les pieds, dit Dick, quand il eut été de nouveau planté droit comme un piquet.

— Il a raison, dit Pirret en riant. Vraiment il ne pourrait pas marcher, arrangé comme le voilà. Coupez-moi ça… votre couteau, et coupez, compère.

Arblaster lui-même s'arrêta à cette proposition, mais comme son compagnon insistait toujours, et que Dick eut le bon sens d'affecter l'indifférence d'une souche, et se contenta de hausser les épaules devant cette hésitation, le capitaine consentit enfin, et coupa les cordes qui attachaient les pieds et les jambes de son prisonnier. Cela ne permit pas seulement à Dick de marcher, mais tout l'enlacement de ses attaches étant relâché d'autant, il sentit que le bras derrière son dos commençait à remuer plus librement, et il espéra pouvoir, avec du temps et de la patience, se dégager entièrement. Il devait déjà cela à la bêtise aveugle et à la convoitise de maître Pirret.

Ce digne personnage prit la tête et les conduisit à la même taverne grossière où Lawless avait conduit Arblaster la nuit de la tempête. Elle était alors complètement déserte, le feu était une pile de tisons ardents, et répandait une chaleur torride ; et, quand ils eurent choisi leurs places, et que l'aubergiste eut posé devant eux une cruche d'ale chaude et épicée, Pirret et Arblaster étendirent leurs jambes et installèrent leurs coudes comme des gens disposés à passer un bon moment.

La table à laquelle ils étaient assis, comme toutes celles de la taverne, consistait en une forte planche carrée placée sur deux barriques ; et chacun des quatre compères si bizarrement assortis s'assit d'un côté du carré, Pirret faisant face à Arblaster, et Dick opposé au matelot.

— Et à présent, jeune homme, dit Pirret, à votre histoire. Il paraît vraiment que vous avez quelque peu maltraité notre compère Arblaster ; mais quoi ? Dédommagez-le, montrez-lui cette chance de devenir riche… et je me porte garant qu'il vous pardonnera.

Jusque-là, Dick avait parlé à tort et à travers : mais il fallait maintenant, sous la surveillance de six yeux, inventer et raconter quelque histoire merveilleuse, et, s'il était possible, de reprendre le très précieux cachet. Gagner du temps était la première nécessité. Plus longtemps il resterait, plus ses geôliers boiraient, et il serait d'autant plus sûr de réussir, quand il tenterait son évasion.

Dick n'était pas très inventif, et ce qu'il leur raconta ressemblait assez à l'histoire d'Ali Baba, avec Shoreby et la forêt de Tunstall substitués à l'Orient, et les trésors de la caverne plutôt exagérés que diminués. Comme le lecteur sait, c'est un conte excellent, qui n'a qu'un défaut... c'est de n'être pas vrai ; mais comme ces trois simples marins l'entendaient pour la première fois, les yeux leurs sortaient de la tête, et ils ouvraient la bouche comme une morue à l'étal d'un marchand de poisson.

Bientôt une seconde cruche d'ale épicée fut demandée, et, pendant que Dick continuait à raconter avec art les incidents de son histoire, une troisième suivit.

Voici quelle était vers la fin leur situation respective :

Arblaster aux trois quarts gris et à moitié endormi, flottait impuissant sur son escabeau. Tom lui-même avait été ravi par l'histoire, et sa vigilance en était diminuée. Pendant ce temps, Dick avait peu à peu dégagé son bras droit de ses liens, et était prêt à risquer le tout.

— Et ainsi, dit Pirret, vous êtes sûr d'eux.

— On m'a pris, répliqua Dick, malgré moi, mais si je pouvais avoir un sac d'or ou deux pour ma part, je serais vraiment bien bête de continuer à vivre dans une cave fangeuse, et à recevoir des décharges et des coups comme un soldat. Nous voici quatre bons ! Allons donc dans la forêt demain, avant le lever du soleil. Si nous pouvions nous procurer honnêtement un âne, cela vaudrait mieux, mais si nous ne pouvons pas, nous avons quatre bons dos et je vous garantis que nous reviendrons en chancelant sous le poids.

Pirret se léchait les lèvres.

— Et cette magie, dit-il... ce mot de passe qui fait ouvrir la cave... quel est-il, ami ?

— Personne ne le sait que les trois chefs, répliqua Dick ; mais voyez votre grande bonne fortune, ce soir même j'étais porteur d'un charme pour l'ouvrir. C'est une chose qui ne sort pas deux fois par an de l'escarcelle du capitaine.

— Un charme ! dit Arblaster, s'éveillant à demi et louchant d'un œil sur Dick. Arrière ! pas de charmes ! Je suis un bon chrétien. Demandez plutôt à mon matelot Tom.

— Mais ce n'est que de la magie blanche, dit Dick. Cela n'a rien à faire avec le diable, c'est seulement la puissance des nombres, des herbes et des planètes.

— Oui, oui, dit Pirret, c'est seulement de la magie blanche, compère. Il n'y a pas là de péché, je vous l'assure. Mais continuez, brave homme. Ce charme... en quoi consiste-t-il ?

— Je vais vous le montrer immédiatement, répondit Dick. Avez-vous là la bague que vous avez prise à mon doigt ? Bien ! A présent tenez-la devant vous par l'extrémité des doigts à bras tendu à la lumière de ces tisons. C'est cela exactement. Voici le charme.

D'un regard égaré, Dick vit que le chemin était libre entre lui et la porte, il fit mentalement une prière. Alors, avançant vivement le bras, il arracha la bague, et, en même temps, souleva la table, et la renversa sur le matelot Tom. Celui-ci, le pauvre, tomba dessous, hurlant sous les ruines, et avant qu'Arblaster eût compris que quelque chose allait mal, ou que Pirret eût repris ses esprits éblouis, Dick avait couru à la porte et s'était échappé dans la nuit, au clair de lune.

La lune, qui était alors au milieu du ciel, et l'extrême blancheur de la neige, rendaient le terrain dégagé aux abords du port, aussi clair que le jour, et le jeune Shelton, sautant, sa robe aux genoux, parmi les décombres, était nettement visible, même de loin.

Tom et Pirret le suivirent en criant, de chaque cabaret ils furent rejoints par d'autres, que leurs cris attirèrent ; et bientôt, toute une flotte de marins furent à sa poursuite. Mais le matelot à terre était un mauvais coureur, déjà au XVe siècle, et Dick, de plus, avait une avance, qu'il augmenta rapidement, jusqu'à ce que, près de l'entrée d'une ruelle étroite, il s'arrêta pour regarder en riant derrière lui.

Sur le beau tapis de neige, tous les matelots de Shoreby venaient, essaim qui faisait tache d'encre, avec une queue en groupes isolés. Chacun criait ou braillait, chacun gesticulait, les deux bras en l'air ; quelqu'un tombait à chaque instant, et, pour achever le tableau, quand un tombait, une douzaine tombaient sur lui.

Cette masse confuse de bruit qui s'élevait jusqu'à la lune était moitié comique, moitié effrayante pour le fugitif qu'elle poursuivait. En soi, elle était impuissante, car il était sûr qu'aucun matelot du port ne pourrait l'atteindre. Mais le seul bruit, rien qu'en réveillant tous les dormeurs de Shoreby, et en amenant dans la rue toutes les sentinelles cachées, le menaçait réellement d'un danger en avant. Aussi, ayant aperçu une entrée de porte sombre à un tournant, il s'y jeta violemment, et laissa passer la cohue bizarre de ses poursuivants, qui criaient toujours et gesticulaient, tous rouges de hâte et blancs de leurs chutes dans la neige.

Cela dura longtemps, avant que cette grande invasion de la ville par le port fût terminée ; et longtemps encore, avant que le silence fût restauré. Longtemps on entendit des matelots perdus qui battaient la ville en criant dans toutes les directions et dans tous les quartiers. Il y eut des querelles quelquefois entre eux, quelquefois avec des patrouilles, les couteaux furent tirés, des coups donnés et reçus, et plus d'un cadavre resta sur la neige.

Quand, une grande heure plus tard, le dernier matelot retourna en grommelant vers le port et sa taverne favorite, on peut se demander s'il avait jamais su quelle espèce d'homme il avait poursuivi, mais ce qui était absolument sûr, c'est qu'il l'avait oublié. Le matin suivant, bien des histoires étranges circulèrent, et, un peu plus tard, après, la légende d'une visite nocturne du diable devint un article de foi pour tous les garçons de Shoreby.

Mais le retour du dernier matelot ne permit pas encore au jeune Shelton de quitter sa froide prison dans l'embrasure de la porte.

Pendant quelque temps, il y eut une grande activité de patrouilles, et des troupes furent spécialement envoyées pour faire le tour de la place, et rendre compte à l'un ou l'autre des grands seigneurs dont le sommeil avait été troublé d'une façon inusitée.

La nuit était déjà bien avancée quand Dick s'aventura hors de sa cachette et arriva, sain et sauf, mais endolori par le froid et les coups, à la porte de « La Chèvre et la Musette ». Comme l'exigeait la loi, il n'y avait ni feu, ni lumière dans la maison ; mais il trouva son chemin en tâtonnant jusqu'à un coin de la chambre glacée des voyageurs, attrapa un bout de couverture qu'il attacha autour de ses épaules, et, se glissant contre le plus proche dormeur, il fut bientôt profondément endormi.

LIVRE V
LE BOSSU

CHAPITRE PREMIER
LA TROMPETTE PERÇANTE

De très bonne heure le lendemain matin, avant la première pointe du jour, Dick se leva, changea de vêtements, s'arma de nouveau comme un gentilhomme, et se mit en route pour la caverne de Lawless dans la forêt. On se souvient que c'est là qu'il avait laissé les papiers de lord Foxham ; aller les reprendre et être de retour à temps pour le rendez-vous avec le jeune duc de Gloucester ne pouvait se faire qu'en partant tôt et marchant bien. Le froid était plus rigoureux que jamais, l'air, sans vent et sec, vous pinçait les narines. La lune était couchée, mais les étoiles étaient toujours brillantes et nombreuses, et le reflet de la neige était clair et joyeux. Il n'était pas besoin de lanterne pour marcher, et, avec cet air tranquille et sonore, on n'avait pas la moindre tentation de flâner.

Dick avait traversé la plus grande partie du terrain découvert entre Shoreby et la forêt, et était arrivé au pied de la petite colline, à quelques centaines de mètres plus bas que la croix de Sainte-Bride, quand, à travers le calme du sombre matin, résonna le son d'une trompette, si aigu, si clair et perçant, qu'il pensa n'avoir jamais rien entendu de pareil. Elle résonna une fois, puis, très vite, une seconde, puis suivit le froissement de l'acier.

A ce bruit, le jeune Shelton dressa l'oreille, et, tirant son épée, courut vers le haut de la colline.

Bientôt il aperçut la croix, et là, sur la route, il fut témoin d'une rencontre acharnée. Il y avait sept ou huit assaillants, et un seul homme pour leur tenir tête ; mais si actif et si habile, chargeant et dispersant ses ennemis si désespérément, gardant si adroitement son équilibre sur la glace, que déjà, avant que Dick pût intervenir, il en avait tué un, blessé un autre et tenu tous en respect.

Cependant c'était un miracle qu'il continuât à se défendre, car à tout instant, quelque accident, le moindre faux pas ou une déviation de la main, pouvait lui faire perdre la vie.

— Tenez bon, monsieur ! Voici du secours ! cria Richard ; et oubliant qu'il était seul et que ce cri était plutôt hors de saison : Aux flèches ! Aux flèches ! s'écria-t-il en tombant sur le derrière des assaillants.

Ceux-ci étaient également de solides gaillards, car ils ne faiblirent pas à cette surprise, mais se retournèrent et tombèrent sur Dick avec une furie étonnante. Quatre contre un, l'acier flamboyait autour de lui à la lueur des étoiles, les étincelles jaillissaient ; un homme devant lui tomba… dans le feu du combat, il sut à peine comment ; il fut alors frappé lui-même ; frappé sur la tête, et, quoique le bonnet d'acier sous son capuchon le protégeât, le coup le fit tomber sur un genou, et la tête lui tourna comme une aile de moulin à vent.

Cependant, l'homme au secours duquel il était venu, au lieu de se joindre au combat, au premier signal d'une intervention avait sauté en arrière et sonné de nouveau, d'une manière plus pressante, et plus forte, de cette même trompette aiguë qui avait commencé le combat. La minute suivante ses ennemis l'attaquaient, et lui, de nouveau, chargea et se déroba, sauta, frappa, tomba sur les genoux, se servant indifféremment de l'épée et de la dague, du pied et de la main, avec le même courage indompté, la même énergie fiévreuse et la même soudaineté.

Mais cet appel perçant avait enfin été entendu. Il y eut une charge étouffée par la neige ; et, à un moment heureux pour Dick qui voyait déjà les pointes des épées briller près de sa gorge, il sortit de chaque côté du bois un torrent désordonné d'hommes d'armes montés, vêtus de fer, et la visière baissée, tous la lance en arrêt ou l'épée nue levée, et tous portant, pour ainsi dire un passager, sous forme d'archers ou de pages, qui sautèrent l'un après l'autre de leurs perchoirs et doublèrent ainsi la troupe.

Les premiers assaillants se voyant entourés par un plus grand nombre, jetèrent leurs armes sans mot dire.

— Emparez-vous de ces gens ! dit le héros à la trompette ; et quand son ordre eût été obéi, il s'avança vers Dick et le fixa. Dick, l'examinant à son tour, fut surpris de trouver en quelqu'un qui avait déployé tant de force, d'habileté et d'énergie, un jeune homme, pas plus âgé que lui… légèrement déformé, avec une épaule plus haute que l'autre, et à la physionomie pâle, triste et grimaçante[2]. Les yeux cependant étaient clairs et hardis.

[2] Richard Crookback (le Bossu) aurait été en réalité plus jeune à cette époque. (*Note de l'auteur.*)

— Monsieur, dit ce jeune homme, vous êtes venu à temps pour moi et pas trop tôt.

— Monseigneur, répliqua Dick avec une légère idée qu'il était en présence d'un grand personnage, vous êtes vous-même si étonnamment habile à l'épée, que je crois que vous en seriez venu à bout tout seul. Cependant, ç'a été certainement heureux pour moi que vos hommes ne se soient pas fait attendre plus longtemps.

— Comment avez-vous su qui j'étais ? demanda l'étranger.

— Encore maintenant, monseigneur, j'ignore à qui je parle.

— Vraiment ? demanda l'autre. Et pourtant vous vous êtes jeté ainsi tête baissée dans ce combat inégal.

— J'ai vu un homme qui se battait vaillamment contre plusieurs, répliqua Dick, et je me serais cru déshonoré, si je ne lui avais porté secours.

Un sourire railleur parut sur les lèvres du jeune seigneur, quand il répondit :

— Voilà de braves paroles. Mais venons au plus important... êtes-vous York ou Lancastre ?

— Monseigneur, je n'en fais pas un secret. Je suis tout à fait pour York.

— Par la messe ! répliqua l'autre, c'est heureux pour vous.

Et, à ces mots, il se tourna vers un de ses suivants.

— Qu'on en finisse, continua-t-il du même ton moqueur et cruel... qu'on en finisse proprement avec ces braves messieurs. Qu'on me les pende.

Des assaillants, cinq seulement restaient. Les archers les saisirent par les bras, et les menèrent rapidement à la lisière du bois, chacun fut placé sous un arbre de hauteur convenable ; la corde fut ajustée ; un archer, portant le bout, vivement grimpa au dessus, et en moins d'une minute, sans un mot de part ni d'autre, les cinq hommes se balançaient, attachés par le cou.

— Et maintenant, s'écria le chef difforme, retournez à vos postes, et la première fois que je vous appellerai, soyez plus prompts à répondre.

— Seigneur duc, dit un homme, je vous en supplie, ne restez pas ici seul. Gardez une poignée de lances à portée.

— Garçon, dit le duc, j'ai négligé de vous reprocher votre lenteur. Ne me contredites donc pas. J'ai confiance en mon bras et en ma main, quoique je sois bossu. Vous étiez en arrière quand la trompette a sonné ; et vous êtes à présent trop en avant avec vos conseils. Mais il en est toujours ainsi ; le dernier avec la lance et, le premier avec la langue. Que ce soit le contraire !

Et d'un geste qui ne manquait pas d'une sorte d'inquiétante noblesse, il les éloigna.

Les piétons regrimpèrent sur leurs sièges, derrière les hommes d'armes, et toute la troupe s'éloigna lentement et disparut en vingt directions différentes, sous le couvert de la forêt.

Le jour commençait alors à poindre et les étoiles à disparaître. La première teinte grise de l'aurore brillait sur les deux jeunes gens qui, de nouveau, se regardèrent.

— Eh bien, dit le duc, vous avez vu ma vengeance, qui est, comme ma lame, prompte et bonne. Mais je ne voudrais pas, pour toute la chrétienté, que vous me croyiez ingrat. Vous qui êtes venu à mon aide avec une bonne épée et un meilleur courage… à moins que ma forme ne vous rebute… venez sur mon cœur.

Et, ce disant, le jeune chef ouvrit les bras.

Au fond du cœur, Dick éprouvait déjà une grande terreur et quelque haine pour l'homme qu'il avait secouru, mais l'invitation était formulée de telle sorte que ce n'eût pas été simplement impoli, mais cruel, de refuser ou d'hésiter, et il se hâta de s'y rendre.

— Et maintenant, Seigneur duc, dit-il, quand il eut repris sa liberté, ma supposition est-elle juste ? Êtes-vous monseigneur le duc de Gloucester ?

— Je suis Richard de Gloucester, répliqua l'autre, et vous, comment vous appelle-t-on ?

Dick lui dit son nom et présenta le sceau de Lord Foxham, que le duc reconnut immédiatement.

— Vous êtes venu trop tôt, mais je ne m'en plaindrai pas, vous êtes comme moi, qui veillais ici deux heures avant le jour. Mais ce sont mes premières armes : sur cette bataille, maître Shelton, s'établira ma renommée, bonne ou mauvaise. Là sont mes ennemis, sous deux vieux et habiles capitaines, Risingham et Brackley, dans une forte position, je crois, mais sans retraite de deux côtés, serrés qu'ils sont entre la mer, le port et la rivière. Il me semble, Shelton, qu'il y aurait là un grand coup à frapper : si nous pouvions le frapper en silence et soudainement.

— Il me le semble, en effet, s'écria Dick, s'échauffant.

— Avez-vous les notes de Lord Foxham ? demanda le duc.

Et alors, Dick ayant expliqué comment il ne les avait pas pour le moment, se fit fort de donner de lui-même tous les renseignements aussi exacts.

— Et, pour ma part, Seigneur duc, ajouta-t-il, si vous avez assez d'hommes, je voudrais tomber dessus tout de suite. Car, voyez-vous, au point du jour, les gardes de la nuit sont finies : mais, dans le jour, ils ne conservent ni gardes, ni sentinelles… ils font parcourir seulement les faubourgs par des cavaliers. Eh bien donc, maintenant que la garde de nuit est déjà désarmée et que les autres sont en train de boire le coup du matin… Ce serait le moment de les enfoncer.

— Combien pensez-vous qu'ils sont ? demanda Gloucester.

— Ils n'atteignent pas deux mille, répliqua Dick.

— J'en ai sept cents dans le bois derrière nous, dit le duc ; sept cents suivent, venant de Kettley, et seront ici bientôt ; derrière ceux-ci et plus loin, il y en a encore quatre cents, et Lord Foxham en a cinq cents à une demi-journée d'ici à Holywood. Faut-il attendre leur arrivée ou marcher ?

— Monseigneur, dit Dick, lorsque vous avez pendu ces cinq pauvres diables, vous avez tranché la question. Bien qu'ils fussent des manants, par ces temps difficiles, ils manqueront, on les cherchera, et l'alarme sera donnée. Aussi, monseigneur, si vous comptez sur l'avantage d'une surprise, vous n'avez pas à mon humble avis, une heure devant vous.

— Je le pense aussi, répliqua le bossu. Eh bien ! avant une heure, vous serez dans la mêlée et gagnerez vos éperons. Un courrier rapide à Holywood pour porter le sceau de Lord Foxham ; un autre sur la route pour hâter mes traînards ! Hé, Shelton ! par la croix, cela peut se faire !

Là-dessus, il porta encore la trompette à ses lèvres et sonna. Cette fois, il n'attendit pas longtemps. En un instant, l'espace découvert autour de la croix fut rempli de chevaux et de piétons. Richard de Gloucester prit place sur les marches et dépêcha messager sur messager, pour hâter la concentration des sept cents hommes cachés dans le voisinage immédiat, sous le bois, et, en moins d'un quart d'heure, toutes ses dispositions prises, il se mit à leur tête et commença à descendre la colline vers Shoreby.

Son plan était simple. Il allait s'emparer d'un quartier de la ville de Shoreby, à droite de la grand-route, et y prendre une forte position dans les ruelles étroites, jusqu'à l'arrivée de ses renforts.

Si Lord Risingham choisissait la retraite, Richard le suivrait sur ses derrières et le prendrait entre deux feux ; ou, s'il préférait tenir la ville, il serait pris dans un piège où, peu à peu, la force du nombre l'écraserait.

Il n'y avait qu'un danger, mais il était grand et menaçant… les sept cents hommes de Gloucester pouvaient être enveloppés et taillés en pièces à la première rencontre, et, pour l'éviter, il était nécessaire que la surprise de leur arrivée fût aussi complète que possible.

Aussi les piétons furent tous de nouveau pris en croupe par les cavaliers, et Dick eut le très grand honneur de monter derrière Gloucester lui-même. Tant qu'on fut sous le couvert des bois, les troupes marchèrent lentement, et lorsqu'elles approchèrent des derniers arbres qui bordaient la grande route, elles s'arrêtèrent pour prendre haleine et faire une reconnaissance.

Le soleil maintenant était levé, brillant d'un éclat gelé dans un halo jaune, et, à l'opposé de l'astre, Shoreby, champ de toit neigeux et de pignons rougeâtres, roulait ses colonnes de fumée du matin.

Gloucester se tourna vers Dick.

— Dans ce pauvre endroit, dit-il, où les gens sont en train de cuire le déjeuner, ou bien vous gagnerez vos éperons et je commencerai une vie d'honneur, de puissance et de gloire aux yeux du monde, ou bien tous deux, je pense, tomberons morts et l'on n'en dira rien. Nous sommes deux Richards. Eh bien ! Richard Shelton, on en parlera de ces deux-là ! Leurs épées ne sonneront pas plus fort sur les cimiers des hommes que leurs noms ne sonneront aux oreilles des gens.

Dick était étonné d'une si grande soif de renommée exprimée avec une si grande force dans les mots et dans l'accent ; et il répondit très sensément et très tranquillement que, pour sa part, il promettait de faire son devoir et ne doutait pas de la victoire si chacun faisait le sien.

Cependant, les chevaux étaient reposés, et le chef levant l'épée et donnant des rênes, la troupe entière des chevaux se mit au galop, et dans un fracas de tonnerre, avec sa double charge de combattants, descendit le bas de la colline et la plaine couverte de neige qui les séparaient encore de Shoreby.

CHAPITRE II
LA BATAILLE DE SHOREBY

La distance à traverser ne dépassait pas un quart de mille. Mais ils n'avaient pas plutôt débouché de la forêt, qu'ils aperçurent des gens qui s'enfuirent en criant dans les prairies couvertes de neige, de chaque côté. Presque en même temps une grande rumeur se leva, s'étendit et grandit de plus en plus dans la ville ; et ils n'étaient pas à mi-chemin de la maison la plus proche, que les cloches commencèrent à sonner.

Le jeune duc grinça des dents, en entendant déjà ces signes d'alarme, et craignit de trouver ses ennemis préparés, et, s'il ne réussissait pas à prendre pied dans la ville, il savait que sa petite armée serait bientôt dispersée et exterminée dans la plaine.

Dans la ville, cependant, ceux de Lancastre étaient loin de se trouver en si bonne posture. C'était comme Dick l'avait dit. La garde de nuit avait déjà ôté les harnais ; les autres étaient encore à flâner,… débraillés, sans brassières ; nullement prêts à la bataille… dans leurs quartiers ; et dans tout Shoreby il n'y avait pas peut-être cinquante hommes complètement armés et cinquante chevaux prêts à être montés.

Le son des cloches, les appels effrayants des hommes qui couraient çà et là dans les rues, criant et frappant aux portes, firent sortir en un temps étonnamment court au moins une quarantaine de ces cinquante. Ils furent vite en selle, et, l'alarme se propageant en désordre de tous côtés, ils se mirent à galoper dans différentes directions.

Aussi, quand Richard de Gloucester atteignit la première maison de Shoreby, il ne rencontra à l'entrée de la rue qu'une poignée de lances, que son attaque balaya comme la tempête chasse la barque.

Au bout d'une centaine de pas dans la ville, Dick Shelton toucha le bras du duc ; celui-ci en réponse, réunit les rênes, porta la trompette perçante à sa bouche, et en tira une note caverneuse, puis tourna vers sa droite. Comme un seul homme, sa troupe entière tourna après lui, et toujours au galop, balaya l'étroite rue latérale. Les vingt derniers cavaliers seulement tirèrent les rênes et firent face à l'entrée ; les piétons qu'ils portaient en croupe sautèrent à terre au même instant et se mirent les uns à brandir leurs arcs, les autres à prendre possession des maisons de chaque côté.

Surpris par ce changement subit de direction, et intimidés par le front solide de l'arrière-garde, les quelques Lancastriens, après s'être rapidement consultés, se retournèrent et s'éloignèrent pour aller chercher du renfort en ville.

Le quartier de la ville dont Richard de Gloucester, sur l'avis de Dick, s'était emparé, consistait en cinq petites rues composées de maisons pauvres et mal habitées, occupant une légère éminence et ouvertes par derrière.

Chacune des cinq rues étant protégée par une bonne garde, la réserve devait ainsi occuper le centre, à l'abri des traits, mais prête à porter secours où il faudrait.

La pauvreté du voisinage était telle, qu'aucun des seigneurs Lancastriens n'y avait été logé et fort peu de leur suite ; et les habitants, d'un commun accord, abandonnèrent leurs maisons et s'enfuirent en braillant par les rues ou par-dessus les murs de jardin.

Au centre, où les cinq voies aboutissaient, une espèce de mauvaise taverne déployait son enseigne : « Aux échiquiers » ; ce fut là que le duc de Gloucester établit pour la journée son quartier général.

Il assigna à Dick la garde d'une des cinq rues.

— Allez, dit-il, gagner vos éperons ; gagnez de la gloire à mon service ; un Richard pour un autre. Je vous le dis, si je monte, vous monterez par la même échelle. Allez, dit-il en lui serrant la main.

Mais aussitôt que Dick fut parti, il se tourna vers un petit archer mal vêtu à ses côtés.

— Allez, Dutton, et vivement, ajouta-t-il. Suivez ce jeune homme. S'il est fidèle, vous répondez de sa sécurité, tête pour tête. Malheur à vous si vous revenez sans lui ! Mais s'il est déloyal… ou si un seul instant, vous doutez de lui… frappez-le par derrière.

Cependant Dick se hâtait d'armer son poste. La rue qu'il avait à garder était très étroite et bordée de maisons en saillie, qui surplombaient la chaussée ; mais tout étroite et sombre qu'elle fût, comme elle donnait sur la place du marché de la ville, l'issue de la bataille se déciderait probablement à cet endroit.

La place du marché était pleine de gens de la ville qui fuyaient en désordre ; mais il n'y avait pas encore trace d'ennemis prêts à attaquer, et Dick jugea qu'il avait du temps devant lui pour préparer sa défense.

Les deux maisons à l'entrée étaient désertes, les habitants dans leur fuite avaient laissé les portes ouvertes ; il fit prendre et entasser les meubles pour en faire une barrière à l'entrée de la ruelle. Une centaine d'hommes étaient sous ses ordres, il en plaça la plus grande partie dans les maisons où ils seraient à l'abri, et pourraient lancer leurs flèches par les fenêtres. Avec le reste, sous sa direction immédiate, il doubla la barricade.

Pendant ce temps, le plus grand tapage et la plus grande confusion n'avaient cessé de régner dans toute la ville ; les cloches sonnant à toute volée, le son des trompettes, les mouvements rapides des corps de cavaliers, les cris de commandement, les hurlements des femmes, tout cela faisait un bruit assourdissant. Maintenant, et peu à peu, le tumulte commença à s'apaiser ; et bientôt après des files d'hommes d'armes et des corps d'archers commencèrent à s'assembler et à se former en ligne de bataille sur la place du marché.

Une grande partie de ce corps était en rouge foncé et bleu, et, dans le chevalier à cheval qui commandait cette troupe, Dick reconnut Sir Daniel Brackley.

Il y eut alors une longue pause, qui fut suivie d'une sonnerie presque simultanée, par quatre trompettes dans quatre quartiers différents de la ville. Une cinquième répondit de la place du marché, et aussitôt les files commencèrent à se mouvoir et une grêle de flèches résonna autour de la barricade et sur les murs des deux maisons.

L'attaque avait commencé à un même signal, sur les cinq issues du quartier. Gloucester était assiégé de tous ses côtés ; et Dick jugea que, pour maintenir sa position, il ne pouvait compter absolument que sur les cent hommes sous ses ordres.

Sept volées de flèches se suivirent, et, au plus fort des décharges, Dick fut touché au bras par derrière et vit un page qui lui tendait une jaque de cuir renforcée de brillantes plaques d'acier.

— C'est de la part de Lord Gloucester, dit le page, il a remarqué, Sir Richard, que vous n'étiez pas protégé.

Dick, la joie au cœur de s'entendre appeler ainsi, se mit sur pieds pour endosser, avec l'aide du page, la cotte protectrice. A ce moment, deux flèches résonnèrent sans dommage sur les plaques, et une troisième renversa le page à ses pieds, mortellement blessé.

Pendant ce temps, le corps tout entier des ennemis s'était progressivement avancé à travers la place, et était maintenant si près que Dick donna l'ordre de répondre à leurs coups. Aussitôt, derrière la barricade et des fenêtres des maisons, une pluie de flèches vola en sens contraire, portant la mort. Mais ceux de Lancastre, comme s'ils avaient simplement attendu ce signal, répondirent par des cris, et coururent à la barricade, les cavaliers restant en arrière, visières baissées.

Il y eut alors une lutte obstinée et meurtrière, corps à corps. Les assaillants, tenant d'une main leurs épées, de l'autre s'efforçaient d'arracher les matériaux de la barricade. De l'autre côté, les rôles étaient renversés et les défenseurs s'exposaient comme des fous pour protéger leur rempart. Ainsi pendant quelques minutes la lutte fit rage presque en silence, amis et ennemis tombant l'un sur l'autre. Mais détruire est toujours plus facile ; et lorsqu'une seule note de trompette rappela la troupe d'attaque de cette terrible mission, une grande partie de la barricade avait été enlevée pièce à pièce, et l'œuvre entière s'était abaissée à la moitié de sa hauteur et était menacée d'une chute complète.

Et alors les piétons reculèrent sur la place en courant de chaque côté. Les cavaliers qui s'étaient tenus sur deux rangs, tournèrent tout à coup, mettant leur flanc en front ; et, rapide comme une vipère qui s'élance, la longue colonne vêtue d'acier s'élança sur la barricade ruinée.

Des deux premiers cavaliers l'un tomba, homme et bête, et fut piétiné par ses compagnons. Le second sauta droit au sommet du rempart, transperçant de sa lance un archer. Presque en même temps, il fut arraché de sa selle et son cheval tué.

Puis tout le poids et la violence de la charge déborda sur les défenseurs et les dispersa. Les hommes d'armes passant par-dessus leurs camarades tombés et portés en avant par la furie de leur attaque, se précipitèrent à travers la ligne brisée de Dick et se répandirent à grand bruit dans la ruelle au delà, comme une rivière déborde par une digue brisée.

Pourtant le combat n'était pas fini. Dans l'étroite ouverture de la ruelle, Dick et un petit nombre de survivants jouaient de la hache comme des bûcherons ; et déjà dans la largeur du passage s'était formé un second rempart, plus haut et plus effectif, d'hommes tombés et de chevaux aux entrailles pendantes qui se débattaient dans leur agonie.

Déconcerté par ce nouvel obstacle, le reste de la cavalerie recula ; et comme, à la vue de ce mouvement, la volée de flèches redoubla aux fenêtres des maisons, leur retraite, un moment, dégénéra presque en fuite.

Presque en même temps, ceux qui avaient traversé la barricade, et chargé plus loin dans la rue, rencontrant devant la porte des Échiquiers le formidable bossu, et toute la réserve d'York, revinrent en arrière, dispersés, au comble de l'effroi.

Dick et ses compagnons firent face, de nouveaux hommes sortirent des maisons ; une cruelle pluie de flèches accueillit les fuyards en pleine figure, tandis que Gloucester était déjà sur leurs talons ; au bout d'une minute et demie, il n'y avait pas un homme de Lancastre vivant dans la rue.

Alors et seulement alors, Dick leva son épée fumante et ordonna des acclamations.

Cependant Gloucester descendit de cheval et s'avança pour inspecter le poste. Son visage était pâle comme un linge, mais ses yeux brillaient comme quelque gemme étrange, et sa voix lorsqu'il parla était rauque et saccadée par l'exaltation de la bataille et du succès. Il examina le rempart, dont amis ou ennemis ne pouvaient s'approcher sans précaution, tant les chevaux s'agitaient dans les affres de la mort, et à la vue de ce grand carnage, la moitié de sa figure sourit.

— Achevez ces chevaux, dit-il, votre supériorité en est diminuée. Richard Shelton, ajouta-t-il, je suis content de vous. A genoux.

Les gens de Lancastre avaient déjà rassemblé leurs archers, et les traits tombaient dur à l'entrée de la rue ; mais le duc sans y faire la moindre attention, tira tranquillement son épée, et sur place arma Dick chevalier.

— Et, maintenant, Sir Richard, continua-t-il, si vous voyez Lord Risingham, envoyez-moi un express immédiatement. Quand vous n'auriez plus qu'un homme, faites-le-moi savoir de suite. J'aimerais mieux perdre cette position que de manquer mon coup avec lui. Car, veillez-y, vous tous, ajouta-t-il en élevant la voix, si le comte Risingham tombe sous une autre main que la mienne, je considérerai cette victoire comme une défaite.

— Seigneur duc, dit quelqu'un de sa suite, votre grâce n'est-elle pas fatiguée d'exposer sa précieuse vie sans nécessité ? Pourquoi vous attarder ici ?

— Catesby, répliqua le duc, c'est ici qu'est la bataille, non ailleurs. Le reste n'est que feintes. C'est ici qu'il faut vaincre. Et quant à être exposé… si vous étiez un vilain bossu et si les enfants vous montraient au doigt dans la rue, vous feriez meilleur marché de votre corps, et payeriez bien de la vie une heure de gloire. Pourtant, si vous voulez, montons à cheval et visitons les autres postes. Sir Richard que voici, mon homonyme, saura bien tenir encore cette entrée, où il marche dans le sang chaud jusqu'aux chevilles. Nous pouvons compter sur lui. Mais attention, Sir Richard, vous n'avez pas encore fini. Le pis est encore de veiller. Ne vous endormez pas.

Il vint droit au jeune Shelton, en le fixant, et prenant sa main dans les deux siennes, il la serra si fort que le sang aurait presque jailli. Dick pâlit sous ses yeux. La folle excitation, le courage et la cruauté qu'il y lisait le remplissaient d'effroi pour l'avenir. Il fallait, certes, au jeune duc une belle vaillance pour se mettre ainsi au premier rang dans la bataille ; mais après, dans les jours de paix et dans le cercle de ses amis éprouvés il était à craindre qu'il continuât à porter la mort.

CHAPITRE III
LA BATAILLE DE SHOREBY (*fin*)

Dick, encore une fois laissé à lui-même, se mit à regarder autour de lui. La grêle de flèches s'était un peu ralentie. De tous côtés l'ennemi reculait ; et la plus grande partie de la place était maintenant vide ; la neige piétinée était devenue une boue orangée, éclaboussée de sang, toute parsemée d'hommes et de chevaux morts, et hérissée dru de flèches ennemies.

De son côté, la perte avait été cruelle. Dans l'entrée de la petite rue et sur les ruines de la barricade s'amoncelaient morts et mourants ; et, des cent hommes avec lesquels il avait commencé la bataille, il n'y en avait pas soixante-dix pouvant encore porter les armes.

Le temps s'écoulait. On pouvait penser que les renforts arriveraient d'un moment à l'autre ; et ceux de Lancastre, déjà ébranlés par le mauvais résultat de leur assaut désespéré, n'étaient pas en état de supporter l'attaque de troupes fraîches.

Il y avait un cadran sur le mur d'une des maisons de côté ; le froid soleil d'hiver y marquait dix heures du matin.

Dick se retourna vers l'homme qui était près de lui, un petit archer insignifiant qui liait une blessure à son bras.

— Ç'a été un beau combat, dit-il, et, par ma foi, ils ne nous chargeront plus.

— Sir, dit le petit archer, vous avez très bien combattu pour York, et encore mieux pour vous-même. Jamais, en si peu de temps, un homme n'a tant avancé en grâce auprès du duc. Qu'il ait confié un tel poste à quelqu'un qu'il ne connaissait pas est merveilleux. Mais, gare à votre tête, Sir Richard ! Si vous vous laissez vaincre... Si vous reculez seulement d'une semelle... la hache ou la corde seront le châtiment ; et je suis ici, si vous faisiez quelque chose de douteux, je vous le dis honnêtement, pour vous poignarder par derrière.

Dick ébahi regardait le petit homme.

— Vous ! cria-t-il. Et par derrière !

— C'est ainsi, répliqua le petit homme. Et, parce que je n'aime pas la chose, je vous le dis. Il vous faut maintenir le poste, Sir Richard, à vos risques. Oh ! notre bossu est une bonne lame et un brave guerrier ; mais qu'il soit de sang-froid ou dans l'action, il veut toujours que tout se passe exactement selon ses ordres. Si quelqu'un y manque ou le gêne, il faut mourir.

— Vraiment, s'écria Richard, est-ce ainsi ? Et les hommes suivent un tel chef ?

— Oh, ils le suivent avec joie, répliqua l'autre, car s'il est exact à punir, sa main est très ouverte pour récompenser. Et s'il n'épargne pas le sang et la peine des autres, il ne se ménage pas non plus, toujours en tête dans les combats, et le dernier au sommeil. Il ira loin, le bossu, Dick de Gloucester !

Le jeune chevalier, s'il avait jusqu'ici été brave et vigilant, était maintenant d'autant plus prêt à exercer sa surveillance et son courage. Sa faveur soudaine, il commençait à s'en apercevoir, avait apporté des dangers à sa suite. Et il s'éloigna de l'archer, et une fois de plus examina anxieusement la place. Elle était vide, comme avant.

— Je n'aime pas cette tranquillité, dit-il. Sûrement ils nous préparent quelque surprise.

Et, comme en réponse à sa remarque, les archers se portèrent de nouveau vers la barricade, et les flèches tombèrent dru. Mais il y avait quelque hésitation dans l'attaque. Ils ne s'avançaient pas franchement et semblaient plutôt attendre un nouveau signal.

Dick regarda avec inquiétude autour de lui, guettant quelque danger caché. Et, en effet, environ à mi-hauteur de la petite rue, tout à coup une porte fut ouverte du dedans, et la maison ne cessa, pendant quelques instants de laisser passer, à la fois par la porte et la fenêtre, un torrent d'archers de Lancastre. Ceux-ci, à mesure qu'ils sautaient, se mettaient vite en rang, courbaient leurs arcs, et lançaient une pluie de flèches sur les derrières de Dick.

En même temps, les assaillants de la place redoublèrent leur jet et se mirent vigoureusement à envelopper la barricade.

Dick rappela tous ses hommes partis dans les maisons, et fit face des deux côtés. Excitant leur courage de la voix et du geste, il répondit du mieux qu'il put à la double grêle de flèches qui tombait sur lui.

Cependant, dans la rue, les maisons s'ouvraient les unes après les autres, et ceux de Lancastre continuaient à sortir des portes et à sauter des fenêtres, criant victoire, si bien que le nombre des ennemis sur les derrières de Dick fut presque égal au nombre en front. Il devenait clair qu'il ne pouvait plus tenir la position ; le pis était que, même s'il eût pu la tenir, c'eût été maintenant sans profit ; et l'armée d'York tout entière était dans une situation désespérée, menacée d'un désastre total.

Les hommes derrière lui formaient l'organe essentiel de la défense générale ; et ce fut contre eux que Dick se tourna, chargeant à la tête de ses hommes. L'attaque fut si vigoureuse que les archers de Lancastre reculèrent et faiblirent, et enfin, rompant leurs rangs, rentrèrent en désordre dans les maisons d'où ils étaient sortis si vains le moment d'avant.

Cependant, les hommes de la place avaient traversé en foule la barricade sans défense, et commençaient chaudement l'attaque de l'autre côté ; et Dick dut encore faire front et les repousser. Une fois de plus le courage de ses hommes l'emporta ; et ils nettoyèrent la rue merveilleusement, mais tandis qu'ils y réussissaient, les autres sortaient de nouveau des maisons, et, pour la troisième fois les prenaient par derrière.

Ceux d'York commençaient à être clairsemés ; plusieurs fois Dick s'était trouvé seul au milieu des ennemis, défendant sa vie avec l'épée ; plusieurs fois il avait senti une blessure. Et pourtant, la bataille était balancée dans la rue sans résultat décisif.

Tout à coup Dick entendit un grand bruit de trompettes venant des faubourgs de la ville. Le cri de guerre d'York monta au ciel, comme porté par de nombreuses voix triomphantes. Et, en même temps, les hommes sur son front se mirent à reculer rapidement, abandonnant la rue, et rentrant sur la place. Quelqu'un parla de fuir. On soufflait les trompettes au hasard, pour le ralliement, pour la charge. Évidemment, quelque grand coup avait été frappé, et ceux de Lancastre se trouvaient, au moins pour le moment, en complet désordre, et il y avait même un commencement de panique.

Et alors, comme un coup de théâtre, vint le dernier acte de la bataille de Shoreby. Les hommes sur le front de Richard, tournèrent le dos, comme des chiens qu'un coup de sifflet eût rappelés, et fuirent comme le vent. En même temps arriva sur la place une tempête de cavaliers, fuyards et poursuivants, ceux de Lancastre se retournaient pour frapper de l'épée, ceux d'York les culbutaient à la pointe de la lance.

Dick regardait le bossu, visible dans la mêlée. Il donnait déjà un avant-goût de son furieux courage, et de cette habileté à se tailler un chemin à travers les rangs de la bataille, qui, des années plus tard sur le champ de Bosworth, lorsqu'il était tout couvert de crimes, faillit presque changer le sort de la journée et l'avenir du trône d'Angleterre. Esquivant les coups, en donnant, descendant, il entraînait et manœuvrait son vigoureux cheval, se défendait si subtilement, et distribuait si libéralement la mort à ses adversaires, qu'il était maintenant loin en avant de ses premiers chevaliers, fauchant sa route avec le tronçon d'une épée sanglante vers l'endroit où Lord Risingham ralliait les plus braves. Un instant encore et ils allaient se rencontrer, le grand, splendide et fameux guerrier contre le garçon difforme et maladif.

Mais Shelton ne doutait pas du résultat ; et, lorsque bientôt les rangs s'ouvrirent un instant, la figure du comte avait disparu ; tandis que, au plus fort du danger, le bossu Dick lançait son gros cheval et jouait de l'épée.

Ainsi, par le courage de Shelton à tenir l'entrée de la rue contre la première attaque, et par l'heureuse arrivée des sept cents hommes de renfort, le jeune homme qui devait plus tard être voué à l'exécration de la postérité sous le nom de Richard III, avait gagné sa première grande bataille.

CHAPITRE IV
LE SAC DE SHOREBY

Il n'y avait plus un ennemi à portée de flèche, et Dick, jetant un coup d'œil attristé autour de lui sur ce qui restait de ses braves compagnons, commença à apprécier le prix de la victoire. Il était lui-même, à présent que le danger était passé, si raide et si meurtri, si contusionné, entaillé et brisé, et surtout si complètement éreinté par les fatigues désespérées et sans trêve du combat, qu'il semblait incapable d'un nouvel effort.

Mais ce n'était pas encore le moment du repos. Shoreby avait été prise d'assaut, et, quoique ville ouverte et nullement responsable de la résistance, il était évident que ces rudes combattants ne seraient pas moins rudes, le combat fini, et que le plus horrible aspect de la guerre allait se faire voir. Richard de Gloucester n'était pas un capitaine à protéger les citoyens contre sa soldatesque furieuse, et même en eût-il eu le désir, on pouvait se demander s'il en aurait eu le pouvoir.

Il fallait donc que Dick se mît en quête de Joanna pour la protéger ; et, pour cela, il regarda autour de lui les figures de ses hommes. Il mit à part les trois ou quatre qui lui parurent devoir être les plus obéissants et les plus sobres, et, leur promettant une riche récompense et une recommandation spéciale pour le duc, il les conduisit par la place au marché, vide alors de cavaliers, dans les rues au delà. Partout de petits combats, en pleine rue, depuis deux hommes jusqu'à une douzaine ; çà et là une maison était assiégée ; les défenseurs jetaient les escabeaux et les tables sur la tête des assaillants. La neige était couverte d'armes et de corps, mais, sauf ces combats partiels, les rues étaient désertes, et les maisons, les unes grandes ouvertes, d'autres, fermées et barricadées, avaient, la plupart, cessé de répandre la fumée de leur foyer.

Dick, côtoyant ces escarmouches, conduisit vivement ses hommes dans la direction de l'église de l'abbaye ; mais, quand il déboucha dans la rue principale, un cri d'horreur s'échappa de ses lèvres. La grande maison de Sir Daniel avait été prise d'assaut. Les portes pendaient en morceaux hors des gonds et une double poussée entrait et sortait continuellement, cherchant et emportant du butin. Pourtant, dans les étages supérieurs on résistait encore aux pillards ; car, juste au moment où Dick arrivait en vue de la maison, une fenêtre fut brisée de l'intérieur, et un pauvre diable en rouge foncé et bleu, qui criait et se débattait, fut passé par l'ouverture et lancé dans la rue.

Une terreur épouvantable s'empara de Dick. Il courut en avant comme un possédé, et violemment dépassa tous les autres, monta sans s'arrêter à la chambre du troisième étage où il s'était naguère séparé de Joanna. C'était un vrai naufrage ; les meubles avaient été renversés, les armoires forcées, et, à un endroit, un coin de la tenture traînait parmi la braise et la cendre.

Dick, presque sans y penser, piétina l'étoffe qui commençait à brûler, puis resta comme pétrifié. Sir Daniel, Sir Olivier, Joanna, tous étaient partis ; mais massacrés dans la déroute ou échappés, vie sauve, de Shoreby, qui pouvait le dire ?

Il arrêta par la tunique un archer qui passait.

— Camarade, demanda-t-il, étiez-vous ici quand la maison a été prise ?

— Lâchez, dit l'archer. Lâchez, la peste ! ou je frappe.

— Écoutez, répliqua Richard, ou bien, à nous deux. Arrêtez et répondez. Mais l'homme, enhardi par la boisson et la bataille, d'une main frappa Dick sur l'épaule, tandis que, de l'autre, il tirait sur son vêtement. Là-dessus, la colère du jeune homme éclata. Il saisit l'individu fortement dans ses bras et l'écrasa contre les plaques de sa poitrine de mailles comme un enfant ; puis le tenant à bout de bras, il lui ordonna de parler s'il aimait la vie.

— Je vous demande grâce, soupira l'archer ; si j'avais pu croire que vous étiez si en colère je me serais bien gardé de vous fâcher. Oui, j'étais ici.

— Connaissez-vous Sir Daniel ? continua Dick.

— Oui, je le connais bien, répliqua l'homme.

— Était-il dans la maison ?

— Oui, monsieur, il y était, répondit l'archer. Mais au moment même où nous entrions par la porte de la cour il sortit à cheval par le jardin.

— Seul ? cria Dick.

— Il y avait peut-être une vingtaine de lances avec lui, dit l'homme.

— Des lances ; pas de femmes alors ? demanda Shelton.

— Ma foi, je n'en ai pas vu, dit l'archer. Mais il n'y en avait pas dans la maison, si c'est là ce que vous cherchez.

— Je vous remercie, dit Dick. Voici une pièce pour votre peine. Mais il eut beau chercher dans son escarcelle, Dick n'y trouva rien. Demandez après moi demain, ajouta-t-il, Richard Shelt... Sir Richard Shelton, corrigea-t-il, et je vous ferai donner une jolie récompense.

Et alors une idée vint à Dick. Il descendit rapidement dans la cour, traversa le jardin en courant de toutes ses forces, et arriva à la porte de l'église.

Elle était grande ouverte ; à l'intérieur, il n'y avait pas une place qui ne fourmillât de bourgeois fugitifs entourés de leur famille et chargés de ce qu'ils avaient de plus précieux, et au grand autel les prêtres, en grand costume, imploraient la grâce de Dieu. Au moment même où Dick entra, le chœur se mit à tonner sous la voûte.

Il se hâta entre les groupes de réfugiés et arriva à la porte de l'escalier qui conduisait au clocher. Là un homme d'église de haute taille le devança et l'arrêta.

— Où allez-vous, mon fils ? demanda-t-il sévèrement.

— Mon père, répondit Dick, je suis ici en mission de guerre ; ne m'arrêtez pas, je commande ici pour monseigneur de Gloucester.

— Pour monseigneur de Gloucester ? répéta le prêtre. La bataille a-t-elle donc si mal tourné ?

— La bataille, Père, est finie, Lancastre en fuite, lord Risingham... Dieu ait son âme !... Et maintenant, avec votre permission, je continue mes affaires. Et, poussant de côté le prêtre qui parut stupéfait de ces nouvelles, Dick, d'un coup, ouvrit la porte et franchit les marches quatre à quatre sans arrêt et sans faux pas jusqu'à la plateforme.

La tour de l'église de Shoreby ne commandait pas seulement la ville, étendue comme un plan, mais dominait au loin, des deux côtés, la mer et la terre. Il était maintenant près de midi, le jour extrêmement brillant, la neige éblouissante. Et, en regardant autour de lui, Dick pouvait mesurer les conséquences de la bataille.

Le grondement confus d'un tumulte montait jusqu'à lui des rues, et de temps en temps, mais très rarement, le choc de l'acier. Pas un vaisseau, pas même une barque n'était restée au port ; mais la mer était pointillée de voiles et de bateaux à rames chargés de fugitifs. A terre, aussi la surface des prairies neigeuses était rompue par des bandes de cavaliers, les uns se frayaient leur chemin vers la lisière de la forêt ; les autres, ceux d'York sans aucun doute, s'interposaient vigoureusement, et les ramenaient vers la ville. Sur tout le terrain découvert gisait un nombre prodigieux d'hommes tombés et de chevaux nettement détachés sur la neige.

Pour achever le tableau, ceux des soldats à pied qui n'avaient pas encore trouvé place sur un bateau, livraient encore un combat à l'arc sur le port, couverts par les tavernes de la côte. Il y avait aussi dans ce quartier une ou deux maisons incendiées, et la fumée s'élevait haut dans la froide lumière du soleil, et s'éloignait vers la mer en replis énormes.

Déjà tout près de la limite des bois et à peu près dans la direction de Holywood, un groupe de cavaliers en fuite fixa particulièrement l'attention de la jeune sentinelle sur la tour. Ce corps était assez nombreux ; nulle part sur le champ de bataille n'étaient groupés tant d'hommes de Lancastre ; aussi ils avaient laissé sur la neige un large sillage décoloré, et Dick pouvait suivre leur trace pas à pas, depuis l'endroit où ils avaient quitté la ville.

Pendant que Dick les surveillait, ils avaient gagné sans opposition les premiers arbres de la forêt dépouillée, ils s'écartèrent un peu de leur direction, le soleil tomba un instant en plein sur leur troupe au moment où le bois sombre lui faisait fond.

— Rouge sombre et bleu, s'écria Dick, j'en jurerais… Rouge sombre et bleu !

L'instant d'après, il descendait l'escalier.

Il avait maintenant à chercher le duc de Gloucester, qui seul dans le désordre des troupes pouvait lui fournir assez d'hommes. Le combat dans la ville même était maintenant fini, et, pendant que Dick courait çà et là cherchant le chef, les rues étaient pleines de soldats errants, les uns chargés de plus de butin qu'il n'en fallait pour les faire chanceler, d'autres, ivres, criant.

Aucun d'eux, quand il le leur demandait, ne pouvait rien lui apprendre sur le duc, et enfin ce fut par pur hasard que Dick le trouva en selle dirigeant les opérations pour déloger les archers du côté du port.

— Sir Richard Shelton, bien rencontré, dit-il, je vous dois une chose que j'estime peu, ma vie ; et une que je ne pourrai jamais vous payer : cette victoire. Catesby, si j'avais dix capitaines comme Sir Richard, je marcherais droit sur Londres. Et maintenant, monsieur, demandez votre récompense.

— Librement, monseigneur, dit Dick, librement et hautement. Un homme a échappé, contre qui j'ai quelque ressentiment, et il a pris avec lui quelqu'un, à qui je dois amour et service. Donnez-moi donc cinquante lances, que je puisse le poursuivre. Et, quelque obligation que votre gracieuseté se plaise à reconnaître, elle sera quitte.

— Comment l'appelez-vous ? demanda le duc.

— Sir Daniel Brackley, répondit Richard.

— Sus à lui, le double traître, cria Gloucester. Ceci n'est pas une récompense, Sir Richard, c'est un nouveau service offert, et, si vous m'apportez, sa tête, une nouvelle dette sur ma conscience. Catesby, donnez-lui ses lances, et vous, monsieur, pensez en attendant au plaisir, honneur ou profit que je vous dois.

A ce moment, les derniers combattants d'York emportèrent une des tavernes près du rivage, l'envahirent de trois côtés, et en chassèrent les défenseurs ou les firent prisonniers.

Dick le bossu, heureux de ce fait d'armes, rapprocha son cheval et appela pour voir les prisonniers. Ils étaient quatre ou cinq, dans le nombre, deux hommes de Lord Shoreby, et un de Lord Risingham, et, en dernier, mais non le moindre aux yeux de Dick, un vieux marin grisonnant, grand, au pas traînant, un peu gris, avec un chien qui sautait en gémissant à ses talons.

Le jeune duc, pendant un moment, les passa en revue sévèrement.

— Bien, dit-il, qu'on les pende.

Et il se retourna de l'autre côté pour surveiller la suite du combat.

— Monseigneur, dit Dick, s'il vous plaît, j'ai trouvé ma récompense. Accordez-moi la vie et la liberté de ce vieux marin.

Gloucester se tourna, et regarda l'orateur en face.

— Sir Richard, dit-il, je ne fais pas la guerre avec des plumes de paon, mais des flèches d'acier. Mes ennemis, je les tue, sans excuse ni grâce. Car, pensez-y, dans ce royaume d'Angleterre, tellement bouleversé, il n'y a pas un de mes hommes qui n'ait frère ou ami dans l'autre parti. Si donc je commençais à accorder de tels pardons, il me faudrait bientôt rengainer.

— Possible, monseigneur ; pourtant, j'aurai l'audace, au risque de votre disgrâce, de rappeler la promesse de Votre Seigneurie, répliqua Dick.

Richard de Gloucester rougit.

— Pensez-y bien, dit-il durement, je n'aime pas la pitié ni ceux qui s'apitoient. Vous avez aujourd'hui jeté les fondations d'une grande fortune. Si vous exigez ma promesse, l'engagement est pris, je céderai. Mais, par la gloire de Dieu, ici meurt votre faveur.

— Je la perdrai donc, dit Dick.

— Donnez-lui son matelot, dit le duc ; et, faisant faire volte-face à son cheval, il tourna le dos au jeune Shelton.

Dick n'était ni content ni affligé. Il avait déjà trop vu le jeune duc à l'œuvre pour faire grand fond sur son affection ; l'origine de sa faveur était trop frivole et la croissance en avait été trop rapide pour lui inspirer grande confiance. Il ne craignait qu'une chose… que ce chef vindicatif révoquât l'offre des lances. Mais en cela il ne rendait pas justice à l'honneur de Gloucester (comme celui-ci le comprenait) ni, surtout, à sa fermeté. S'il avait une fois jugé que Dick était l'homme voulu pour poursuivre Sir Daniel, il n'était pas homme à changer ; et il le prouva bientôt en disant à Catesby de se hâter, que le paladin attendait.

Dans l'intervalle, Dick se tourna vers le vieux marin, qui avait paru aussi indifférent à sa condamnation qu'à sa libération ultérieure.

— Arblaster, dit Dick, je vous ai fait du tort ; mais maintenant, par la croix, je pense avoir payé ma dette.

Mais le vieux capitaine le regardait d'un air hébété et ne disait mot.

— Allons, continua Dick, une vie est une vie, vieux malin, ça vaut mieux que des bateaux et de la liqueur. Dites que vous me pardonnez ; car si votre vie n'est rien pour vous, elle m'a coûté le commencement de ma fortune. Allons, je l'ai payée cher ; ne soyez pas si têtu.

— Si j'avais eu mon bateau, dit Arblaster, je serais parti à l'abri en haute mer… moi et mon homme Tom, mais vous m'avez pris mon bateau, compère, et je suis un mendiant ; et, quant à mon homme Tom, un gredin en rouge l'a abattu d'un coup : « Peste » il a dit, et il n'a plus parlé. « Peste », a été son dernier mot, et sa pauvre âme a passé. Il ne naviguera plus, mon Tom.

Dick fut saisi de vains remords et de pitié ; il chercha à prendre la main du capitaine, mais Arblaster l'évita.

— Non, dit-il, laissez. Vous avez joué au diable avec moi, que cela vous suffise.

Les mots s'arrêtèrent dans la gorge de Richard, il vit à travers ses larmes, le pauvre vieux, hébété par la boisson et le chagrin, s'en aller en chancelant, tête baissée, par la neige, son chien, sans qu'il y prit garde, gémissant sur ses talons ; et, pour la première fois, Dick commença à comprendre le jeu terrible que nous jouons dans la vie, et comment aucune réparation ne peut changer une chose une fois faite ni y remédier.

Mais il n'eut pas le temps de s'abandonner aux vains regrets. Catesby avait maintenant réuni les cavaliers, et, chevauchant vers Dick, il descendit de son cheval et le lui offrit.

— Ce matin, dit-il, j'étais un peu jaloux de votre faveur. Elle n'a pas eu une longue croissance. Et maintenant, Sir Richard, c'est tout à fait de bon cœur que je vous offre ce cheval… pour partir avec.

— Supportez-moi encore un instant, répliqua Dick. Cette faveur… sur quoi était-elle fondée ?

— Sur votre nom, répliqua Catesby, c'est la principale superstition de monseigneur. Si je m'appelais Richard, je serais comte demain.

— Bien, monsieur, je vous remercie, répliqua Dick. Et, puisqu'il est invraisemblable que je suive de telles grandes fortunes, je vous dis adieu. Je ne prétendrai pas qu'il m'ait été désagréable de me croire sur le chemin de la fortune, mais je ne prétendrai pas non plus être trop chagrin d'en être quitte ! Autorité et richesse sont de bonnes choses, certes ; mais un mot tout bas… votre duc c'est un terrible gars.

Catesby rit.

— Oui, dit-il, il est vrai que celui qui marche derrière Dick le Bossu s'engagera loin. Eh bien, Dieu nous garde tous du mal ! Faites vite.

Là-dessus, Dick se mit à la tête de ses hommes et donna l'ordre de partir.

Il traversa la ville, suivant tout droit le chemin qu'il croyait être celui de Sir Daniel, guettant tout signe qui pouvait lui indiquer s'il ne se trompait pas.

Les rues étaient jonchées des morts et des blessés, dont le sort, dans l'âpre gelée, était de beaucoup le plus digne de pitié. Les vainqueurs allaient et venaient de maison en maison, pillaient et massacraient, parfois chantaient en chœur.

De différents quartiers, sur sa route, des bruits de violences furieuses arrivaient aux oreilles du jeune Shelton ; tantôt des coups de marteau de forgeron sur une porte barricadée, tantôt de lamentables cris de femmes.

Le cœur de Dick venait de s'éveiller. Il venait de voir les cruelles conséquences de sa propre conduite ; et la pensée de toute la somme de misères qui était en ce moment créée dans la ville de Shoreby le remplissait de désespoir.

Enfin il atteignit les faubourgs, et là, en effet, il vit droit devant lui, le même large sentier battu sur la neige qu'il avait remarqué du haut de l'église. Il alla donc plus vite ; mais tout en chevauchant, son œil attentif examinait les hommes tombés et les chevaux couchés au bord du chemin. Beaucoup de ceux-ci, cela le rassurait, portaient les couleurs de Sir Daniel et il reconnut même la figure de quelques-uns qui étaient couchés sur le dos.

Environ à mi-chemin entre la ville et la forêt, ceux qu'il poursuivait avaient visiblement été attaqués par des archers, car les cadavres se rapprochaient beaucoup, chacun traversé d'une flèche. Et là, Dick découvrit parmi les autres le corps d'un très jeune homme, dont les traits lui rappelaient une ressemblance familière.

Il arrêta sa troupe, descendit de cheval et souleva la tête du garçon. Ce faisant, le chapeau tomba et une masse de longs cheveux bruns se déroula. En même temps les yeux s'ouvrirent.

— Ah ! le chasseur de lions ! dit une voix faible. Elle est plus loin. Courez... Courez vite.

Et la jeune dame s'évanouit de nouveau.

Un des hommes de Dick apporta un flacon d'un fort cordial, avec lequel Dick réussit à lui faire reprendre connaissance. Alors il prit l'amie de Joanna sur l'arçon de sa selle et continua son chemin vers la forêt.

— Pourquoi me prenez-vous ? dit la jeune fille, vous retardez votre marche.

— Non, Mistress Risingham, répliqua Dick, Shoreby est plein de sang, d'ivresse et de désordre, ici vous êtes en sûreté. Calmez-vous.

— Je ne veux pas être obligée par quelqu'un de votre faction, cria-t-elle, mettez-moi à terre.

— Madame, vous ne savez ce que vous dites, répliqua Dick, vous êtes blessée.

— Je ne le suis pas, dit-elle, c'est mon cheval qui a été tué.

— Peu importe, répliqua Richard, vous êtes ici au milieu d'une plaine de neige et entourée d'ennemis : que vous le vouliez ou non, je vous emporte avec moi. Je suis heureux d'avoir cette occasion, car ainsi je paierai un peu de notre dette.

Pendant un moment, elle ne dit rien, puis brusquement elle demanda :

— Mon oncle ?

— Lord Risingham ? répliqua Dick, je voudrais avoir de bonnes nouvelles à vous en donner, madame ; mais je n'en ai pas. Je l'ai vu une fois dans la bataille, une seule fois. Ayons bon espoir.

CHAPITRE V
NUIT DANS LES BOIS : ALICIA RISINGHAM

Il était presque certain que Sir Daniel s'était dirigé vers Moat-House ; mais à cause de la neige épaisse, de l'heure tardive et de la nécessité d'éviter les routes et de passer par le bois, il était non moins certain qu'il ne pouvait espérer arriver avant le lendemain.

Deux voies s'ouvraient à Dick ; soit continuer à suivre la trace du chevalier et, s'il pouvait, tomber sur son camp cette nuit même, ou chercher un autre chemin et tâcher de se placer entre Sir Daniel et son but.

Chacun de ces plans rencontrait de sérieuses objections, et Dick, qui craignait d'exposer Joanna aux hasards d'une bataille, ne s'était encore décidé pour aucun lorsqu'il atteignit la lisière de la forêt.

En cet endroit, sir Daniel avait incliné un peu vers la gauche, puis s'était enfoncé tout droit vers une futaie de hauts troncs. La troupe avait été formée sur un front plus étroit pour pouvoir passer entre les arbres, et la trace était piétinée d'autant plus profonde dans la neige. L'œil la suivait sous l'enfilade dépouillée des chênes, droite et étroite ; les arbres la couvraient avec leurs nœuds énormes et la grande forêt élevée de leurs branches ; aucun bruit, ni d'hommes ni de bêtes… pas même un vol de rouge-gorge ; et, sur la plaine de neige, le soleil d'hiver dessinait un réseau d'ombres.

— Qu'en pensez-vous, demanda Dick à l'un de ses hommes, suivre tout droit où gagner Tunstall ?

— Sir Richard, répliqua l'homme d'armes, je suivrais leur trace jusqu'où ils se séparent.

— Vous avez raison, il n'y a pas de doute, répliqua Dick. Mais nous sommes partis très vite parce que le temps nous pressait. Ici il n'y a pas de maisons, ni pour manger ni pour s'abriter, et, demain dès l'aube, nous aurons froid aux doigts et le ventre vide. Qu'en dites-vous, amis ? voulez-vous braver le froid pour le succès de l'expédition ou bien passerons-nous par Holywood pour souper chez notre mère l'Église ? L'affaire étant quelque peu incertaine, je ne forcerai personne, mais, si vous m'en croyez, vous choisirez le premier plan.

Les hommes répondirent presque d'une voix qu'ils suivraient Sir Richard où il voudrait.

Et Dick, éperonnant son cheval, se remit en marche.

La neige dans la piste avait été fort piétinée, et les poursuivants avaient ainsi un grand avantage sur les poursuivis. Ils s'avançaient vraiment d'un trot vif, deux cents sabots frappant alternativement le sourd pavage de neige, le cliquetis des armes, le hennissement des chevaux faisaient retentir d'un bruit guerrier les arches du bois silencieux.

Maintenant la large piste des poursuivis arrivait sur la grand-route de Holywood ; là elle devenait un moment indistincte ; puis, à l'endroit où elle s'enfonçait de nouveau dans la neige vierge de l'autre côté, Dick fut surpris de la trouver plus étroite et moins piétinée. Évidemment, Sir Daniel, profitant de la route, avait déjà commencé à séparer sa troupe.

A tout hasard, une chance valant l'autre, Dick continua à poursuivre la ligne droite, et celle-ci, après une heure de chevauchée, conduisit dans les profondeurs de la forêt, où, soudain, elle se dispersa comme une coquille qui éclate, en une douzaine d'autres dans toutes les directions.

Dick tira sur la bride avec désespoir. La courte journée d'hiver était près de sa fin, le soleil, comme une orange rouge pâle, dépouillé de rayons, nageait bas dans les fourrés sans feuilles. Les ombres étaient longues d'un mille sur la neige, la gelée mordait cruellement les ongles, et l'haleine et la vapeur des chevaux montait en nuages.

— Eh bien, nous sommes floués, confessa Dick. Dirigeons-nous sur Holywood, quand même. C'est encore plus près de nous que Tunstall : — si j'en juge par la position du soleil.

Ainsi ils inclinèrent à gauche, tournant le dos au disque rouge, allant vers l'abbaye à travers bois. Mais ce n'était plus comme avant. Ils ne pouvaient plus conserver leur vive allure sur un sentier affermi par le passage de leurs ennemis vers le but auquel ce sentier les conduisait. Il leur fallait maintenant enfoncer d'un pas lourd dans la neige encombrante, s'arrêter constamment pour chercher leur direction, patauger dans des amas de neige. Bientôt le soleil les abandonna ; la lueur à l'ouest s'évanouit ; et, maintenant, ils erraient dans une ombre noire, sous les étoiles glaciales.

La lune, il est vrai, devait, à ce moment, éclairer le sommet des collines, et ils pourraient reprendre leur marche. Mais, en attendant, toute erreur pouvait les éloigner de leur route. Il n'y avait rien à faire, qu'à camper et attendre.

On plaça des sentinelles ; un espace fut déblayé de neige, et, après quelques essais, un bon feu flamba au milieu. Les hommes d'armes s'assirent serrés autour de ce foyer, partagèrent les provisions qu'ils avaient, et se passèrent la bouteille ; et Dick ayant réuni le plus fin de cette grossière et maigre nourriture, l'apporta à la nièce de Lord Risingham ; elle était appuyée contre un arbre, séparée de la soldatesque.

Elle était assise sur une couverture de cheval, enveloppée dans une autre, et regardait droit devant elle cette scène éclairée par le feu. A l'offre de la nourriture, elle tressaillit, comme quelqu'un qui s'éveille d'un rêve, puis refusa en silence.

— Madame, dit Dick, je vous en supplie, ne me punissez pas si cruellement. En quoi je vous ai offensée, je ne sais ; il est vrai que je vous ai emportée, mais avec une violence amicale ; il est vrai que je vous ai exposée à l'inclémence de la nuit, mais la hâte à laquelle je suis obligé a pour but de sauver une autre, qui n'est pas moins délicate, ni moins dépourvue d'amis que vous ; ainsi, madame, ne vous punissez pas vous-même, mangez, sinon par faim ; du moins pour conserver vos forces.

— Je ne veux rien prendre des mains qui ont tué mon cousin, répliqua-t-elle.

— Chère madame, s'écria Dick, je vous jure sur la croix que je ne l'ai pas touché.

— Jurez-moi qu'il vit encore, répliqua-t-elle.

— Je ne veux pas jouer avec vous, répondit Dick. La pitié m'ordonne de vous blesser. En mon cœur, je crois qu'il est mort.

— Et vous voulez que je mange ! cria-t-elle. Oh ! et ils vous appellent « Sir » ! Vous avez gagné vos éperons par le meurtre de mon bon cousin. Et si je n'avais été sotte et traître à la fois, si je ne vous avais sauvé dans la maison de votre ennemi, c'est vous qui seriez mort, et lui — lui qui en valait douze comme vous — serait vivant.

— J'ai fait de mon mieux, comme a fait votre cousin de l'autre côté, répondit Dick. S'il vivait encore — comme j'atteste le ciel que je le souhaite ! — il me louerait, loin de me blâmer.

— Sir Daniel me l'a dit, répliqua-t-elle. Il vous a remarqué à la barricade. Contre vous, dit-il, leurs troupes ont échoué ; c'est vous qui avez gagné la bataille. Eh bien, alors, c'est vous qui avez tué mon bon Lord Risingham, aussi bien que si vous l'aviez étranglé de vos mains. Et vous voudriez que je mange avec vous… et vos mains ne sont pas même lavées de vos meurtres ? Mais Sir Daniel a juré votre perte. C'est lui qui me vengera.

L'infortuné Dick était plongé dans la tristesse. Le vieil Arblaster revint à son esprit, et il poussa un gémissement.

— Me jugez-vous si coupable ? dit-il ; vous qui m'avez défendue, vous qui êtes l'amie de Joanna ?

— Que faisiez-vous dans la bataille ? répliqua-t-elle. Vous n'êtes d'aucun parti ; vous n'êtes qu'un garçon, des jambes et un corps, sans gouvernement de l'esprit et sans raison ! Pourquoi vous êtes-vous battu ? Pour l'amour des coups, parbleu !

— Hé, s'écria Dick, je ne sais pas. Mais tel que va le royaume d'Angleterre, si un pauvre gentilhomme ne se bat pas d'un côté, il faut bien qu'il se batte de l'autre. Il ne peut pas rester seul ; la nature ne le veut pas.

— Ceux qui n'ont pas de jugement ne devraient pas tirer l'épée, répliqua la jeune femme. Vous qui vous battez au hasard, qu'êtes-vous, sinon un boucher ? La guerre n'est noble que par la cause défendue, et vous l'avez déshonorée.

— Madame, dit le pauvre Dick, je vois en partie mon erreur. Je me suis trop pressé ; je me suis lancé trop tôt dans l'action. Déjà j'ai volé un bateau — croyant, je le jure, bien faire — et par là j'ai causé la mort de bien des innocents, et le malheur et la ruine d'un pauvre vieux, dont la figure aujourd'hui même m'a frappé comme un coup de poignard. Et ce matin je n'avais pas d'autre but que de me faire valoir et de gagner un renom pour me marier, et voyez ! j'ai causé la mort de votre cher parent qui avait été bon pour moi. Et quoi encore, je ne sais. Car, hélas ! peut-être j'ai mis York sur le trône, et, peut-être c'est le pire parti, et peut-être j'ai fait du mal à l'Angleterre. O madame, je vois ma faute, je ne suis pas fait pour la vie. Pour ma pénitence et pour éviter des maux plus grands, lorsque j'aurai fini cette aventure je me retirerai dans un cloître. Je renoncerai à Joanna et au métier des armes. Je serai moine et prierai pour l'âme de votre bon oncle toute ma vie.

Il sembla à Dick dans l'extrême humiliation de ses remords que la jeune femme avait ri.

Levant les yeux, il vit qu'elle le regardait à la lumière du feu avec une expression particulière, mais non sans douceur.

— Madame, s'écria-t-il, pensant que le rire avait été une illusion de son ouïe, mais espérant, au changement de son regard, avoir touché son cœur… Madame, cela ne vous suffira-t-il pas ? J'abandonne tout pour réparer le mal que j'ai fait ; j'assure le ciel à Lord Risingham. Et tout cela le jour même où j'ai gagné mes éperons et où je me suis cru le plus heureux jeune gentilhomme de la terre.

— Oh ! enfant ! dit-elle… grand enfant !

Et alors, à la grande surprise de Dick, elle essuya très tendrement les larmes sur ses joues, puis comme cédant à une impulsion soudaine, jeta les deux bras autour de son cou, lui releva la tête et l'embrassa.

L’ahurissement remplit l’âme simple de Dick.

— Mais venez, dit-elle, très joyeuse, vous qui êtes capitaine, il faut que vous mangiez. Pourquoi ne soupez-vous pas ?

— Chère mistress Risingham, répondit Dick. Je voulais d’abord servir ma prisonnière ; mais à vrai dire la pénitence ne me permettra plus de supporter la vue de la nourriture. Je devrais plutôt jeûner, chère madame, et prier.

— Appelez-moi Alicia, dit-elle, ne sommes-nous pas de vieux amis ? Et maintenant venez, je mangerai avec vous, bouchée par bouchée, à parts égales ; si donc vous ne mangez pas, je ne mangerai pas non plus ; mais, si vous mangez de bon cœur, je dînerai comme un paysan.

Et tout aussitôt, elle commença ; et Dick qui avait un excellent estomac se mit en devoir de lui tenir compagnie, d’abord avec une grande répugnance, mais, peu à peu, la situation l’entraînant, avec une ardeur d’une conviction croissante ; jusqu’à ce que, à la fin, il oublia même de surveiller son modèle et de bon cœur répara les dépenses de forces de sa laborieuse journée.

— Chasseur de lions… dit-elle enfin, vous n’admirez pas une fille en pourpoint d’homme ?

La lune était levée maintenant ; il n’attendait plus que pour le repas des chevaux. Au clair de lune, Richard, toujours pénitent, mais maintenant rassasié, la vit qui le regardait avec un peu de coquetterie.

— Madame… balbutia-t-il, surpris de cette nouvelle attitude.

— Non, interrompit-elle, il ne sert à rien de le nier ; Joanna me l’a dit. Mais venez, chevalier, chasseur de lions, regardez-moi… suis-je si vilaine… allons !

Et ses yeux brillaient.

— Vous êtes un peu petite, vraiment… commença Dick. Et elle l’interrompit de nouveau, cette fois d’un sonore éclat de rire, qui acheva sa confusion.

— Petite ! cria-t-elle. Eh bien, maintenant, soyez aussi honnête que brave ; je suis une naine ou un peu mieux ; mais malgré cela… voyons, dites-moi !… malgré cela assez jolie à regarder ; n’est-ce pas ?

— Oui, madame, extrêmement jolie, dit le chevalier en détresse, faisant de pitoyables efforts pour paraître à l’aise.

— Et un homme serait très content de m’épouser ? poursuivit-elle.

— Oh ! madame, très content ! approuva Dick.

— Appelez-moi Alicia, dit-elle.

— Alicia ! dit Sir Richard.

— Eh bien, alors, chasseur de lions, continua-telle, puisque vous avez tué mon cousin, et m'avez laissée sans soutien, vous me devez en honneur une réparation ; ne la devez-vous pas ?

— Oui, madame, dit Dick. Bien que, sur mon âme, je ne me tiens coupable qu'en partie de la mort de ce brave chevalier.

— Voulez-vous m'échapper ? s'écria-t-elle.

— Non pas, madame. Je vous l'ai dit, sur votre ordre je me ferai même moine.

— Alors, en honneur, vous m'appartenez ? conclut-elle.

— En honneur, madame, je suppose… commença le jeune homme.

— Allons ! interrompit-elle, vous êtes trop rusé. En honneur, m'appartenez-vous jusqu'à ce que vous ayez réparé le mal ?

— En honneur, oui, dit Dick.

— Écoutez alors, continua-t-elle, vous ne feriez qu'un triste moine, il me semble. Et, puisque je peux disposer de vous à ma volonté, je vais vous prendre pour mon mari. Non, maintenant taisez-vous ! cria-t-elle. Il ne vous servira de rien de parler. Car voyez combien cela est juste, que vous, qui m'avez arrachée de mon foyer, m'en donniez un autre. Et quant à Joanna, elle sera la première, croyez-moi, à approuver ce changement ; car, après tout, comme nous sommes bonnes amies, qu'importe avec laquelle de nous deux vous vous mariiez ? Cela n'a aucune importance.

— Madame, dit Dick, j'irai dans un cloître, s'il vous plaît me l'ordonner, mais me marier avec qui que ce soit en ce monde, autre que Joanna Sedley, je n'y consentirai ni par violence d'homme ni par caprice de femme. Pardonnez-moi si je dis franchement ma pensée, mais lorsqu'une jeune fille est très hardie, il faut bien qu'un jeune homme soit plus hardi encore.

— Dick, dit-elle, mon bon garçon, venez et embrassez-moi pour cette parole. Non, ne craignez rien, vous m'embrasserez pour Joanna, et, quand nous nous rencontrerons, je le lui rendrai et dirai que je l'ai volé. Et quant à ce que vous me devez, eh bien, cher nigaud, il me semble que vous n'étiez pas seul dans cette grande bataille ; et même, si York arrive au trône, ce n'est pas vous qui l'y aurez mis. Mais pour bon, tendre et honnête, Dick, vous êtes tout cela. Et si je pouvais en mon cœur envier quelque chose à notre Joanna, ce serait votre amour que je lui envierais.

CHAPITRE VI
NUIT DANS LES BOIS (*fin*) : DICK ET JOANNA

Cependant les chevaux avaient pris la faible provision de fourrage et s'étaient reposés de leur fatigue. Sur l'ordre de Dick, le feu fut étouffé sous la neige, et, tandis que ses hommes se remettaient péniblement en route, lui-même, se souvenant un peu tard d'une bonne précaution en pays de forêt, choisit un chêne élevé et grimpa agilement au plus haut croisement de branches. De là il pouvait voir au loin la forêt éclairée par la lune et couverte de neige. Au sud-ouest, sombres à l'horizon, étaient ces terrains élevés, couverts de bruyère, où lui et Joanna avaient subi la terrifiante rencontre du lépreux. Et là son œil fut attiré par un point d'un éclat rougeâtre, pas plus grand qu'un chas d'aiguille.

Il se reprocha vivement sa négligence ; si c'était, comme il semblait, la lueur du feu de camp de Sir Daniel, il aurait dû, depuis longtemps, la voir et marcher sur elle ; surtout, il n'aurait dû, à aucun prix, annoncer son voisinage en allumant un feu de son côté. Mais maintenant il ne devait plus perdre un temps précieux. Le chemin direct vers la hauteur était long d'environ deux milles, mais traversé par un vallon très profond, escarpé, impraticable à des hommes montés, et pour aller vite, il parut préférable à Dick d'abandonner les chevaux et de tenter l'aventure à pied.

Dix hommes furent laissés à la garde des chevaux ; on convint de signaux pour communiquer en cas de danger, et Dick s'avança à la tête de sa troupe ; Alicia Risingham marchait bravement à son côté.

Les hommes s'étaient débarrassés des lourdes armures et laissaient leurs lances en arrière ; et ils marchaient maintenant de très bonne humeur dans la neige gelée et à la lueur égayante de la lune. La descente dans le vallon, où un ruisseau coulait comme sanglotant à travers la glace, fut effectuée en silence et avec ordre ; et de l'autre côté, étant alors à peine à un demi-mille de l'endroit où Dick avait vu la lueur du feu, la troupe s'arrêta pour respirer avant l'attaque.

Dans le vaste silence du bois, les moindres bruits pouvaient s'entendre de loin ; et Alicia qui avait l'oreille fine leva le doigt pour avertir, et se baissa pour écouter. Tous suivirent son exemple ; mais sauf les gémissements du ruisseau cahoté dans le vallon tout près, derrière, et le glapissement d'un renard à une distance de bien des milles à travers la forêt, pas un souffle ne put être perçu par l'attention la plus tendue de Dick.

— Pourtant c'est sûr, j'ai entendu résonner un harnais, chuchota Alicia.

— Madame, répliqua Dick, à qui la jeune femme faisait plus peur que dix vigoureux guerriers, je ne veux pas dire que vous vous soyez trompée, mais cela peut être venu de l'un ou l'autre camp.

— Ce n'est pas venu de là, c'est venu de l'ouest, affirma-t-elle.

— Qu'il en soit ce qu'il voudra, répliqua Dick ; à la volonté de Dieu. N'en tenons aucun compte, mais poussons le plus vite possible et nous verrons bien. Debout amis… assez reposé.

Comme ils avançaient, la neige était de plus en plus foulée de sabots et il était clair qu'ils s'approchaient du campement d'une force considérable d'hommes montés. Maintenant ils pouvaient voir la fumée qui s'échappait des arbres, rougeâtre à sa base et chargée d'étincelles brillantes.

Et ici, selon les ordres de Dick, ses hommes commencèrent à se déployer, rampant sous le couvert, furtivement, pour entourer de tous côtés le camp des ennemis. Lui-même, plaçant Alicia à l'abri d'un énorme chêne, se glissa droit dans la direction du feu.

A la fin, à travers une ouverture du bois, son œil embrassa la position du camp. Le feu avait été construit sur un monticule couvert de bruyères, entouré sur trois côtés de taillis, et il brûlait maintenant très fort, grondant haut et jetant des flammes. Autour il n'y avait pas une douzaine de gens, chaudement enveloppés ; mais, bien que la neige environnante fût piétinée comme par un régiment, Dick chercha vainement un cheval. Il commençait à avoir un terrible pressentiment qu'il était joué. En même temps, dans un homme de haute taille à salade d'acier, qui étendait ses mains devant le foyer, il reconnut son vieil ami et toujours bienveillant ennemi Bennet Hatch ; et, en deux autres, assis un peu en arrière, il découvrit, malgré leur déguisement masculin, Joanna Sedley et la femme de Sir Daniel.

— Bien, pensa-t-il en lui-même, quand je perdrais mes chevaux, si j'ai ma Joanna, de quoi pourrais-je me plaindre ?

Et alors, de l'autre côté du campement, parvint un léger sifflement annonçant que ses hommes s'étaient rejoints et que l'investissement était complet.

Bennet, à ce bruit, sauta sur ses pieds ; mais avant qu'il eût eu le temps de saisir ses armes, Dick l'interpella.

— Bennet, dit-il, Bennet, vieil ami, rendez-vous. Vous ne ferez que sacrifier en vain des vies d'hommes si vous résistez.

— C'est maître Shelton, par saint Barbary, cria Hatch. Me rendre ? Vous demandez beaucoup. Quelle force avez-vous ?

— Je vous dis, Bennet, que vous êtes à la fois inférieur en nombre et enveloppé, dit Dick. César et Charlemagne demanderaient quartier. J'ai quarante hommes pour répondre à mon sifflet et d'un seul tir de flèches, je pourrais vous tuer tous.

— Maître Dick, dit Bennet, c'est bien à contrecœur, mais il faut que je fasse mon devoir. Les saints vous protègent.

Là-dessus, il porta à sa bouche une petite trompette et fit résonner un appel d'éveil.

Un mouvement de confusion suivit ; car tandis que Dick, craignant pour les dames, hésitait encore à donner l'ordre de tirer, la petite bande de Hatch avait déjà saisi les armes et se formait dos à dos comme pour une résistance acharnée. Dans la hâte de leurs déplacements, Joanna sauta de son siège, et courut comme une flèche aux côtés de son amant.

— Ici, Dick, cria-t-elle, en saisissant sa main dans la sienne.

Mais Dick était encore irrésolu. Il était encore jeune pour les plus déplorables nécessités de la guerre, et la pensée de la vieille Lady Brackley arrêtait l'ordre sur ses lèvres. Ses hommes mêmes devinrent indociles, quelques-uns l'appelèrent par son nom, d'autres, de leur propre mouvement, se mirent à tirer, et, à la première décharge, le pauvre Bennet mordit la poussière. Alors Dick s'éveilla.

— Tirez, cria-t-il, tirez, enfants. Et restez à l'abri. Angleterre et York.

Mais à ce moment le son mat de nombreux chevaux sur la neige, s'éleva subitement dans le silence de la nuit, et avec une vitesse incroyable, s'approcha et grandit. En même temps, des trompettes répondant répétaient et répétaient l'appel de Hatch.

— Ralliez, ralliez, cria Dick. Ralliez vers moi ! ralliez pour vos vies.

Mais ses hommes... à pied, dispersés, pris au moment où ils avaient compté sur un triomphe facile... au lieu de cela, commencèrent à lâcher pied séparément, hésitant ou se dispersant dans le fourré. Et, lorsque les premiers cavaliers arrivèrent, chargeant à travers les avenues ouvertes, lançant leurs chevaux sous bois, quelques traînards furent renversés ou passés à l'épée dans les broussailles, mais le gros de la troupe de Dick avait simplement fondu au bruit de leur arrivée.

Dick resta un instant immobile. Il reconnaissait amèrement le résultat de son courage précipité et irréfléchi. Sir Daniel avait vu le feu. Il s'était éloigné avec presque toutes ses forces, soit pour attaquer ses poursuivants ou pour les prendre par derrière, s'ils tentaient l'assaut. A lui revenait complètement le rôle d'un capitaine sagace ; la conduite de Dick était celle d'un enfant impatient. Et le jeune chevalier était là, sa fiancée, il est vrai, le tenait serré par la main, mais, sauf elle, seul, sa troupe d'hommes et de chevaux dispersée tout entière dans la nuit et la vaste forêt, comme une carte d'épingles dans un grenier à foin.

— Les saints me protègent ! pensa-t-il. Il est heureux que j'aie été fait chevalier pour l'affaire de ce matin. Ceci me fait peu d'honneur.

Et, là-dessus, tenant toujours Joanna, il se mit à courir.

Le silence de la nuit était maintenant brisé par les cris des hommes de Tunstall galopant de ci et de là à la chasse des fuyards, et Dick coupa hardiment à travers le taillis et courut droit devant lui comme un cerf. La clarté argentée de la lune sur la neige découverte augmentait par contraste l'obscurité des fourrés ; et la dispersion des vaincus en tous sens attirait les poursuivants dans les sentiers les plus divergents. Aussi, pour un court instant, Dick et Joanna s'arrêtèrent à l'abri d'un fourré épais et écoutèrent les bruits de la poursuite qui s'éparpillait au loin dans toutes les directions et déjà diminuait par la distance.

— Si j'en avais seulement gardé une réserve, s'écria Dick amèrement, j'aurais pu encore renverser les rôles ! Eh bien ! nous vivons et apprenons ; la prochaine fois, cela ira mieux, par la croix !

— Mais, Dick, qu'importe ? dit Joanna, nous voilà réunis de nouveau.

Il la regarda et elle était là… John Matcham, comme autrefois en haut-de-chausses et en pourpoint. Mais maintenant il la connaissait, maintenant, même dans ce costume défavorable, elle lui souriait, épanouie d'amour, et son cœur était transporté de joie.

— Chérie, dit-il, si vous pardonnez à ce maladroit, de quoi me soucierais-je ? Marchons droit sur Holywood. Nous y trouverons votre bon tuteur et mon excellent ami lord Foxham. Nous y serons mariés. Et pauvres ou riches, renommé ou inconnu, qu'importe ? Aujourd'hui, cher amour, j'ai gagné mes éperons, j'ai été loué par des grands pour mon courage ; je me suis cru le meilleur homme de guerre de toute l'Angleterre. Ensuite, d'abord, j'ai perdu ma faveur auprès des grands ; et maintenant j'ai été proprement battu et ai complètement perdu mes soldats. Quelle chute pour ma vanité ! Mais chère, je ne m'en soucie… chère, si vous m'aimez encore et voulez m'épouser, j'enverrai promener ma chevalerie sans regret aucun.

— Mon Dick ! Et ils vous ont fait chevalier ?

— Oui, chère, vous êtes ma lady, maintenant, répondit-il tendrement, ou vous le serez avant midi demain… n'est-ce pas ?

— Je le veux, Dick, de tout mon cœur, répondit-elle.

— Hé, monsieur, je croyais que vous vouliez vous faire moine, dit une voix à leurs oreilles.

— Alicia ! cria Joanna.

— Moi-même, répondit la jeune femme, s'avançant. Alicia que vous avez laissée pour morte, et que votre chasseur de lions a trouvée et ramenée à la vie, et à qui, ma foi, il a fait la cour, si vous voulez le savoir.

— Je ne le croirai pas, s'écria Joanna, Dick !

— Dick ! imita Alicia, Dick, oui vraiment. Hé, beau monsieur, et vous abandonnez de pauvres damoiselles en détresse, continua-t-elle, se tournant vers le jeune chevalier. Vous les laissez derrière des chênes. Mais on a raison, le temps de la chevalerie est fini.

— Madame, s'écria Dick, désespéré, sur mon âme, je vous avais oubliée complètement. Madame, il faut me pardonner. Vous voyez, j'avais retrouvé Joanna !

— Je ne suppose pas que vous l'ayez fait exprès, répliqua-t-elle. Mais je serai cruellement vengée. Je vais dire un secret à lady Shelton — la future lady Shelton, ajouta-t-elle, avec une révérence. Joanna, continua-t-elle, je crois, sur mon âme, que votre fiancé est un hardi compagnon dans la bataille, mais il est, laissez-moi vous le dire crûment, le plus douceâtre nigaud d'Angleterre. Allez… vous aurez du plaisir avec lui. Et maintenant, mes enfants, embrassez-moi d'abord, tous les deux, par bonne amitié ; puis embrassez-vous, juste une minute de sablier, pas une seconde de plus ; puis nous nous dirigerons tous trois sur Holywood aussi vite que nous pourrons ; car ces bois, il me semble, sont pleins de dangers et très froids.

— Mais, est-ce que mon Dick vous a fait la cour ? demanda Joanna, serrée au côté de son fiancé.

— Non, sotte fille, répondit Alicia ; c'est moi qui lui ai fait la cour. Je lui ai même offert de l'épouser ; mais il m'a enjoint d'aller me marier avec mes pareils. C'étaient ses paroles mêmes. Non, je peux le dire : il est plus sincère qu'aimable. Mais maintenant, enfants, par raison, avançons. Allons-nous retraverser le vallon ou pousser droit sur Holywood ?

— Je donnerais beaucoup pour avoir un cheval, dit Dick ; mon corps tous ces jours-ci, a été cruellement malmené et abîmé de coups et n'est plus que contusions. Mais qu'en dites-vous ? Si les hommes au bruit du combat ont fini, nous retournerons pour rien. Il n'y a que trois petits milles pour aller directement à Holywood ; les clochers n'ont pas encore sonné neuf heures, la neige est assez ferme sous le pied, la lune claire ; si nous y allions comme nous sommes.

— Accepté, cria Alicia ; mais Joanna se contenta de serrer les bras de Dick.

Ils allèrent donc en avant, à travers des bocages ouverts et sans feuilles et sur des allées revêtues de neige, sous la face blanche de la lune hivernale : Dick et Joanna marchant la main dans la main, au septième ciel ; et leur frivole compagne, ayant oublié complètement les malheurs, suivait à un pas ou deux en arrière, tantôt raillant leur silence, et tantôt faisant d'heureuses descriptions de leur vie future et unie.

Cependant, au loin dans les bois, on pouvait entendre les cavaliers de Tunstall qui continuaient leur poursuite ; et de temps en temps des cris ou le bruit des armures annonçaient le choc des ennemis. Mais, en ces jeunes gens, élevés dans les alarmes de la guerre, et sortant d'une telle multitude de dangers, ni la crainte, ni la pitié ne pouvaient être éveillées facilement. Satisfaits d'entendre les sons s'éloigner de plus en plus, ils s'abandonnèrent au bonheur présent, marchant déjà, comme le dit Alicia, en un cortège nuptial ; et ni la triste solitude de la forêt, ni la nuit froide et gelée n'eurent le pouvoir de faire ombre à leur bonheur ou de les en distraire.

Enfin, du haut d'une colline, ils virent en bas le vallon de Holywood. Les grandes fenêtres de l'abbaye de la forêt brillaient avec des torches et des chandelles ; ses hautes tourelles et ses clochers s'élevaient clairs et silencieux, et la croix d'or sur le plus haut sommet scintillait brillamment à la lune. Tout autour, dans la clairière ouverte, des feux de camp brillaient, la terre était couverte de tentes, et, au milieu du tableau, la rivière gelée serpentait.

— Par la messe, dit Richard, les hommes de Lord Foxham sont encore là. Le messager s'est certainement perdu. Tant mieux alors. Nous aurons sous la main de quoi faire face à Sir Daniel.

Mais, si les hommes de Lord Foxham étaient encore là, c'était pour une raison différente de celle que supposait Dick. Ils avaient bien marché sur Shoreby ; mais, avant qu'ils fussent à mi-chemin, un second messager les avait rencontrés et leur avait ordonné de retourner à leur campement du matin, pour barrer la route aux fugitifs de Lancastre, et pour être d'autant plus près de l'armée principale d'York. Car Richard de Gloucester ayant terminé la bataille et écrasé ses ennemis dans ce district, était déjà en marche pour rejoindre son frère ; et, peu après le retour des hommes de Lord Foxham, le bossu lui-même mit pied à terre devant la porte de l'abbaye. C'était en l'honneur de cet auguste visiteur que les fenêtres brillaient illuminées, et, au moment où Dick arrivait avec sa fiancée et son amie, toute l'escorte du duc était reçue dans le réfectoire avec toute la splendeur de cette puissante et riche abbaye.

Dick, un peu malgré lui, fut amené devant eux. Gloucester, malade de fatigue, était assis, appuyant sur une main sa face blanche et terrifiante ; Lord Foxham, à moitié remis de sa blessure, était à une place d'honneur à sa gauche.

— Eh bien ! demanda Richard, m'avez-vous apporté la tête de Sir Daniel ?

— Seigneur duc, répliqua Daniel, assez fermement, mais avec une crispation au cœur, je n'ai même pas la bonne fortune de revenir avec mon commandement. J'ai été, plaise à votre grâce, bien battu.

Gloucester le regarda en fronçant terriblement les sourcils.

— Je vous avais donné cinquante lances, monsieur, dit-il.

— Seigneur duc, je n'ai eu que cinquante hommes d'armes, répliqua le jeune chevalier.

— Qu'est ceci ? dit Gloucester. Il m'a demandé cinquante lances.

— Plaise à Votre Seigneurie, dit Catesby doucement, pour une poursuite nous ne lui avons donné que les cavaliers.

— C'est bien, répliqua Richard, et il ajouta : Shelton, vous pouvez aller.

— Restez ! dit Lord Foxham. Ce jeune homme avait aussi une mission de moi. Il se peut qu'il ait eu meilleure chance. Dites, maître Shelton, avez-vous trouvé la jeune fille ?

— Grâce aux saints, monseigneur, dit Dick, elle est dans cette maison.

— En est-il ainsi ? Eh bien alors, Seigneur duc, conclut Lord Foxham, avec votre bon plaisir, demain, avant que l'armée se mette en marche, je propose un mariage. Ce jeune écuyer…

— Jeune chevalier, interrompit Catesby.

— Vraiment, Sir William ? s'écria Lord Foxham.

— Je l'ai moi-même, et pour bons services, armé chevalier, dit Gloucester. Il m'a deux fois servi vaillamment, ce n'est pas la vigueur du bras qui lui manque, mais l'esprit de fer d'un homme. Il n'arrivera à rien, Lord Foxham. C'est un garçon qui se battra bravement dans la mêlée, mais il a un cœur de poule. Cependant, s'il doit se marier, mariez-le au nom de la Vierge, et qu'on n'en parle plus.

— Non, c'est un brave garçon… je le sais, dit Lord Foxham. Soyez donc heureux, Sir Richard. J'ai arrangé cette affaire avec maître Hamley, et demain, vous vous marierez.

Là-dessus, Dick jugea prudent de se retirer, mais il n'était pas sorti du réfectoire qu'un homme qui venait de descendre de cheval à la porte arriva, montant quatre marches d'un saut, et, passant à travers les serviteurs de l'abbaye, se jeta sur un genou devant le duc.

— Victoire, monseigneur ! s'écria-t-il.

Et, avant que Dick eût gagné la chambre qui lui fut réservée comme hôte de Lord Foxham, les troupes criaient de joie autour de leurs feux ; car le même jour, à moins de vingt milles, un second coup écrasant avait été porté à la puissance de Lancastre.

CHAPITRE VII
LA VENGEANCE DE DICK

Le matin suivant, Dick fut debout avant le soleil, se vêtit élégamment, grâce à la garde-robe de Lord Foxham, et, ayant eu de bonnes nouvelles de Joanna, alla faire un tour pour occuper son impatience.

Pendant quelque temps, il circula parmi les soldats, qui préparaient leurs armes à l'aube du pâle jour d'hiver et à la lueur rouge des torches ; mais, peu à peu, il s'éloigna vers les champs, et enfin dépassa tout à fait les avant-postes, et se promena seul dans la forêt gelée, attendant le soleil.

Ses pensées étaient tranquilles et heureuses. Il ne pouvait arriver à regretter la perte de sa courte faveur près du duc. Avec Joanna comme épouse, et Lord Foxham comme fidèle protecteur, l'avenir lui apparaissait très heureux, et dans le passé, il trouvait peu à regretter.

Tandis qu'il se promenait et songeait ainsi, la lumière solennelle du matin s'aviva, le soleil déjà colorait l'orient, et un petit vent aigre faisait voler la neige gelée. Comme il se retournait pour rentrer, son regard tomba sur une forme derrière un arbre.

— Arrêtez, cria-t-il, qui va là ?

Le personnage fit un pas, et agita la main dans un geste muet. Il était vêtu comme un pèlerin, le capuchon baissé sur la figure. Mais Dick, à l'instant, reconnut Sir Daniel.

Il marcha sur lui, tirant son épée, et le chevalier, portant la main à sa poitrine, comme pour saisir une arme cachée, attendit fermement son approche.

— Eh bien, Dickon, qu'allez-vous faire ? Faites-vous la guerre aux vaincus ?

— Je n'en ai jamais voulu à votre vie, répliqua le jeune homme. J'ai été votre ami jusqu'au moment où vous en avez voulu à la mienne, et vous lui en vouliez terriblement.

— Non… légitime défense, répliqua le chevalier. Et à présent, mon garçon, le résultat de la bataille, et la présence de ce diable de bossu dans mes propres bois, m'ont brisé sans espoir. Je vais à Holywood chercher la protection du sanctuaire, puis par-delà les mers, pour recommencer la vie, avec ce que je pourrai emporter, en Bourgogne ou en France.

— Vous pourriez ne pas arriver à Holywood, dit Dick.

— Hein ! Pourquoi pas ? demanda le chevalier.

— Voyez-vous, Sir Daniel, c'est le matin de mon mariage, et le soleil qui va se lever là-bas, éclairera le plus beau jour qui ait brillé pour moi. Vous portez la peine de votre crime, la mort de mon père, et vos pratiques envers moi, votre pupille. Mais j'ai moi-même commis des fautes, j'ai contribué à des morts d'hommes, et, en cet heureux jour, je ne veux être ni juge ni bourreau. Fussiez-vous le diable, vous pourriez aller où vous voulez, s'il ne tenait qu'à moi. Obtenez le pardon de Dieu ; le mien, je vous l'accorde volontiers. Mais aller à Holywood, c'est une autre affaire. Je porte les armes pour York, et je ne souffrirai pas d'espion dans leurs lignes. Tenez-vous donc pour assuré, si vous faites un pas, que j'élèverai la voix et appellerai le poste le plus voisin pour qu'il s'empare de vous.

— Vous vous moquez de moi, dit Sir Daniel. Je n'ai de sûreté qu'à Holywood.

— Cela m'est égal, répliqua Richard. Je vous laisse aller vers l'est, l'ouest ou le sud, pas au nord. Holywood est fermé pour vous. Allez, et n'essayez pas de revenir. Car, une fois que vous serez parti, j'avertirai tous les postes autour de cette armée, et il y aura une si active surveillance sur tous les pèlerins, que, fussiez-vous le diable lui-même, vous pâtiriez de le tenter.

— Vous me condamnez, dit Sir Daniel, d'un air sombre.

— Je ne vous condamne pas, répondit Richard. S'il vous plaît de vous mesurer avec moi, venez ; et, bien que ce soit, je le crains, peu loyal envers mon parti, je relèverai le défi ouvertement et pleinement, et je me battrai contre vous, avec ma seule force, sans appeler à l'aide. Ainsi, je vengerai mon père, avec une conscience tranquille.

— Oui, dit Sir Daniel, vous avez une longue épée contre ma dague.

— Je compte seulement sur le ciel, répondit Dick, jetant son épée à quelques pas derrière lui sur la neige. A présent, si votre mauvaise étoile vous conduit, venez, et, par la grâce du Tout-Puissant, je me fais fort d'offrir vos os aux renards.

— Je n'ai voulu que vous éprouver, Dick, repartit le chevalier avec un rire forcé ; je ne voudrais pas verser votre sang.

— Allez, alors, avant qu'il soit trop tard, répliqua Shelton ; dans cinq minutes, j'appellerai le poste. Je m'aperçois que j'ai déjà été trop indulgent. Si nos positions avaient été contraires, il y a quelques minutes que j'aurais été pris, pieds et poings liés.

— C'est bien, Dick, je pars, répliqua Sir Daniel. Quand nous nous rencontrerons de nouveau, vous vous repentirez d'avoir été si dur.

Et, avec ces mots, le chevalier se retourna et se mit en marche sous les arbres. Dick, avec une étrange confusion de sentiments, le regardait s'en aller, rapide et attentif, jetant de temps en temps en arrière un mauvais regard sur celui qui l'avait épargné, et dont il se méfiait encore.

Sur un des côtés de son chemin, se trouvait un fourré couvert d'un épais tapis de lierre vert, et, même en son état hivernal, impénétrable à l'œil. Là, soudain, un arc résonna comme une note de musique, une flèche vola, et avec un grand cri étranglé, le chevalier de Tunstall leva les bras et tomba en avant sur la neige.

Dick bondit à ses côtés et le releva. Sa figure était contractée, et tout son corps était secoué de spasmes violents.

— La flèche est-elle noire ? demanda-t-il faiblement.

— Elle est noire, répondit gravement Dick.

Et alors, avant qu'il pût ajouter un mot, une suprême douleur secoua de la tête aux pieds le blessé, dont le corps échappa aux bras de Dick, et dans la violence de cette angoisse, il rendit l'âme en silence.

Le jeune homme l'étendit doucement sur la terre, et pria pour cette âme coupable et non préparée à la mort, et tandis qu'il priait, le soleil se leva d'un coup, et les rouges-gorges se mirent à chanter dans le lierre.

Quand il se releva, il vit un homme à genoux, quelques pas derrière lui, et, toujours tête nue, il attendit la fin de cette prière. Ce fut long ; l'homme, la tête baissée, et la figure dans les mains, priait comme quelqu'un en grand désarroi ou détresse d'esprit ; et, à l'arc qui était à côté de lui, Dick jugea que ce devait être l'archer qui avait couché à terre Sir Daniel.

Enfin il se leva à son tour, et montra la figure d'Ellis Duckworth.

— Richard, dit-il très gravement, je vous ai entendu. Vous avez pris le bon parti, et pardonné. J'ai pris le pire, et voici le corps de mon ennemi. Priez pour moi.

Et il lui serra la main.

— Monsieur, dit Richard, je prierai pour vous, certes. Mais réussirai-je ? Je ne sais. Si vous avez si longtemps poursuivi la vengeance, et la trouvez maintenant si amère, ne pensez-vous pas qu'il vaudrait mieux pardonner aux autres ? Hatch… il est mort, pauvre homme. J'aurais donné beaucoup pour l'épargner. Quant à Sir Daniel, voici son corps. Mais le prêtre, si je pouvais obtenir cela, je voudrais que vous le laissiez.

Une flamme traversa les yeux d'Ellis Duckworth.

— Oh ! dit-il, le démon est encore fort en moi, mais soyez en repos, la flèche noire ne volera plus jamais… La compagnie est dissoute. Ceux qui vivent encore, je les laisserai atteindre leur mort tranquille, au temps marqué par le ciel ; et, quant à vous, allez où votre meilleure fortune vous appelle, et ne pensez plus à Ellis.

CHAPITRE VIII
CONCLUSION

Vers neuf heures du matin, Lord Foxham conduisait sa pupille, de nouveau habillée comme il convient à son sexe, et suivie d'Alicia Risingham, à l'église de Holywood, lorsque Richard le Bossu, le front déjà chargé de soucis, les rencontra et s'arrêta.

— C'est la jeune fille ? demanda-t-il ; et, lorsque Lord Foxham eut répondu affirmativement : Mignonne, ajouta-t-il, levez la figure, que j'en voie la grâce.

Il la regarda un moment d'un air chagrin.

— Vous êtes jolie, dit-il enfin, et riche, me dit-on. Que diriez-vous si je vous offrais un beau mariage, qui conviendrait à votre figure et votre noblesse ?

— Seigneur duc, répliqua Joanna, plaise votre grâce, j'aime mieux épouser Sir Richard.

— Comment ? demanda-t-il durement. Épousez l'homme que je vous nommerai, et il sera Lord, et vous Lady, avant la nuit. Quant à Sir Richard, je vous le dis, il mourra Sir Richard.

— Je ne demande au Ciel rien de plus, monseigneur, que de mourir la femme de Sir Richard, répliqua Joanna.

— Réfléchissez-y, monseigneur, dit Gloucester, se tournant vers Lord Foxham. Voilà un couple pour vous. Le garçon, lorsque, pour ses bons services, je lui laissai le choix de sa récompense, choisit seulement la grâce d'un vieil ivrogne de marin. Je l'avertis durement, mais il tint ferme à cette bêtise. Ici meurt votre faveur, lui dis-je ; mais lui, monseigneur, avec l'assurance la plus impertinente, répondit : J'en supporterai la perte. Et il en sera ainsi, par la croix !

— A-t-il dit cela ? cria Alicia. Alors, bien dit, lion !

— Qui est celle-ci ? demanda le duc.

— Une prisonnière de Sir Richard, répondit Lord Foxham, mistress Alicia Risingham.

— Voyez à la marier à un homme sûr, dit le duc.

— J'avais pensé à mon cousin, Hamley, s'il plaît à votre grâce, répliqua Lord Foxham. Il a bien servi la cause.

— Cela me plaît, dit Richard. Qu'on les marie promptement. Dites, jolie fille, voulez-vous vous marier ?

— Seigneur duc, dit Alicia, si l'homme est droit… Et, à ce mot, consternée, la voix resta étouffée dans sa gorge.

— Il est droit, madame, répliqua Richard, avec calme. Je suis le seul bossu dans mon parti ; autrement, nous sommes assez bien bâtis. Mesdames, et vous, monseigneur, ajouta-t-il, prenant tout à coup un air de gravité courtoise, veuillez m'excuser si je vous quitte. Un capitaine en temps de guerre, ne dispose pas de son temps.

Et, avec un élégant salut, il passa, suivi de ses officiers.

— Hélas ! s'écria Alicia, je suis perdue !

— Vous ne le connaissez pas, répliqua Lord Foxham. Ce n'est rien ; il a déjà oublié vos paroles.

— Il est, alors, la vraie fleur de chevalerie, dit Alicia.

— Non, mais il pense à autre chose, répliqua Lord Foxham. Ne tardons pas davantage.

Dans le sanctuaire ils trouvèrent Dick qui attendait, avec une suite de quelques hommes : et là eut lieu le mariage. Lorsqu'ils sortirent, heureux, et pourtant sérieux, à l'air froid et à la lumière du soleil, les longues files de l'armée déjà remontaient la route ; déjà la bannière du duc de Gloucester était déployée et s'éloignait de l'abbaye dans un groupe de lances ; et derrière, entouré de ses chevaliers couverts d'acier, le hardi Bossu au cœur sombre, s'avançait vers sa royauté éphémère et son éternelle infamie.

Mais les mariés et leur suite prirent le chemin opposé, et se mirent à table avec une joie douce. Le père sommelier les servait et s'assit avec eux à table. Hamley, toute jalousie oubliée, commença à faire sa cour à Alicia, nullement rebelle. Ainsi, au bruit des trompettes, du cliquetis des armures et des chevaux, Dick et Joanna, assis côte à côte, se tenaient tendrement par la main et se regardaient dans les yeux, avec une affection grandissante.

Ensuite la poussière et le sang de cette époque troublée passèrent loin d'eux. Ils habitèrent sans alarmes la forêt verte où leur amour avait commencé.

Deux vieillards, cependant, jouissaient de leurs pensions en grande paix et prospérité, et peut-être avec un excès d'ale et de vin, au village de Tunstall. L'un avait toute sa vie été marin, et continua jusqu'au dernier jour à regretter son matelot Tom. L'autre, qui avait été un peu tout, vers la fin tourna à la piété et mourut très religieusement sous le nom de frère Honestus dans l'abbaye voisine. Ainsi fut faite la volonté de Lawless, et il mourut moine.

FIN

Milton Keynes UK
Ingram Content Group UK Ltd.
UKHW020239250424
441687UK00004B/266